PRÉCIS DE
GRAMMAIRE FRANÇAISE

MAURICE GREVISSE

PRÉCIS DE
GRAMMAIRE FRANÇAISE

VINGT-HUITIÈME ÉDITION
REVUE

DUCULOT

© Éditions Duculot, Paris-Gembloux (1969).
   (Imprimé en Belgique sur les presses Duculot.)

D. 1969, 0035.12

ISBN 2-8011-0018-8

Avertissement

Le Précis de Grammaire française *tel que le voici a été mis en harmonie avec la terminologie grammaticale adoptée aujourd'hui dans les classes.*

D'une manière générale, on s'est efforcé de présenter clairement la matière. Ceux qui enseignent la grammaire française l'ont souvent constaté : certaines notions — celle de l'apposition, par exemple, ou celle de l'attribut du sujet ou de l'objet — n'entrent que malaisément dans les jeunes esprits. C'est pourquoi il a paru utile de figurer, dans la présente édition du Précis de Grammaire française, *chaque fois que l'occasion a semblé bonne, ces notions abstraites par des représentations concrètes.*

En outre, on a pensé que les jeunes élèves saisiraient plus facilement les rapports syntaxiques des mots et comprendraient mieux leurs fonctions si on leur présentait schématiquement certains exemples, de telle sorte que l'agencement des diverses pièces de la phrase en devînt plus clair et plus parlant.

Pour ces schémas, on s'est inspiré des idées de M. Henri Bonnard, qui a bien voulu (on lui en sait beaucoup de gré) ne pas trouver mauvais qu'on imitât ici sa méthode.

M. G.

NOTIONS PRÉLIMINAIRES

1. L'homme exprime généralement ses idées, ses sentiments, ses volontés et ses sensations par la parole, et c'est le **langage parlé,** — ou par l'écriture, et c'est le **langage écrit.**

C'est par phrases que nous pensons et que nous parlons ; la **phrase** est un assemblage organisé logiquement et grammaticalement pour exprimer un sens complet ; elle est la véritable unité linguistique.

La phrase est constituée par des **mots,** c'est-à-dire par des **sons** ou assemblages de sons exprimant un sens.

Le langage écrit représente les sons au moyen d'un système de signes ou caractères appelés **lettres.**

2. La **grammaire** est l'étude systématique des éléments constitutifs d'une langue. Elle comprend :

1° La **phonétique** ou science des sons du langage ;

2° La **lexicologie** ou science des mots ;

3° La **syntaxe** ou ensemble des règles qui concernent le rôle et les relations des mots dans la phrase [1].

Remarque. — A la lexicologie se rattachent :

a) la **morphologie** ou science des diverses *formes* dont certains mots sont susceptibles ;
b) la **prononciation ;**
c) l'**orthographe** ou art d'écrire correctement les mots ;
d) l'**étymologie,** qui étudie l'origine des mots ;
e) la **sémantique,** qui est la science des significations des mots.

---

1. Dans le présent ouvrage, on a cru pouvoir se libérer de la tradition en étudiant conjointement la *morphologie* et la *syntaxe* des parties du discours. — D'autre part, il a paru bon de placer l'étude de la *phrase* et de la *proposition* avant celle des diverses espèces de mots : la connaissance de certaines variations morphologiques des mots suppose, en effet, celle de leurs relations dans la proposition.

PREMIÈRE PARTIE

LES ÉLÉMENTS DE LA LANGUE

1. LES SONS

3. Les **sons** du langage ou **phonèmes** sont des émissions d'air produites par l'appareil phonateur (ou vocal).

> Les principaux organes de la *phonation* (ou émission vocale) sont : les *poumons* ; — le *larynx*, sorte d'entonnoir cartilagineux, au travers duquel se tendent, bordant une fente appelée *glotte*, les deux paires de *cordes vocales* ; — le *pharynx* (arrière-bouche) ; — le *voile du palais* (le petit appendice charnu qui pend au milieu, à l'entrée du gosier, est la *luette*) ; — la *langue* ; — les *lèvres*.
>
> L'ensemble des mouvements qui règlent la disposition des organes vocaux sur le passage du souffle expiratoire s'appelle *articulation*. La *base d'articulation* est la position des organes vocaux à l'état d'indifférence (donc pendant le silence avec respiration normale).

4. Une **syllabe** est un son ou un groupe de sons que l'on prononce par une seule émission de voix : *eau, mi-di, cha-ri-té*.

5. Les sons se divisent en *voyelles* et *consonnes*.

A. VOYELLES

6. On appelle **voyelles** des sons produits par les vibrations des cordes vocales et s'échappant sans avoir été arrêtés nulle part dans le canal vocal.

7. Les voyelles sont *buccales* ou *nasales*.

a) Elles sont dites **buccales** (ou *pures*) quand le souffle qui les produit s'échappe uniquement par la bouche : *a, e, é, è, i, eu, u, o, ou*.

b) Elles sont dites **nasales** quand le souffle s'échappe par le nez et par la bouche à la fois : *in, an, un, on*.

Remarques. — 1. Dans l'articulation des voyelles, l'ouverture buccale est plus ou moins grande : les voyelles sont :

a) ouvertes quand elles s'articulent avec une ouverture buccale plus grande que pour l'articulation d'autres voyelles : *mère, note, car, lin, plan*.

b) fermées quand elles s'articulent avec une ouverture buccale plus petite que pour l'articulation d'autres voyelles : *cri, dé, date, feu, mur, sou, rose, bon*.

2. D'après leur *durée*, les voyelles sont :

a) longues : *corps, mur, tige, rage ;*

b) brèves : *morte, lu, prix, bac ;*

c) moyennes : *robe, fut, riz, bagne.*

3. D'après le *point d'articulation* (c'est-à-dire la zone du palais en face de laquelle la langue se masse), les voyelles sont :

a) antérieures, lorsque la langue se masse en avant dans la bouche : *date, mère, pré, cri, lin, brun*.

b) postérieures, lorsque la langue se masse en arrière dans la bouche : *sou, rose, note, car, bon, plan*.

N. B. — L'*a* qui n'est ni ouvert ni fermé, pour l'articulation duquel la langue est étendue, est une voyelle **mixte :** *parisien*.

4. Pour l'articulation correcte des voyelles (comme aussi pour l'articulation des consonnes), les muscles de l'appareil vocal doivent être tendus avec un effort suffisant pendant toute la durée de l'articulation ; ainsi articulées, les voyelles sont dites **tendues ;** — quand la tension n'est pas suffisante, les voyelles sont **relâchées.**

5. L'*e* sourd, demi-ouvert, demi-fermé (sans accent dans l'écriture) s'appelle *e* **caduc** parce que, en certains cas, il tombe dans la prononciation (cet *e* est souvent aussi appelé *e muet*) : *Gredin, rapp(e)ler, un(e) fenêtr(e).*

6. Selon sa place dans la syllabe, une voyelle est :

a) libre, quand elle termine la syllabe (la syllabe est dite alors *ouverte*) : *dé-fi-nir.*

b) entravée, quand elle ne termine pas la syllabe (la syllabe est dite alors *fermée*) : *per-tur-ba-tion.*

7. Le **timbre** d'une voyelle est le caractère propre et distinctif dû à la combinaison de la note fondamentale avec des sons accessoires appelés *harmoniques*. Tout changement dans la disposition des cavités pulmonaires et bucco-nasales modifie le timbre de la voyelle. En particulier, le timbre varie avec le degré d'ouverture de la bouche : *rose* (*o* fermé), *note* (*o* ouvert).

8. D'après leur **hauteur,** c'est-à-dire d'après le degré d'élévation de la voix, les voyelles sont plus ou moins *graves* ou plus ou moins *aiguës*.

TABLEAU DES VOYELLES

	ANTÉRIEURES		POSTÉRIEURES	
	Fermées	Ouvertes	Fermées	Ouvertes
Buccales	*cri* *dé* *date* *feu* *mur*	*mère*	*sou* *rose*	*note* *car*
Nasales	*gredin* (*e* muet) *in* *brun*		*bon*	*plan*

B. CONSONNES

8. Les **consonnes** sont des bruits de frottement ou d'explosion produits par le souffle qui, portant ou non les vibrations des cordes vocales, rencontre dans la bouche divers obstacles résultant de la fermeture ou du resserrement des organes.

Remarques. — 1. D'après la voie d'échappement du souffle, on distingue :

a) Les consonnes **buccales** : *b, p, d, t, g, k, v, f, z, s, j, ch, l, r* ;

b) Les consonnes **nasales** : *m, n, gn* (et *ng*, dans des mots étrangers) ;

c) L'*h* « aspiré ». Cette appellation est doublement impropre : 1° parce que, quand l'*h* dit aspiré est vraiment un son, il comporte non une *aspiration*, mais une intensité particulière du souffle *expiré* ; — 2° parce que l'*h* aspiré n'existe plus comme son en français moderne : c'est un simple signe graphique, qui a pour effet d'empêcher l'élision et la liaison.

Toutefois il se fait parfois entendre réellement dans certaines interjections comme *ha ! hé ! holà !* ou encore quand la syllabe initiale d'un mot commençant par un *h* « aspiré » est frappée d'un accent d'insistance : *C'est une* h*onte !*

2. D'après le degré d'ouverture ou de fermeture des organes, on distingue :

a) Les consonnes **occlusives** (ou **explosives**), qui s'articulent de telle manière que le souffle, d'abord arrêté par la fermeture complète des organes buccaux s'échappe brusquement : *b, p, d, t, g, k.*

b) Les consonnes **fricatives,** dans l'articulation desquelles il y a resserrement des organes buccaux, sans fermeture complète : *v, f, z, s, j, ch.*

Les consonnes *s, z,* sont souvent appelées **sifflantes ;** — les consonnes *ch, j,* sont souvent appelées **chuintantes.**

c) La consonne **liquide** *l,* dont l'émission comporte comme un « écoulement » du souffle sur les côtés de la langue.

d) La consonne **vibrante** *r,* dont l'articulation (du moins pour l'*r* parisien) comporte une vibration du dos de la langue sur le voile du palais. (Dans l'articulation de l'*r* roulé, c'est la luette qui vibre.)

3. D'après l'endroit où les organes buccaux se touchent, on distingue :

a) Les consonnes **labiales** (lèvres) : *b, p, m,* — et **labio-dentales** (lèvres et dents) : *v, f ;*

b) Les consonnes **dentales** (langue et dents) : *d, t, z, s, l, n ;*

c) Les consonnes **palatales** (langue et palais) : *j, ch, gn ;*

d) Les consonnes **vélaires** (langue et voile du palais) : *g, k, r, ng.*

4. Les consonnes sont **sonores** quand le souffle qui les produit est pourvu des vibrations des cordes vocales : *b, d, g, v, z, j, l, r, m, n, gn, ng ;* — elles sont **sourdes** quand le souffle qui les produit n'est pas pourvu des vibrations des cordes vocales : *p, t, k, f, s, ch.*

5. Dans la prononciation, une consonne est **simple** quand elle est produite par une seule émission vocale ; elle est **double** quand elle fait l'impression d'être émise deux fois de suite ; ainsi *m* se prononce simple dans *sommet,* mais il se prononce double dans *sommité.*

6. Il y a trois **semi-voyelles** ou **semi-consonnes :**

u consonne (qu'on nomme *ué*), comme dans *lui ;*
ou consonne (qu'on nomme *oué*), comme dans *oui ;*
i consonne (qu'on nomme *yod*), comme dans *pied.*

7. Une **diphtongue** résulte de l'émission rapide d'une voyelle et d'une semi-voyelle : *œil* (eù + y), *yeux* (y + eú).

Il y a **synérèse** lorsque deux voyelles contiguës se fondent, dans la prononciation, en une seule émission : la première voyelle fait alors fonction de semi-voyelle :

C'est le du el effrayant de deux spectres d'airain. (Hugo.)

Il y a **diérèse** lorsque les éléments d'une diphtongue se trouvent dissociés et deviennent deux voyelles autonomes :

J'ai su tout ce détail d'un anci-en valet. (Corneille.)

8. Lorsque deux consonnes se trouvent en contact phonétique, elles tendent à s'**assimiler** l'une à l'autre :

a) L'assimilation est *progressive* quand la première consonne impose son caractère à la seconde, quant à la sonorité : *subsister* (prononcé *subzister*) : la consonne sonore *b* fait devenir sonore, en la changeant en *z,* la consonne *s,* sourde par nature.

b) L'assimilation est *régressive* dans le cas contraire : *ab*sent (prononcé *ap*sent) : la consonne sourde *s* fait devenir sourde, en la changeant en *p*, la consonne *b*, sonore par nature.

Il y a **dissimilation** lorsque deux consonnes identiques, se trouvant dans le voisinage l'une de l'autre, se différencient ; ainsi quand le mot latin *peregrinum* est devenu en français *pèlerin*, il y a eu *dissimilation* du premier *r* par le second.

TABLEAU DES CONSONNES

			LABIALES	DEN-TALES	PALA-TALES	VÉLAIRES
Buccales	**Occlusives**	sonores	*b*a*l*	*d*ur		*g*a*i*
		sourdes	*p*ot	*t*ir		*k*épi, *c*ol
	Fricatives	sonores	*v*ol	*z*èle	*j*our	
		sourdes	*f*er	*s*ol	*ch*ar	
	Liquide	sonore		*l*ac		
	Vibrante	sonore				*r*at
Nasales :		sonores	*m*er	*n*ote	di*gn*e	smoki*ng*
L'h « aspiré »						

2. LES SIGNES

9. La langue écrite note les sons du français au moyen de vingt-six lettres, dont l'ensemble constitue l'*alphabet*.

Ces lettres sont **majuscules** (ou **capitales**) : A, B, C, D, E, F, G, H, I, J, K, L, M, N, O, P, Q, R, S, T, U, V, W, X, Y, Z ;

ou **minuscules :** a, b, c, d, e, f, g, h, i, j, k, l, m, n, o, p, q, r, s, t, u, v, w, x, y, z.

10. Il y a six lettres-voyelles : *a, e, i, o, u, y ;* — les autres lettres sont les lettres-consonnes.

Remarque. — Parce que notre alphabet ne possède pas autant de lettres qu'il y a de phonèmes à représenter, et aussi parce que notre orthographe n'a pas évolué en même temps que la prononciation et qu'en outre, cette orthographe s'est souvent conformée à l'étymologie, il se fait :

1° qu'il faut, pour représenter certains sons, combiner deux lettres : *eu, ou, on, ch, gn ;*

2° qu'une même graphie peut représenter des phonèmes différents : *cage, cire ; — gare, gêne ; — nation, partie ; — tache, orchestre ; — ville, béquille ;*

3° qu'un même phonème est, selon les mots, représenté par différentes graphies : *trô*ne, *b*eau, Saô*n*e ; — *c*age, *f*emme ; — *l*in, é*t*ain, *s*imple, *s*ymbole, *s*yntaxe, Reim*s* ; — *f*aner, *ph*are ; — *j*oli, ge*ô*le.

D'autre part, il arrive souvent qu'une ou plusieurs lettres, disparues dans la prononciation depuis le moyen âge, sont pourtant toujours exigées par l'orthographe : *doig*t, *tor*t, *ver*t, *lour*d.

11.   Les **signes orthographiques** sont : les accents, le tréma, la cédille, l'apostrophe et le trait d'union.

12.   On distingue trois sortes d'**accents:** l'accent *aigu* (′), l'accent *grave* (`) et l'accent *circonflexe* (^).

a) L'accent *aigu* se met, en général, sur *e* fermé non suivi d'un *d*, d'un *f* ou d'un *z* finals :

Vérité, coupés. (Sans accent aigu : *pied, clef, chanter, nez,* etc.)

b) L'accent *grave* se met :

1° Sur *e* ouvert, à la fin d'une syllabe ou devant *s* final :

Père, procès.

2° Sur *a* dans *de*çà, *déj*à, *del*à, *voil*à, *hol*à (mais non dans *cela*).

3° Sur *a, u, e,* dans certains mots, qui peuvent, par ce moyen, être distingués d'autres mots, homonymes :

*à, a ; — l*à, *la ; — ç*à, *ça ; — o*ù, *ou ; — d*ès, *des.*

c) L'accent *circonflexe* se met sur *a, e, i, o, u,* et indique soit la chute d'une voyelle ou d'un *s* de l'ancienne orthographe :

Bâtir (autref. *bastir*), *tête* (autref. *teste*), *âge* (autref. *eage*) ;

soit la prononciation longue de certaines voyelles :

Cône, infâme, extrême.

Parfois l'accent circonflexe sert à distinguer des homonymes :

*d*û (participe passé de *devoir*), — *du* (article contracté) ;
*cr*û (participe passé de *croître*), — *cru* (participe passé de *croire*) ;
*m*ûr (adjectif), — *mur* (nom).

13.   Le **tréma** (¨) se met sur les voyelles *e, i, u,* le plus souvent pour indiquer que, dans la prononciation, elles se séparent de la voyelle qui les précède ou qui les suit :

Haïr, aiguë, Saül, ïambe.

14. La **cédille** (,) se place sous le *c* devant *a, o, u,* pour indiquer que ce *c* doit être prononcé comme *s* sourd :

Avança, leçon, reçu.

15. L'**apostrophe** (') se place en haut et à droite d'une consonne pour marquer l'élision de *a, e, i :*

L'arme, d'abord, s'il pleut.

16. Le **trait d'union** (-) sert à lier plusieurs mots :

Arc-en-ciel, dit-il, toi-même.

On emploie le trait d'union :

1° Dans certains mots composés : *Arc-en-ciel, vis-à-vis, après-midi,* etc.

2° Entre le verbe et le pronom personnel (ou *ce, on*) placé après lui : *Dis-je, voit-on, est-ce vrai ?*

3° Entre le verbe à l'impératif et les pronoms personnels compléments formant avec lui un seul groupe phonétique, sans la moindre pause possible : *Crois-moi, prends-le, dites-le-moi, faites-le-moi savoir.* (Mais sans trait d'union : *Veuille me suivre, viens me le raconter.*)

4° Avant et après le *t,* consonne euphonique : *Répliqua-t-il, chante-t-elle, convainc-t-on ?*

5° Dans les noms de nombre composés, entre les parties qui sont l'une et l'autre moindres que cent : *Quatre-vingt-dix-huit, cinq cent vingt-cinq.*

6° Devant *ci* et *là* joints aux diverses formes du pronom *celui* ou à un nom précédé d'un adjectif démonstratif : *Celui-ci, ceux-là, cette personne-ci, ces choses-là ; —* et dans les expressions composées où entrent *ci* et *là* : *Ci-contre, ci-joint, là-haut, jusque-là, par-ci, par-là,* etc.

7° Entre le pronom personnel et l'adjectif *même* : *Moi-même, nous-mêmes,* etc.

3. L'ACCENT D'INTENSITÉ - LA LIAISON - L'ÉLISION

1. ACCENT D'INTENSITÉ

17. L'**accent d'intensité** (on dit aussi **accent tonique**) consiste dans un appui particulier de la voix sur une des syllabes d'un mot ou d'un groupe de mots.

Les syllabes frappées de l'accent d'intensité sont **toniques ;** les autres sont **atones.**

Une syllabe est dite *protonique* quand elle précède immédiatement la syllabe tonique ; — elle est dite *posttonique* quand elle suit immédiatement la syllabe tonique.

18. a) Accent de mot. Dans les mots français considérés isolément, l'accent d'intensité frappe la dernière syllabe articulée (donc l'avant-dernière syllabe écrite — la pénultième — quand la finale est en -*e* muet) :

Vérité, sentiment, indifférenc(e),
[les] montagn(es), [ils] désespèr(ent).

b) Accent de groupe. Dans la phrase, l'accent d'intensité frappe la dernière syllabe articulée, non pas de chaque mot, mais de chaque *groupe* de mots unis par le sens et prononcés sans aucun repos de la voix (chaque groupe est un seul *mot phonétique,* un *groupe rythmique*) :

Prenez votre livr(e).
Comme vous le savez, / je pars demain.
Un grand bruit d'homm(es) / et de chevaux / avait succédé /
au silenc(e).

Remarques. — 1. Les articles, les adjectifs démonstratifs ou possessifs, certains pronoms, les prépositions, les conjonctions, n'ont pas d'accent d'intensité.

2. Il faut se garder de confondre l'accent d'intensité avec les *accents,* signes orthographiques (§ 12).

3. L'accent d'intensité doit encore être distingué de l'**accent d'insistance,** qui affecte telle ou telle syllabe que, par l'effet d'une certaine émotion, on prononce avec une énergie particulière (on l'appelle encore tantôt *affectif* ou *expressif* quand il exprime un mouvement du cœur, tantôt *intellectuel* quand il met en relief le contenu intellectuel de l'énoncé ou souligne un mot de valeur) ; cet accent d'insistance ne supprime pas l'accent d'intensité :

C'est détestable !
C'est un spectacle épouvantable !

4. **Ton.** Le *ton* est proprement le degré de hauteur musicale d'un son : tel son est plus ou moins aigu, plus ou moins grave.

Dans un sens large, le ton est la manière particulière de parler relativement aux mouvements de la pensée ou du cœur : une phrase peut être dite sur un ton impérieux, doctoral, badin, doucereux, etc.

5. **Intonation.** Il n'arrive guère que les sons, associés pour former des mots ou des phrases, se prononcent d'une manière *uniforme :* l'intensité, la hauteur musicale, la durée des syllabes donnent au débit une *intonation* particulière.

A ce propos, il faut observer que d'ordinaire la phrase française comporte deux parties : dans la première, qui est *ascendante,* le ton s'élève progressivement jusqu'à une note qui est la plus haute de la phrase ; dans la seconde, qui est *descendante,* le ton s'abaisse par degrés jusqu'à une note qui est la plus basse de toutes. — Les phrases interrogatives ou exclamatives n'ont pas de partie descendante : elles se terminent sur la note la plus haute.

2. LIAISON

19. Une consonne finale, muette devant un mot isolé, se prononce, dans certains cas, devant la **voyelle** ou l'**h muet** initial du mot suivant, et s'appuie même si intimement sur ce mot que, pour l'oreille, elle fait corps avec lui plutôt qu'avec le mot auquel elle appartient : c'est ce qui s'appelle faire une **liaison :**

Sans⁀ordre, petit⁀homme.

Remarques. — 1. Certaines consonnes changent de prononciation dans les liaisons :

s et *x* se prononcent *z* : *pa(s)-z-à pas, deu(x)-z-hommes;*
d se prononce *t* : *gran(d)-t-effort;*
g se prononce *k* : *san(g)-k-et eau.*

2. La liaison n'a lieu qu'entre des mots unis par le sens, et la moindre pause l'empêche toujours. D'ailleurs, beaucoup de liaisons qui se font dans le discours soutenu ou dans la lecture des vers ou même de la prose, ne se font pas dans la conversation ordinaire.

3. ÉLISION

20. L'**élision** est la suppression, dans la prononciation, d'une des voyelles finales *a, e, i,* devant un mot commençant par une *voyelle* ou un *h muet.*

Les élisions qui se font dans la prononciation ne sont pas toujours marquées dans l'écriture : *Faible escorte, fidèle ami.*

Quand elles le sont, la voyelle élidée est remplacée par une apostrophe : **L'**or, **d'**abord, **l'**heure, **s'**il **t'**aperçoit.

21. **a)** L'élision de l'**a** est marquée par l'apostrophe dans l'article *la :* **L'**église, **l'**heure ;
et dans le pronom atone *la,* devant les pronoms *en, y,* ou devant un verbe :

Cette voix, je **l'***entends.* — *Elle a bien agi : je* **l'***en félicite.*
Elle refuse de partir : je **l'***y contraindrai.*
(Mais : *Laisse-***la** *entrer ; envoie-***la** *ouvrir :* ici *la* est accentué.)

b) L'élision de l'**e** est marquée par l'apostrophe :

1° Dans l'article *le :* **L'***ouvrier,* **l'***homme.*

2° Dans les pronoms *je, me, te, se, le* (atone), devant les pronoms *en, y,* ou devant un verbe :

> J'ai, il t'entend, je t'invite, il s'avance, on l'aperçoit, je m'en
> repens, il s'y perd.
>> (Mais : *Fais-le asseoir :* ici *le* est accentué.)

3° Dans *de, ne, que, jusque, lorsque, puisque, quoique,* et dans les locutions conjonctives composées avec *que :*

> Fables d'Ésope, il n'a pas, ce qu'on a, qu'on est bien ! je veux
> qu'il parte, jusqu'ici, lorsqu'il dit.
>> Lorsqu'à des propositions... (Littré.)
>> Lorsqu'en 1637... (Acad.) — Puisqu'on veut.
>> Quoiqu'un homme soit mortel. — Avant qu'il vienne.

4° Dans le pronom *ce* devant *en* et devant l'*e* ou l'*a* initial d'une forme simple ou composée du verbe *être :*

> C'est, ç'a été, c'eût été, c'en est fait.

5° Dans *presqu'île, quelqu'un(e).* (Mais non dans *presque entier, presque achevé, quelque autre,* etc.)

6° Dans *entre,* élément des cinq verbes *s'entr'aimer, entr'apercevoir, s'entr'appeler, s'entr'avertir, s'entr'égorger.*
Mais sans apostrophe : *entre eux, entre amis, entre autres,* etc.

Remarque. — L'Académie, abandonnant, dans les mots suivants, l'apostrophe qui marquait l'élision de l'*e* final de *entre,* a soudé les éléments composants : *s'entraccorder, s'entraccuser, entracte, s'entradmirer, entraide, s'entraider, entrouverture, entrouvrir.*

c) L'élision de l'**i** est marquée par l'apostrophe dans la conjonction *si* (anciennement *se*) devant *il(s) :*

> S'il vient, s'ils viennent. — Dis-moi s'il part.

22.   L'élision n'a pas lieu devant le nom *un* (chiffre ou numéro), ni devant *oui, huit, huitain, huitaine, huitième, onze, onzième, uhlan, yacht, yak, yatagan, yole, yucca,* ni devant certains noms propres tels que : *Yalou, Yang-tsé-kiang, Yémen, Yucatan,* etc. :

> Il suffit de oui, de non. (Hugo.)
> La bonne sœur fit signe que oui. (M. Barrès.)

Toutefois on peut dire : *Je crois qu'oui. — Je lui fis signe qu'oui.* (A. France.) — *Je pense qu'oui.* (La Bruyère.) — *Il dit qu'oui.* (Sévigné.) — *Par un beau soleil d'onze heures.* (Sainte-Beuve.) — *L'onzième volume.* (A. Thérive.)
Pour *ouate,* l'usage hésite ; cependant on dit plus souvent la *ouate* que l'*ouate.*

4. LES MOTS

1. CLASSIFICATION : LES PARTIES DU DISCOURS

23. Les mots du français peuvent être rangés en neuf catégories ou **parties du discours.**

A. Mots variables.

Cinq espèces de mots sont **variables :**

1° Le **nom** ou *substantif,* qui sert à désigner, à « nommer » les êtres ou les choses.

2° L'**article,** qui sert à marquer un sens complètement ou incomplètement déterminé du nom qu'il précède.

3° L'**adjectif,** qui se joint au nom pour le qualifier ou pour le déterminer.

4° Le **pronom,** qui, en général, représente un nom, un adjectif, une idée, une proposition.

5° Le **verbe,** qui exprime l'existence, l'action ou l'état.

N. B. — **a)** Le **nom,** l'**article,** l'**adjectif** et le **pronom** varient :

en *genre,* pour indiquer, en général, le sexe des êtres ;
en *nombre,* pour indiquer qu'il s'agit :
    soit d'un seul être ou objet,
    soit de plusieurs êtres ou objets.

Les adjectifs possessifs, les pronoms possessifs, les pronoms personnels varient, non seulement en *genre* et en *nombre,* mais aussi en *personne.*

b) Le **verbe** varie :

en *nombre ;*
en *personne,* pour indiquer qu'il s'agit :
    soit de la personne qui parle : 1re personne ;
    soit de la personne à qui l'on parle : 2e personne ;
    soit de la personne (ou de la chose) dont on parle : 3e personne ;
en *temps,* pour indiquer à quel moment se situe le fait ;
en *mode,* pour indiquer de quelle manière est connue et présentée l'action (ou l'état, ou l'existence).

Au participe, le verbe varie quelquefois en *genre.*

B. Mots invariables.

Quatre espèces de mots sont *invariables :*

1° L'**adverbe,** qui modifie un verbe, un adjectif ou un autre adverbe.

2° La **préposition,** qui marque un rapport entre le mot devant lequel elle est placée et un autre mot.

3° La **conjonction,** qui unit deux mots, deux groupes de mots ou deux propositions.

4° L'**interjection,** que l'on jette brusquement dans le discours pour exprimer, en général, une émotion de l'âme.

Remarque. — Il faut mentionner à part les deux **présentatifs** *voici* et *voilà,* qui servent à annoncer, à présenter (§ 431).

2. ORIGINE DES MOTS

24.   Les mots de la langue française proviennent :

1° D'un **fonds latin.** — Vers le Ve siècle, les idiomes gaulois ont été supplantés par le *latin populaire,* qui s'est peu à peu transformé en *langue romane,* selon des lois dont la principale est celle de la persistance de la syllabe tonique : *bastonem, radicinam,* a*nimam,* par exemple, ont abouti à *bâton,* ra*cine,* â*me.*

2° D'un certain nombre de **mots gaulois** ou **germaniques.** — Au fonds latin — dans lequel se sont maintenus un petit nombre de mots *gaulois* — l'invasion franque du Ve siècle a mêlé un apport assez considérable de mots *germaniques,* qui nous ont donné, par exemple : *banc, bannière, héron,* etc.

Les différents dialectes romans formèrent de part et d'autre d'une ligne de démarcation qui irait approximativement de La Rochelle à Grenoble, deux grands domaines linguistiques : au nord, celui de la **langue d'oïl,** et au sud, celui de la **langue d'oc.** — A partir du XIIe siècle, le *francien* ou dialecte de l'Ile-de-France prit le pas sur les autres dialectes.

3° De différents **emprunts** faits au latin écrit, au grec, aux dialectes de France et à diverses langues.

1. *Latin.* A partir du XIIe siècle, le vocabulaire roman s'est enrichi, par *formation savante,* de quantité de mots calqués par les lettrés sur des mots du latin écrit. Mais certains de ces mots avaient déjà été transformés en mots romans par le peuple ; ainsi un même terme latin a pu produire un mot populaire et un mot savant, c'est-à-dire des **doublets** : *navigare* a donné *nager* (mot populaire) et *naviguer* (mot savant) ; — *potionem* a donné *poison* (mot populaire) et *potion* (mot savant).

2. *Grec.* Le grec a fourni au français, par formation populaire, un certain nombre de mots, qui ont passé par la forme latine : *baume, beurre, trésor,* etc. Il lui a fourni

en outre, par formation savante, nombre de mots, transportés dans la langue, soit indirectement, en passant par le latin, soit directement (surtout au XIXe s.) : *amnésie, cryptogame, téléphone,* etc.

3. ***Dialectes de France.*** Le français a emprunté aux différents dialectes de France, surtout au provençal et au gascon, un certain nombre de mots : *auberge, badaud, fadaise, goujat,* etc.

4. ***Langues romanes.*** L'**italien** et l'**espagnol** ont fait entrer dans le français un assez grand nombre de mots : *balcon, bambin, carnaval,* etc. ; *abricot, adjudant, hâbler,* etc. — Le **portugais** n'a fourni qu'un petit contingent de termes : *acajou, autodafé,* etc.

5. ***Langues du Nord.*** L'**allemand** a fait passer dans le lexique français d'assez nombreux mots relatifs surtout aux choses militaires : *sabre, choucroute, trinquer,* etc. — L'**anglais** nous a fourni un notable apport qui s'est accru, à partir du XIXe siècle, de nombreux termes concernant le sport, la marine, le commerce, la politique, la mode : *handicap, steamer, chèque, budget, pull-over,* etc. — Une centaine de mots nous viennent du **néerlandais** : *cambuse, kermesse, matelot,* etc. — Quelques termes de marine nous ont été fournis par les **langues scandinaves** : *cingler, vague,* etc.

6. ***Apports divers.*** Le français a admis aussi un certain nombre de mots venus de l'**arabe** : *alcool, algèbre,* etc. ; — de l'**hébreu** : *chérubin, géhenne,* etc. ; — des **langues africaines** : *baobab, chimpanzé,* etc. ; — du **turc** : *bey, tulipe,* etc. ; — des **langues de l'Inde** ou de l'**Extrême-Orient** : *avatar, jungle, bonze, thé,* etc. ; — des **langues américaines** : *ananas, caoutchouc,* etc. ; — de l'**argot** : *cambrioleur, maquiller,* etc.

---

3. FORMATION DES MOTS

25. La langue française, organisme vivant, est en perpétuel devenir : des mots meurent, d'autres naissent. Elle forme des mots par *dérivation,* par *composition,* et, dans une moindre mesure, par *onomatopées* et par *abréviation.*

Certains mots du vocabulaire français sont des **emprunts** faits à d'autres langues : *redingote* (de l'anglais *riding-coat*), *kimono* (du japonais). — Il y a de **faux emprunts,** mots artificiellement fabriqués sur le modèle de mots étrangers : *footing,* sport pédestre (tiré de l'anglais *foot,* pied, sur le modèle de *rowing,* sport nautique, etc.).

Certains mots sont **calqués** par transposition des éléments dont ils sont formés dans la langue d'origine : *gratte-ciel,* par exemple, est un *calque* de l'anglo-américain *sky-scraper.*

Les mots sont venus par *formation populaire* ou par *formation savante.* Dans la formation populaire, ils proviennent de l'usage naturel et spontané qu'en fait la masse des gens qui les emploient ; dans la formation savante, ils résultent d'une action réfléchie de personnages lettrés.

Remarques. — 1. On appelle **archaïsme** un mot tombé en désuétude, un tour de phrase ou une construction hors d'usage :

Occire (tuer), *idoine* (propre à), *moult* (beaucoup, très).

2. On appelle **néologisme** un mot nouvellement créé ou un mot déjà en usage, mais employé dans un sens nouveau ; il y a donc des *néologismes de mots* et des *néologismes de sens :*

Pénicilline, télévision, radar, héliport, autoroute, nylon.
Un as (de l'aviation), *couvrir* (des kilomètres), (danser une) *java.*

I. DÉRIVATION

26. La **dérivation impropre,** sans rien changer de la figure des mots, les fait passer d'une catégorie grammaticale dans une autre.

a) Peuvent devenir *noms :*

1° Des adjectifs : *Un* **malade,** *le* **beau.**
2° Des infinitifs : *Le* **repentir,** *le* **savoir.**
3° Des participes présents ou passés : *Un* **trafiquant,** *un* **raccourci,** *une* **issue.**

Remarque. — En les faisant précéder de l'article, on peut donner à des pronoms, à des impératifs, à des mots invariables, le caractère de noms :

Le **moi,** *un* **rendez-vous,** *le* **bien,** *les* **devants,** *de grands* **hélas.**

b) Peuvent devenir *adjectifs :*

1° Des noms : *Un ruban* **rose.**
2° Des participes : *Spectacle* **charmant,** *appartement* **garni.**
3° Des adverbes : *Des gens très* **bien.**

c) Peuvent devenir *adverbes* des noms, des adjectifs : **Pas** *grand,* *voir* **clair.**

d) Peuvent devenir *prépositions* des adjectifs, des participes : **Plein** *ses poches,* **durant** *dix ans,* **excepté** *les enfants.*

e) Peuvent devenir *conjonctions* certains adverbes : **Aussi** *j'y tiens.* — **Ainsi** (= par conséquent) *je conclus que...*

f) Peuvent devenir *interjections* des noms, des adjectifs, des formes verbales : **Attention! — Bon ! — Suffit !**

27. La **dérivation propre** crée des mots nouveaux en ajoutant à des mots simples certaines terminaisons appelées **suffixes.**
Ces suffixes servent à former des *substantifs,* des *adjectifs,* des *verbes* ou des *adverbes.*

Le *radical* est, dans un mot, l'élément essentiel, celui qui exprime fondamentalement le sens de ce mot ; on peut le reconnaître en dégageant, dans les divers mots de la famille à laquelle appartient le mot considéré, l'élément commun à tous ces mots : dans *détourner*, le radical est *tour* (con**tour**, pour**tour**, dé**tour**, en**tour**er, en**tour**age, etc.). — On dit parfois aussi *racine*, mais strictement parlant, *radical* et *racine* ne sont pas synonymes : tandis que le radical est ordinairement un mot complet, la racine n'est qu'un fragment de mot, un monosyllabe irréductible auquel on aboutit en éliminant, dans un mot, tous les éléments de formation secondaire : par exemple : *struct* dans *instruction*.

Remarque. — La dérivation est dite *régressive* quand elle procède par suppression d'une syllabe finale : *galop* est formé sur *galoper* ; *démocrate*, sur *démocratie*.

A. Principaux suffixes formateurs de substantifs.

SUFFIXES	SENS	EXEMPLES
-ade	*collection, action*	colonnade, glissade.
-age	*collection, action, produit, état*	feuillage, brigandage, cirage, servage.
-aie, -eraie	*plantation*	chênaie, pineraie.
-ail	*instrument*	épouvantail.
-aille	*collection, action, péjoratif*	pierraille, trouvaille, ferraille.
-ain, -aine	*habitant de, collection*	châtelain, trentain, douzaine.
-aire	*objet se rapportant à*	moustiquaire.
-aison	*action ou son résultat*	fenaison, pendaison.
-an	*habitant de*	Persan.
-ance, -ence	*action ou son résultat*	alliance, puissance, présidence.
-ard	*se rapportant à, péjoratif*	montagnard, brassard, pleurard.
-as, -asse	*collection, péjoratif*	plâtras, paperasse.
-at	*état, institution*	généralat, pensionnat.
-ateur	*objet, profession*	accumulateur, administrateur.
-atoire	*lieu*	observatoire.
-ature, -ure	*action ou son résultat, état, fonction, lieu, collection*	coupure, prélature, verdure, filature, chevelure.
-eau, -elle -ceau, -ereau -eteau, -isseau	*diminutifs*	drapeau, ruelle, lionceau, lapereau, louveteau, arbrisseau.
-ée	*contenu, ayant rapport à*	cuillerée, matinée.
-(e)ment	*action ou son résultat*	logement, recueillement, bâtiment.
-er, -ier, -ière	*agent, réceptacle, arbre*	chapelier, herbier, archer, poirier, théière.
-erie, -ie	*qualité, action, lieu*	fourberie, causerie, brasserie, folie.
-esse	*qualité*	finesse.
-et, -ette, -elet(te)	*diminutifs*	livret, fourchette, enfantelet, tartelette.
-eur	*qualité*	grandeur.
-eur, -euse	*agent, instrument*	chercheur, torpilleur, mitrailleuse.

SUFFIXES	SENS	EXEMPLES
-ien, -éen	*profession, nationalité*	historien, lycéen, Parisien
-il	*lieu*	chenil.
-ille	*diminutif*	brindille, faucille.
-in	*diminutif*	tambourin.
-ine	*produit*	caféine.
-is	*lieu, résultat d'une action*	logis, fouillis.
-ise	*qualité*	sottise.
-isme	*disposition, croyances, métier*	chauvinisme, royalisme, journalisme.
-ison	*action ou son résultat*	guérison.
-iste	*profession, qui s'occupe de*	archiviste, gréviste.
-ite	*produit, maladie*	anthracite, bronchite.
-itude	*qualité*	platitude.
-oir, -oire	*instrument, lieu*	arrosoir, baignoire.
-on, -eron -eton, -illon	*diminutifs*	veston, aileron, caneton, négrillon.
-ose	*maladie, produit*	tuberculose, cellulose.
-ot, -otte	*diminutifs*	Pierrot, menotte.
-té	*qualité*	fierté.

B. Principaux suffixes formateurs d'adjectifs.

SUFFIXES	SENS	EXEMPLES
-able, -ible -uble	*possibilité active ou passive*	blâmable, éligible, résoluble.
-aire	*qui a rapport à*	légendaire.
-ais, -ois	*qui habite*	marseillais, namurois.
-al, -el	*qui a le caractère de*	royal, mortel.
-an	*qui habite, disciple de*	persan, mahométan.
-ard	*caractère, péjoratif*	montagnard, vantard.
-âtre	*approximatif, péjoratif*	noirâtre, bellâtre.
-é	*qui a le caractère de*	azuré, imagé.
-esque	*qui a rapport à*	livresque.
-et, -elet	*diminutifs*	propret, aigrelet.
-eur, -eux	*caractère*	rageur, courageux.
-er, -ier	*caractère*	bocager, saisonnier.
-ien	*qui habite, qui s'occupe de*	parisien, historien.
-if	*caractère*	tardif, craintif.
-in	*caractère, diminutif*	enfantin, blondin.
-ique	*caractère, origine*	volcanique, marotique.
-issime	*superlatif*	richissime.
-iste	*caractère, relatif à un parti*	égoïste, socialiste.
-ot	*diminutif*	pâlot.
-u	*qualité, abondance*	barbu, feuillu.
-ueux	*abondance*	luxueux, majestueux.

C. Suffixes formateurs de verbes.

La grande majorité des verbes nouveaux est formée au moyen du suffixe **-er** ; quelques-uns sont en **-ir** : *rougir, maigrir,* etc.

Certains verbes en *-er* sont formés au moyen d'un suffixe complexe, qui leur fait exprimer une nuance diminutive, péjorative ou fréquentative :

-ailler :	criailler.	**-iller :**	mordiller.
-asser :	rêvasser.	**-iner :**	trottiner.
-ayer :	bégayer.	**-iser :**	pasteuriser.
-eler :	bosseler.	**-ocher :**	effilocher.
-eter :	voleter.	**-onner :**	chantonner.
-eyer :	grasseyer.	**-oter :**	vivoter.
-(i)fier :	momifier.	**-oyer :**	foudroyer.

Pour le suffixe *-ment,* formateur d'adverbes, voir § 407.

II. COMPOSITION

28. Par la **composition,** on forme des mots nouveaux :

1° En combinant entre eux deux ou plusieurs mots français :

Chou-fleur, sourd-muet, portemanteau, pomme de terre.

Comme on le voit, tantôt les éléments composants sont soudés, tantôt ils sont reliés entre eux par le trait d'union, tantôt encore ils restent graphiquement indépendants.

2° En faisant précéder un mot simple d'un **préfixe,** c'est-à-dire d'une particule sans existence indépendante :

In*actif,* **mé***content.*

Remarques. — 1. Certains préfixes existent cependant comme mots indépendants : *entre, sur, sous, contre,* etc.

2. L'orthographe du préfixe peut être modifiée : ainsi *in-* devient *il-, ir-,* par assimilation régressive (§ 8, Rem. 8), dans **il***lettré,* **ir***réflexion ;* dans **im***poli,* **im***buvable,* etc., il y a simple accommodation graphique.

3° En combinant entre eux des racines ou des radicaux grecs ou latins :

Agri/cole, herbi/vore, bio/graphie, baro/mètre.

N. B. — Certains mots sont venus par **formation parasynthétique :** à un mot simple s'ajoutent simultanément un préfixe et un suffixe :

É*borgn***er,** en**col***ure,* at**terr***ir.*

29. Principaux préfixes.

A. D'origine latine :

ad- [*a, ac, af, ag, al, an, ap, ar, as, at*] (tendance, direction) : abattre, annoter, apporter.

anté-, anti- (avant) : antédiluvien, antidater.

bien- : bienfaisant.

bi- [*bis, bé*] (deux) : bimane, bissac, bévue.

circon-, circum- (autour) : circonférence, circumnavigation.

cis- (en deçà) : cisrhénan.

con- [*co, col, com, cor*] (avec) : concitoyen, coassocié, collatéral, compatriote, corrélation.

contre- (opposition, à côté de) : contrecoup, contresigner.

dé- [*des, dis, di*] (séparation, etc.) : décharger, dissemblable.

en-, em- (éloignement) : enlever, emmener.

en-, em- (dans) : enfermer, emmagasiner.

entr(e)-, inter- (au milieu, à demi, réciproquement) : s'entraider, entrelacer, entrevoir, intertropical.

ex- [*é, ef, es*] (hors de) : exproprier, écrémer, effeuiller, essouffler.

extra- (hors de, superlatif) : extravagant, extra-fort.

for- [*four, fau, hor*] (hors de) : forban, fourvoyer, faubourg, hormis.

in- [*il, im, ir*] (négation) : inactif, illettré, imbuvable, irresponsable.

mal- [*mau, malé*] (mal) : maladroit, maudire, malédiction.

mé-, més- (mal, négation) : médire, mésaventure.

mi- (moitié) : milieu, mi-carême.

non- (négation) : non-sens.

outre-, ultra- (au-delà de) : outrepasser, ultra-royaliste.

par-, per- (à travers, complètement) : parsemer, parachever, perforer.

pén(é)- (presque) : pénombre.

post- (après) : postdater.

pour-, pro- (devant, à la place de) : pourvoir, pourchasser, projeter.

pré- (devant, avant) : préavis, présupposer.

re- [*ra, ré, res, r*] (répétition, contre, intensité) : revoir, rafraîchir, réagir, ressortir, remplir.

semi- (demi) : semi-voyelle.

sou(s) [*sub, suc, sug*] (dessous) : soulever, subvenir.

sur-, super- (au-dessus, superl.) : surcharge, superfin.

trans- [*tres, tré, tra*] (au-delà, déplacement) : transpercer, tressaillir, trépasser, traduire.

vice, vi- (à la place de) : vice-roi, vicomte.

B. D'origine grecque :

a-, an- (privation) : amoral, anaérobie.

amphi- (autour, double) : amphibie.

ana- (renversement) : anagramme.

anti-, anté- (opposition) : antialcoolique, antéchrist.

apo- (éloignement) : apostasie.

arch(i) (au-dessus de) : archiduc.

cata- (changement) : catastrophe.

di(s)- (double) : diptère, dissyllabe.

dys- (difficulté) : dyspepsie.

épi- (sur) : épiderme.

eu- (bien) : euphonie, eucharistie.

hémi- (demi) : hémicycle.

hyper- (au-dessus) : hypertrophie, hypercritique.

hypo- (au-dessous) : hypogée.

méta- (changement) : métaphore.

para- (à côté) : paradoxe.

péri- (autour) : périphrase.

syn- [*sym, syl, sy*] (avec) : synthèse, symbole, syllabe, symétrie.

30. Mots ou radicaux latins et grecs. — Nombre de termes savants sont formés à l'aide de mots ou radicaux latins et grecs.

A. Éléments latins :

agri- (champ) : agricole.
-cide (qui tue) : régicide, suicide.
-cole (ayant rapport à la culture) : viticole, horticole.
-culture (act. de cultiver) : apiculture, ostréiculture.
-fère (qui porte) : crucifère.
-fique (qui produit) : frigorifique.

-fuge (qui met en fuite, qui fuit) : fébrifuge, centrifuge.
-grade (pas, degré) : plantigrade, centigrade.
omni- (tout) : omniscient, omnivore.
-pare (qui produit) : ovipare.
-pède (pied) : vélocipède.
-vore (qui mange) : granivore.

B. Éléments grecs :

aéro- (air) : aérolithe.
-algie (douleur) : névralgie.
anthropo- (homme) : anthropométrie.
archéo- (ancien) : archéologie.
auto- (soi-même) : autobiographie.
biblio- (livre) : bibliographie.
bio- (vie) : biographie.
céphale (tête) : céphalalgie, microcéphale.
chromo-, -chrome (couleur) : chromolithographie, monochrome.
chrono-, -chrone (temps) : chronomètre, isochrone.
cosmo-, -cosme (monde) : cosmographie, cosmonaute, microcosme.
-cratie, -crate (pouvoir) : démocratie, aristocrate.
dactylo-, -dactyle (doigt) : dactylographie, ptérodactyle.
dynamo- (force) : dynamomètre.
gast(é)r(o)- (ventre) : gastéropode, gastralgie.
-gène (engendrant) : hydrogène.
géo- (terre) : géologie.
-gramme (écrit, poids) : câblogramme, décagramme.
grapho-, -graphie, -graphe (écrit, étude) : graphologie, biographie, phonographe.
hydr(o)-, -hydre (eau) : hydrographie, anhydre.
logo-, -logie, -logue (discours) : logogriphe, biologie, dialogue.
-mane, -manie (folie) : cocaïnomane, bibliomanie.

méga(lo)- (grand) : mégalithique.
mono- (seul) : monothéisme.
morpho-, -morphe (forme) : morphologie, anthropomorphe.
nécro- (mort) : nécrophage.
neuro-, névr(o)- (nerf) : neurologie, névrotomie, névralgie.
-nome, -nomie (règle) : métronome, gastronomie.
ortho- (droit) : orthopédie.
paléo- (ancien) : paléographie.
patho-, -pathe, -pathie (maladie) : pathogène, névropathe, télépathie.
phago-, -phagie, -phage (manger) : phagocyte, hippophagie, anthropophage.
phil(o)-, -phile (ami) : philatélie, philotechnique, bibliophile.
-phobe, -phobie (haine) : anglophobe, germanophobie.
phono-, -phone, -phonie (voix, son) : phonographe, microphone, téléphonie.
photo- (lumière) : photographie.
ptéro-, -ptère (aile) : ptérodactyle, hélicoptère.
-scope, -scopie (regard) : spectroscope, hélioscopie.
-technie (science) : zootechnie.
télé- (loin) : téléphone, télévision.
-thérapie (guérison) : hydrothérapie.
thermo-, -therme (chaleur) : thermomètre, isotherme.
-tomie (coupe) : névrotomie.

III. ONOMATOPÉES, ABRÉVIATIONS, etc.

---

31. Les **onomatopées** sont des mots imitatifs qui reproduisent approximativement certains sons ou certains bruits :

Cocorico, cricri, tic-tac, frou-frou.

> **N. B.** — Les onomatopées sont souvent formées par réduplication d'une même syllabe. On notera qu'elles ne reproduisent jamais exactement les bruits ou les cris dont elles voudraient donner une représentation phonique. Le cri du canard, par exemple, évoqué en France par *coin-coin*, l'est en Italie par *qua-qua,* en Allemagne par *gack-gack (gick-gack, pack-pack, quack-quack)*, en Angleterre par *quack*, au Danemark par *rap-rap,* en Hongrie par *hap-hap.*

32. La langue parlée résiste naturellement aux mots trop longs, et souvent, elle les abrège. Tantôt elle réduit certaines expressions à leurs seules lettres initiales : U. R. S. S. (Union des républiques socialistes soviétiques) ; — tantôt elle ôte à certains mots leurs syllabes finales (ou initiales) : *Auto*[mobile], *ciné(ma)*[tographe], *micro*[phone], *métro-*[politain], [*mas*]*troquet.*

33. Parmi les actions qui s'exercent dans le domaine de la formation des mots il y a lieu de signaler encore : l'analogie, la contamination, l'étymologie populaire et la tautologie.

a) L'**analogie** est une influence assimilatrice qu'un mot exerce sur un autre au point de vue de la forme ou du sens ; ainsi *bijou-t-ier* a un *t* d'après les dérivés comme *pot-ier, cabaret-ier ;* — *amerr-ir* a deux *r* devant le suffixe d'après *atterr-ir.*

b) La **contamination** est une sorte de croisement de deux mots ou expressions d'où résulte un mot ou une expression où se retrouve un aspect de chacun des éléments associés : ainsi le tour *je me souviens* est issu de la contamination de *je me rappelle* et *il me souvient.*

c) L'**étymologie populaire** est un procédé suivant lequel un mot se trouve rattaché, dans la conscience du sujet, à tel mot ou à telle expression qui paraissent en fournir l'explication : ainsi *choucroute* — venu en réalité de l'alsacien *sûrkrût,* proprement « herbe (krût) aigre (sûr) » — est rattaché par l'étymologie populaire aux mots français *chou* et *croûte.*

d) La **tautologie** est une expression pléonastique (voir § 70) qui revient à dire deux fois la même chose, généralement par répétition littérale : *au jour d'aujourd'hui.*

> **N. B.** — 1. Un **gallicisme** est une construction propre et particulière à la langue française : *il ne voit goutte ; je me porte bien.*
> 2. Un **barbarisme** est une faute contre la lexicologie ou contre la morphologie ; il consiste à donner à un mot une forme ou un sens que n'autorisent pas le dictionnaire ou la grammaire, par exemple : *ils s'asseyèrent* [pour *ils s'assirent*], *c'est l'acceptation ordinaire de ce mot* [pour *c'est l'***acception** *ordinaire de ce mot*].
> 3. Un **solécisme** est une faute contre les règles de la syntaxe, par exemple contre les règles de l'accord du verbe ou de l'emploi de tel ou tel mode.

4. FAMILLES DE MOTS

34. Une **famille de mots** est l'ensemble de tous les mots qui peuvent se grouper autour d'un radical commun d'où ils ont été tirés par la dérivation et par la composition :

> *Arme, armer, armée, armement, armure, armurier, armet, armoire, armoiries, armorier, armoriste, armorial, armateur, armature ; — désarmer, désarmement, alarme, alarmer, alarmant, alarmiste, armistice.*

> **Remarque.** — Parfois, comme c'est le cas dans la famille du mot *arme*, le radical n'a subi aucune modification, mais le plus souvent le radical des mots d'une même famille se présente sous plusieurs formes : la famille de *peuple*, par exemple, offre les radicaux *peupl, popul, publ :*
>
> **Peupl**ade, **popul**aire, **publ**ic, etc.

5. HOMONYMES - PARONYMES - SYNONYMES ANTONYMES

35. Les **homonymes** sont des mots de prononciation identique, mais différant par le sens et souvent par l'orthographe :

> *Livre* [d'images], *livre* [de beurre]. — *Chair, cher, chère, chaire.*

36. Les **paronymes** sont des mots proches l'un de l'autre par leur forme extérieure :

> *Précepteur, percepteur. — Événement, avènement.*

37. Les **synonymes** sont des mots qui présentent des analogies générales de sens, mais différant entre eux par des nuances d'acception :

> *Châtier, punir. — Casser, rompre, briser.*

38. Les **antonymes** ou **contraires** sont des mots qui, par le sens, s'opposent directement l'un à l'autre :

> *Riche, pauvre. — Naître, mourir.*

SECONDE PARTIE

LA PHRASE - LA PROPOSITION

1. DÉFINITIONS - TERMES ESSENTIELS

39. La phrase. Nous pensons et nous parlons, non pas par mots séparés, mais par assemblages de mots ; chacun de ces assemblages, logiquement et grammaticalement organisés, est une *phrase*.

La phrase est *simple* ou *composée*.

40. Phrase simple.

1. Ses éléments. — La phrase simple dit d'un être ou d'un objet :

Ce qu'il fait ou subit : *Le chien aboie. L'arbre est abattu par le bûcheron.*
Ce qu'il est, qui il est : *L'or est un métal. Notre chef sera Paul.*
Dans quel état il est, quel il est : *Mon père est malade. Le ciel est bleu.*

Dans l'ensemble que forme la phrase simple :

a) le **verbe** est l'élément fondamental, auquel se rattachent directement ou indirectement les divers mots constituant l'ensemble ;

b) le **sujet** est le point de départ de l'énoncé : c'est l'élément qui désigne l'être ou l'objet dont on dit ce qu'il fait ou subit, ce qu'il est, etc.

c) l'**attribut** est l'élément exprimant la qualité, la nature ou l'état qu'on rapporte, qu'on « attribue » au sujet par l'intermédiaire d'un verbe.

2. La proposition. — La phrase simple comprend *un seul verbe* : elle forme, dans le langage, l'assemblage le plus simple exprimant un sens complet : cet assemblage est appelé *proposition*.

Une *proposition* est donc un assemblage logique de mots se rapportant directement ou indirectement à un *verbe,* base de l'ensemble.

et au moyen desquels on exprime un fait, un jugement, une volonté, une sensation, un sentiment, etc. :

La neige tombe. — L'homme est mortel.
Dieu récompense les bons. — Qu'il parte ! — J'ai froid.

3. Termes de la proposition. — Considérée dans ses éléments essentiels, la proposition comprend :

1° ou bien deux termes : un **sujet** et un **verbe intransitif :**

2° ou bien trois termes :

soit : un **sujet,** un **verbe copule** et un **attribut :**

soit : un **sujet,** un **verbe transitif** et un **complément d'objet direct :**

Remarques. — 1. Chacun de ces termes peut être accompagné d'un ou de plusieurs compléments :

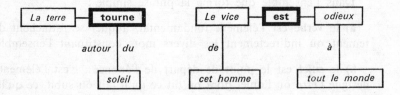

2. Comme la proposition comporte plusieurs termes, elle comprend, en principe, plusieurs mots. Cependant il arrive qu'on fasse comprendre sa pensée sans exprimer tous les termes essentiels de la proposition (voir § 72) ; celle-ci peut même être réduite à un seul mot :

Honneur aux braves ! — Silence ! — Attention ! — [*Viens-tu ?*] *Non ! — Pars !*

41.   Phrase composée.

Tandis que dans la phrase *simple,* on n'a qu'*un seul verbe,* dans la **phrase composée,** on a *plusieurs verbes* dont chacun est la base d'une proposition distincte. Voici une phrase composée de trois propositions :

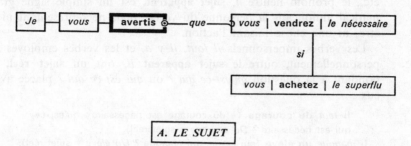

A. LE SUJET

42. Le **sujet,** point de départ de l'énoncé, est le mot ou groupe de mots désignant l'être ou la chose dont on exprime l'action ou l'état :

L'élève	*écrit.*		**La neige**	*tombe.*

Pour trouver le sujet, on place avant le verbe la question *qui est-ce qui ?* pour les personnes, — et *qu'est-ce qui ?* pour les choses :

L'élève écrit ; qui est-ce qui écrit ? **L'élève.**

La neige tombe ; qu'est-ce qui tombe ? **La neige.**

43. Nature du sujet. — Le sujet peut être :

1º Un nom : **Le soleil** *brille.*
2º Un pronom : **Nous** *travaillons.* — **Tout** *passe.*
3º Un infinitif : **Mentir** *est honteux.*
4º Une proposition : **Qui a bu** *boira.*

Remarques. — 1. Peuvent être pris comme noms, et par suite, être sujets : l'adjectif :

Le vrai *peut quelquefois n'être pas vraisemblable.*

le participe (présent ou passé) :

Les manquants *sont nombreux.* — **Le blessé** *souffre.*

les mots invariables :

Les si, les car, les pourquoi *ont engendré bien des querelles.*

2. A l'impératif, le sujet n'est pas exprimé :

Venez ici !

3. L'infinitif et le participe peuvent avoir un sujet (§ 461, 4º et § 382) :

Il entend **un enfant** *crier.* (La Font.)

Dieu *aidant, nous réussirons.*

La pierre *ôtée, on vit le dedans de la tombe.* (Hugo.)

44. Sujet apparent. Sujet réel. — Dans les verbes impersonnels exprimant des phénomènes de la nature : *il pleut, il neige, il gèle, il tonne,* etc., le pronom neutre *il,* **sujet apparent,** est un simple signe grammatical annonçant la personne du verbe, mais ne représentant ni un être, ni une chose faisant l'action.

Les verbes impersonnels *il faut, il y a,* et les verbes employés impersonnellement, outre le **sujet apparent** *il,* ont un **sujet réel,** répondant à la question *qu'est-ce qui ?* ou *qui est-ce qui ?* placée avant eux :

Il *faut* **du courage** (= du courage est nécessaire ; qu'est-ce qui est nécessaire ? *Du courage* = sujet réel).

Il *manque* **un élève** (qui est-ce qui manque ? *Un élève* = sujet réel).

Il *convient* **de partir** (qu'est-ce qui convient ?
De partir = sujet réel).

Il *importe* **qu'on travaille** (qu'est-ce qui importe ?
Qu'on travaille = sujet réel).

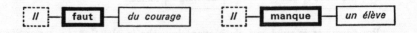

45. Place du sujet.

a) *Avant le verbe.* — Le sujet se place généralement avant le verbe :

Les passions *tyrannisent l'homme.* (La Bruyère.)

b) *Après le verbe.* — Le sujet se place parfois après le verbe, notamment :

1° Dans les interrogations directes si la question porte sur le verbe et que le sujet soit un pronom personnel, ou l'un des pronoms, *ce, on :*

*Comprends-***tu** *? — Est-***ce** *possible ? — Part-***on** *?*

2° Dans les interrogations directes commençant par un mot interrogatif attribut ou complément d'objet direct :

Quel est **cet enfant** *? — Que dis-***tu** *? — Que dit* **cet homme** *?*

Remarques. — 1. Si l'interrogation ne commence pas par un mot interrogatif et que le sujet ne soit ni un pronom personnel ni l'un des pronoms *ce, on,* ce sujet se place avant le verbe et on le répète après le verbe par un pronom personnel :

Cet homme *dit-***il** *la vérité ? — ***Tout** *est-***il** *prêt ?*

2. Si l'interrogation commence par un mot interrogatif non attribut ni complément d'objet direct et que le sujet ne soit ni un pronom personnel ni *ce* ou *on,* ce sujet se met facultativement en inversion :

Où conduit **ce chemin** *? — Où* **ce chemin** *conduit-***il** *?*
Comment va **votre mère** *? — Comment* **votre mère** *va-t-***elle** *?*

Toutefois, après *pourquoi*, ce sujet ne se met guère en inversion :

> Pourquoi **l'opium** fait-il dormir ?

3. Quand l'interrogation commence par *est-ce que*, l'inversion du sujet n'a jamais lieu :

> Est-ce que **j'**écris mal ? (Molière.)
> Est-ce que **ma cause** est injuste ou douteuse ? (Id.)

3° Dans certaines propositions au subjonctif marquant le souhait, la supposition, l'opposition, le temps :

> Puissiez-**vous** réussir ! — Vive le **roi** !
> Soit le **triangle** ABC.
> Tombe sur moi le **ciel** pourvu que je me venge ! (Corneille.)
> Vienne **l'automne**, il s'en ira.

4° Dans la plupart des propositions incidentes (§ 71, Rem. 3) :

> Il n'est, dit le **meunier**, plus de veaux à mon âge. (La Font.)

5° Dans les propositions où l'attribut est mis en tête :

> Fière est **cette forêt**. (Musset.)

c) *Inversion facultative*. — Le sujet se met *facultativement* après le verbe :

1° Dans les propositions commençant par *à peine, aussi, aussi bien, ainsi, au moins, du moins, en vain, vainement, peut-être, sans doute* :

> À peine est-**il** hors de son lit, à peine **il** est hors du lit. (Acad.)

Remarque. — Si le sujet n'est ni un pronom personnel, ni *ce* ou *on*, il se place avant le verbe et se répète facultativement après lui par un pronom personnel :

> À peine le **soleil** était-il levé, à peine le **soleil** était levé. (Acad.)

2° Dans les propositions relatives, si le sujet est autre chose qu'un pronom personnel ou l'un des pronoms *ce, on* :

> Les peines que ce **travail** vous coûtera,
> ... que vous coûtera ce **travail**.

3° Dans les propositions commençant par un complément circonstanciel ou par certains adverbes (temps, lieu, manière), si le sujet est autre qu'un pronom personnel ou que l'un des pronoms *ce, on* :

> Dans la salle, une **clameur** s'éleva,... s'éleva une **clameur**.
> Là tomba un **brave**, là un **brave** tomba.

4° Dans des propositions infinitives (§ 461, 4°), quand l'infinitif n'a pas de complément d'objet direct et que son sujet est autre chose qu'un pronom personnel ou relatif :

J'entends **le train** *siffler, j'entends siffler* **le train.**

Mais quand la proposition infinitive dépend de *faire*, si le sujet de l'infinitif est autre chose qu'un pronom personnel ou relatif, ce sujet se met après l'infinitif :

J'ai fait taire **les lois.** (Racine.)

B. LE VERBE

46. Le **verbe** est le mot ou groupe de mots qui exprime l'action, l'existence ou l'état du sujet, ou encore l'union de l'attribut au sujet :

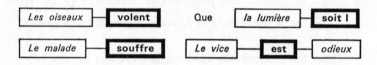

Pour le *verbe copule*, voir § 58, Rem. 1.

LES COMPLÉMENTS DU VERBE

47. Les compléments du verbe sont :

1° le complément **d'objet** (direct ou indirect) ;
2° le complément **circonstanciel ;**
3° le complément **d'agent** du verbe passif.

1° Complément d'objet.

48. Complément d'objet direct. — Le *complément d'objet direct* est le mot ou groupe de mots qui se joint au verbe sans préposition pour en compléter le sens en marquant sur qui ou sur quoi passe l'action ; il désigne la personne ou la chose auxquels aboutit, comme en ligne droite, l'action du sujet :

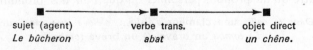

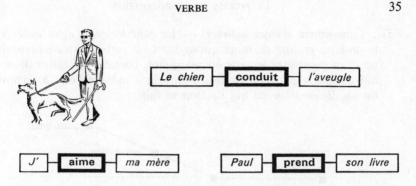

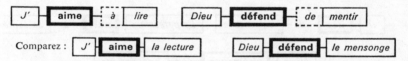

Remarques. — 1. Il convient d'interpréter dans un sens large la notion d'*objet* et d'y inclure tout ce qui n'est pas nettement circonstance ou agent. Ainsi, dans les phrases suivantes, on a des compléments d'objet directs :

Le chien conduit **l'aveugle.** — *J'habite* **cette maison.**

2. L'infinitif complément d'objet direct est parfois introduit par une des prépositions vides *à* ou *de :*

| J' | aime | à | lire | | Dieu | défend | de | mentir |

Comparez : | J' | aime | la lecture | | Dieu | défend | le mensonge |

3. Dans *Je bois* **du vin, de la bière, de l'eau ;** *je mange* **des épinards ;** *il n'a pas* **de pain,** on a des **compléments d'objet partitifs.** On observera que *de* ne garde pas là sa valeur ordinaire de préposition : combiné (ou fondu) avec *le, la, l', les,* il forme les articles partitifs *du, de la, de l', des ;* — employé seul, comme dans *Il n'a pas* **de** *pain, j'ai mangé* **de** *bonnes noix,* il sert d'article partitif ou indéfini.

49. Pour reconnaître le complément d'objet direct, on place après le verbe la question *qui ?* ou *quoi ?*

J'aime ma mère ; j'aime qui ? **ma mère.**
Je récite ma leçon ; je récite quoi ? **ma leçon.**

On peut observer que le complément d'objet direct est le mot qui devient sujet quand la proposition peut être mise au passif :

Le berger garde **les moutons.** (**Les moutons** *sont gardés par le berger.*)

50. Nature du complément d'objet direct. — Le complément d'objet direct peut être :

1° Un nom : *J'aime* **ma mère.**
2° Un pronom : *Vous* **me** *connaissez.* — *Prenez* **ceci.**
3° Un mot pris substantivement : *Il demande* **le pourquoi** *et* **le comment** *de chaque chose.* — *Aimons* **le beau, le vrai.**
4° Un infinitif : *Je veux* **travailler.**
5° Une proposition : *J'affirme* **que la vertu rend heureux.**

51. Complément d'objet indirect. — Le *complément d'objet indirect* est le mot ou groupe de mots qui se joint au verbe par une préposition pour en compléter le sens en marquant, comme par bifurcation, sur qui ou sur quoi passe l'action ; parfois il indique l'être à l'avantage ou au désavantage de qui l'action se fait :

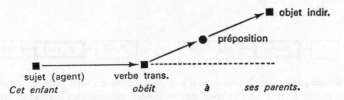

N. B. — Des grammairiens distinguent, comme espèce particulière du complément d'objet indirect, le complément *d'attribution,* toujours associé à un complément d'objet direct (parfois sous-entendu) et désignant la personne ou la chose à laquelle est destinée l'action : *Je donne du pain* **au pauvre.** Certains considèrent ce complément comme une variété du complément circonstanciel, tout en admettant que, dans tel ou tel cas, il est à la fois complément d'objet indirect et complément circonstanciel.

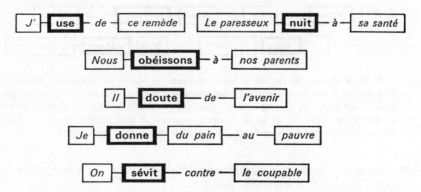

Remarque. — Les pronoms personnels compléments d'objet indirects *me, te, se,* avant le verbe — *moi, toi,* après un impératif — *nous, vous, lui, leur,* avant ou après le verbe — se présentent sans préposition ; la même observation s'applique au pronom relatif *dont* complément d'objet indirect [1] :

On me *nuit ; obéis-*moi *; on* lui *obéit ; obéissez-*lui.
(Comparez : *On nuit à ton père,* etc.)

52. Pour reconnaître le complément d'objet indirect, on peut, en consultant le sens, placer après le verbe l'une des questions *à qui ? à quoi ? de qui ? de quoi ? pour qui ? pour quoi ? contre qui ? contre quoi ?*

Tu nuis à ta santé ; tu nuis à quoi ? **à ta santé.**
Il hérite d'une maison ; il hérite de quoi ? **d'une maison.**

---

1. On peut, il est vrai, en recourant à l'étymologie, voir la préposition *de* dans le relatif *dont,* qui vient du latin vulgaire *de unde,* renforcement de *unde,* d'où.

53. Nature du complément d'objet indirect. — Le complément d'objet indirect peut être :

1° Un nom : *Pardonnons* **à nos frères.**

2° Un pronom : *Je* **lui** *obéirai.* — *Il doute* **de tout.**

3° Un mot pris substantivement : *Pardonner* **à un coupable.**

4° Un infinitif : *On l'exhorte* **à combattre.**

5° Une proposition : *Je doute* **que vous réussissiez.**

54. Un complément d'objet direct ou indirect peut être commun à plusieurs verbes, pourvu que chacun d'eux puisse séparément admettre ce complément :

Il aime et respecte **ses parents.** — *Il use et abuse* **de son droit.**

Mais si les verbes se construisent différemment, le complément s'exprime avec le premier verbe selon la construction requise par celui-ci, et se répète par un pronom avec les autres verbes, selon la construction demandée par chacun d'eux :

Cet enfant aime **ses parents** *et* **leur** *obéit.*

On ne pourrait pas dire : *Cet enfant aime et obéit à ses parents.*

Remarques. — 1. Le complément d'objet direct ou indirect se place généralement *après* le verbe.

Il précède le verbe :

a) Lorsque c'est un pronom personnel (voir détails § 236) :

Je **vous** *écoute, je* **lui** *obéis.*

b) Dans certaines tournures interrogatives ou exclamatives, ou encore dans certaines locutions figées :

Que *dites-vous ?* — **Quel livre** *prenez-vous ?* — **A quoi** *pensez-vous ?*
Quel courage *il montre !* — **A quels dangers** *il s'expose !*
Chemin *faisant.* — **A Dieu** *ne plaise !*

c) Quand on veut, en le mettant en tête, lui donner du relief ; on doit alors le répéter par un pronom personnel :

Le bien, *nous le faisons.* (La Font.)
Cette loi sainte, *il faut s'y conformer.* (Hugo.)

2. Lorsqu'un verbe a plusieurs compléments d'objet directs ou indirects, ceux-ci doivent être, en principe, de même nature grammaticale :

J'ai perdu **ma force** *et* **ma vie.** (Musset.)
Prenez **ceci** *et* **cela.**
Il sait **lire** *et* **écrire.**
Il écrit **à ses parents** *et* **à ses amis.**

A l'époque classique, on en usait, en cela, plus librement qu'on ne fait aujour-d'hui ; et même de nos jours, la règle ci-dessus laisse quelque latitude :

Ah ! savez-vous **le crime** *et* **qui vous a trahie** ? (Racine.)
Elle savait **la danse, la géographie, le dessin, faire** *de la tapisserie et* **toucher** *du piano.* (Flaubert.)
Tu veux **partir** *et* **que je te suive.** (M. Barrès.)

2° Complément circonstanciel.

55.   Le **complément circonstanciel** est le mot ou groupe de mots qui complète l'idée du verbe en indiquant quelque précision extérieure à l'action (temps, lieu, cause, but, etc.) :

Vers le soir, *je me* **revêtis** *de* **mes armes,** *que je recouvris* **d'une saie,** *et* **sortant secrètement du château,** *j'allai me* **placer sur le rivage** ...   (Chateaubriand.)

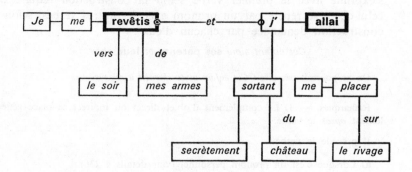

Les *principales circonstances* marquées par le complément cir-constanciel sont :

La cause : *Agir* **par jalousie.**
Le temps (époque) : *Nous partirons* **dans trois jours.**
    »   (durée) : *Il a travaillé* **toute sa vie.** — *Il resta là* **trois mois.**
Le lieu (situation) : *Vivre* **dans un désert.**
    »   (direction) : *Je vais* **aux champs.**
    »   (origine) : *Je viens* **de la ville.**
    »   (passage) : *Il s'est introduit* **par le soupirail.**
La manière : *Il marche* **à pas pressés.**
Le but : *Travailler* **pour la gloire.** — *Étudier* **pour s'instruire.**
L'instrument : *Il le perça* **de sa lance.**
La distance : *Se tenir* **à trois pas** *de quelqu'un.*
Le prix : *Ce bijou coûte* **mille francs.**
Le poids : *Ce colis pèse* **cinq kilos.**
La mesure : *Allonger une robe* **de deux centimètres.**
La partie : *Saisir un poisson* **par les ouïes.**
L'accompagnement : *Il part* **avec un guide.**
La matière : *Bâtir* **en briques.**

L'opposition : *Je te reconnais* **malgré l'obscurité.**
Le point de vue : *Égaler quelqu'un* **en courage.**
Le propos : *Parler, discourir* **d'une affaire.**
Le résultat : *Il changea l'eau* **en vin.**

Remarque. — Le complément circonstanciel est le plus souvent introduit par une préposition.

56. Nature du complément circonstanciel. — Le complément circonstanciel peut être :

1° Un nom : *Il meurt* **de faim.**
2° Un pronom : *C'est* **pour cela** *qu'il a été condamné.*
3° Un mot pris substantivement : *Il loge* **sur le devant.**
4° Un infinitif : *Il travaille* **pour vivre.**
5° Un adverbe : *Nous partirons* **bientôt.**
6° Un gérondif (§ 294, Rem.) : *Il est tombé* **en courant.**
7° Une proposition : *Nous commencerons* **quand vous voudrez.**

3° Complément d'agent.

57. Le **complément d'agent** du verbe passif désigne l'être ou la chose indiquant l'auteur, l'*agent* de l'action que subit le sujet ; il s'introduit par une des prépositions *par* ou *de* :

L'accusé est interrogé **par le juge.**
J'étais craint **de mes ennemis.**
Nous serons accueillis avec douceur **par la maison natale.**

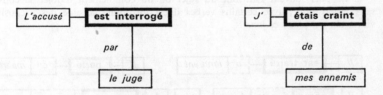

N. B. — Pour reconnaître le complément d'agent, on tourne la phrase par l'actif : si le complément introduit par une des prépositions *par* ou *de* devient sujet du verbe actif, c'est bien un complément d'agent.

C. L'ATTRIBUT

58. L'attribut est le mot ou groupe de mots exprimant la qualité, la nature, l'état, qu'on rapporte, qu'on « attribue » au *sujet* ou au *complément d'objet* par l'intermédiaire d'un verbe.

Prenons le sujet *ce livre* ; quand nous attribuons à ce sujet la qualité de *rectangulaire*, c'est comme si nous unissions l'idée de *rectangulaire* à l'idée de *ce livre*, de façon à faire coïncider exactement les deux idées pour les lier en un seul bloc, par une ficelle ; cette ficelle, c'est le verbe copule (*être, sembler, devenir*, etc.) :

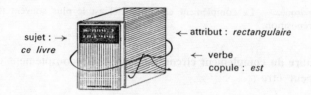

sujet : → *ce livre*   ← attribut : *rectangulaire*

← verbe copule : *est*

Il y a deux espèces d'attributs :

1° L'attribut du sujet :

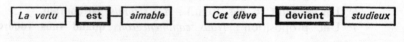

2° L'attribut du complément d'objet (direct ou indirect) :

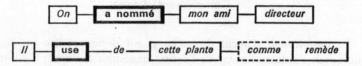

Remarques. — 1. L'appellation de *verbe copule* signifie proprement « verbe lien » ; on peut se représenter concrètement le verbe copule (on dit aussi, plus simplement : la copule) soit par la ficelle dont il a été parlé plus haut, soit par le signe = employé pour unir les deux membres d'une égalité.

2. Le plus souvent l'attribut du sujet ou du complément d'objet se construit sans préposition ; avec certains verbes il est introduit par une des prépositions vides, *de, en, pour, comme* :

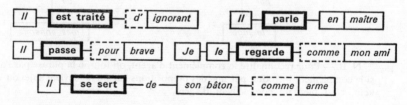

59. L'attribut peut être relié au sujet :

a) par le verbe *être* (c'est le cas le plus fréquent) ;

b) par un *verbe d'état* contenant l'idée du verbe *être* à laquelle se trouve implicitement associée :

1° l'idée de devenir : *devenir, se faire, tomber* (par ex. : *tomber* malade) ;
2° l'idée de continuité : *demeurer, rester* ;

3° l'idée d'*apparence* : *paraître, sembler, se montrer, s'affirmer, s'avérer, avoir l'air, passer pour, être réputé, être pris pour, être considéré comme, être regardé comme, être tenu pour* ;

4° l'idée d'*appellation* : *s'appeler, se nommer, être appelé, être dit, être traité de* ;

5° l'idée de *désignation* : *être fait, être élu, être créé, être désigné pour, être choisi pour, être proclamé* ;

6° l'idée d'*accident* : *se trouver* (par ex. : Il *se trouva* pauvre tout d'un coup).

c) par certains *verbes d'action* à l'idée desquels l'esprit associe implicitement l'idée du verbe *être*, par exemple : *Il mourut pauvre* = *il mourut* [étant] *pauvre.*

Parmi ces verbes on peut signaler :

aller	courir	fuir	partir	sortir
s'en aller	dormir	marcher	passer	tomber
s'arrêter	s'éloigner	mourir	régner	venir
arriver	entrer	naître	se retirer	vivre, etc.

60. Les verbes qui relient l'attribut au complément d'objet sont des *verbes d'action* à l'idée desquels l'esprit associe implicitement l'idée du verbe *être*, par exemple : *On le nomma consul. Je trouve ce livre intéressant.*

Parmi ces verbes on peut signaler :

accepter pour	croire	établir	prendre pour	sentir
accueillir en	déclarer	exiger	présumer	souhaiter
admettre comme	désigner pour	faire	proclamer	supposer
affirmer	désirer	imaginer	reconnaître pour	tenir pour
appeler	dire	instituer	regarder comme	traiter de
choisir pour	donner	juger	rendre	traiter en
consacrer	élire	laisser	réputer	trouver
considérer comme	ériger en	nommer	retenir	voir
créer	estimer	préférer	savoir	vouloir, etc.

61. Nature de l'attribut. — L'attribut peut être :

1° Un nom : *La Terre est* **une planète.** — *Le peuple le fit* **roi.**

2° Un mot pris substantivement : *Ceci est* **un à-côté.**

3° Un pronom : *Vous êtes* **celui** *que j'ai choisi.*

4° Un adjectif ou une locution adjective : *L'homme est* **mortel.** — *Nous sommes* **sains et saufs.** — *On le dit* **sévère.**

5° Un adverbe : *Ce jeune homme est* **bien.**

6° Un infinitif : *Chanter n'est pas* **crier.**

7° Un infinitif introduit par *à* : *Cette maison est* **à vendre.**

8° Une proposition : *Mon avis est* **qu'il se trompe.**

62. Place de l'attribut. — L'attribut se place le plus souvent après le verbe ; on le place en tête de la phrase quand il est ou contient un mot interrogatif ou encore pour des raisons de style :

Quels *sont vos projets ?* — **Fière** *est cette forêt.* (Musset.)

2. DÉTERMINANTS ET COMPLÉMENTS
DU NOM, DU PRONOM, DE L'ADJECTIF, etc.

63. Déterminants du nom. — Le nom peut être accompagné d'autres mots qui précisent, déterminent, complètent l'idée qu'il exprime. Au groupe du nom peuvent appartenir :

1° Un article :

La porte. — Une maison. — De l'eau.

2° Une **épithète,** c'est-à-dire un adjectif qualificatif placé généralement à côté d'un nom et exprimant, sans l'intermédiaire d'un verbe, une qualité de l'être ou de l'objet nommé :

La **pâle** mort mêlait les **sombres** bataillons. (Hugo.)

N. B. — La différence qu'il y a entre l'*attribut* et l'*épithète,* c'est que :

a) l'*attribut* suppose un lien qu'on noue entre lui et le sujet (ou le complément d'objet) : il y a une copule (parfois implicite) ; voir la figure : on noue la ficelle :

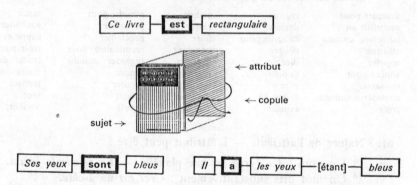

b) l'*épithète* ne suppose pas ce lien ; il n'y a pas de copule ; voir la figure : pas de ficelle à nouer :

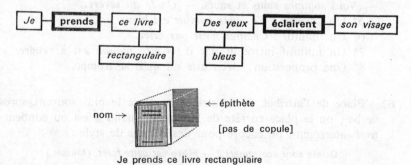

Je prends ce livre rectangulaire

Remarque. — L'épithète est dite **détachée** quand elle est jointe au nom (ou au pronom) d'une façon si peu serrée qu'elle s'en sépare par une pause, généralement indiquée par une virgule ; elle s'écarte même souvent du nom (ou du pronom) et est fort mobile à l'intérieur de la proposition.

L'épithète détachée a quelque chose de la nature de l'attribut, et l'on peut concevoir qu'elle suppose une copule implicite :

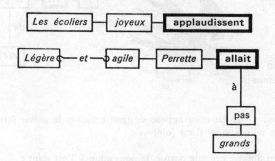

Le soleil descend, **calme** *et* **majestueux,** *à l'horizon.*
L'inondation s'étendait toujours, **sournoise.**
Et derrière, s'ouvrait l'église, **immense** *et* **sombre.** (Fr. Coppée.)

3° Un adjectif numéral, possessif, démonstratif, relatif, interrogatif, exclamatif, indéfini :

Deux *amis.* — **Ce** *livre.* — **Tout** *homme.*
Quels *livres avez-vous dans* **votre** *bibliothèque ?*

4° Un adverbe pris adjectivement :

La note **ci-dessous.** — *Dans la* **presque** *nuit.* (M. Donnay.)
Cela était bon au temps **jadis.** (Acad.)
Nous avons fait le voyage avec des gens très **bien.**

5° Une **apposition,** c'est-à-dire un nom, un pronom, un infinitif, une proposition, que l'on place à côté du nom[1] pour définir ou qualifier l'être ou la chose que ce nom désigne ; l'apposition est comparable à l'attribut, mais le verbe copule est absent :

L'hirondelle, **messagère du printemps.**
Il fit le geste **de raboter.**
Un enfant **prodige.**

---

1. C'est le plus souvent à un *nom* que l'apposition se joint, mais elle peut aussi se joindre à un *pronom* (§ 64, 4°), à un *adjectif*, à un *infinitif*, à une *proposition* :

Cet homme grossier, et malhonnête, **qui pis est,** *m'exaspère.*
Consoler, **cet art si délicat,** *est parfois difficile.*
Des vagues énormes accourent, **spectacle impressionnant.**

Les chefs **eux-mêmes** *étaient découragés.*
Je désire une seule chose, **réussir.**
Je désire une seule chose, **que vous soyez heureux.**

L'hirondelle

messagère
du printemps

Remarques. — 1. Le nom apposé désigne toujours le *même* être ou la *même* chose que le nom auquel il est joint.

2. Le nom apposé précède parfois le nom auquel il est joint :

C'est l'heure où, **troupe joyeuse,** *les écoliers quittent la classe.*

3. Dans des expressions comme *le mois de mai, la ville de Paris, le royaume de Belgique, le fleuve du Tage, le nom de mère, la comédie des Plaideurs,* où les deux noms sont unis par la préposition vide *de* et désignent le même être ou la même chose, c'est le second nom qui est l'apposition [1] :

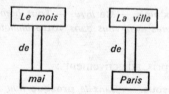

4. Dans *cet amour de petite fille, un fripon d'enfant* et autres expressions semblables, on peut considérer que le second nom est construit comme une apposition pour mettre en relief le premier nom [2].

5. Il est sans intérêt de chercher à reconnaître, dans des expressions comme le *mont Sinaï, le musée Grévin, le philosophe Platon, le capitaine Renaud, Sa Majesté le Roi, Son Éminence le Cardinal,* — dont les éléments ne sont pas joints par *de* —, quel est l'élément qui est l'apposition ; on peut se contenter de dire qu'on a là des « éléments juxtaposés ».

---

1. Si l'on admet cette façon de voir, on pourra employer la méthode suivante pour distinguer l'apposition d'avec le complément déterminatif : dans *le mois de mai* ou dans *le titre de roi,* on reconnaîtra que *mai* et *roi* sont des appositions parce qu'on peut dire : « *mai* est un mois », « *roi* est un titre ». Mais dans *la rue du Vallon,* le nom *vallon* est un complément déterminatif, car le vallon n'est pas une rue.
2. D'aucuns, estimant que le second nom exprime l'idée dominante, tiennent que c'est le premier nom qui est l'apposition.

6° Un **complément déterminatif,** c'est-à-dire un nom, un pronom, un infinitif, un adverbe, une proposition (voir § 485, Rem. 1), se subordonnant au nom pour en limiter le sens :

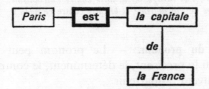

Comprenez-vous l'importance **de cela ?**
L'ardeur **de vaincre** *cède à la peur* **de mourir.** (Corneille.)
Les hommes **d'autrefois.**
L'espoir **qu'il guérira** *me soutient.*

Remarques. — 1. Le complément déterminatif peut avoir des sens très variés [1]. Il peut indiquer notamment :

l'espèce : *un cor* **de chasse.**
l'instrument : *un coup* **de lance.**
le lieu : *la bataille* **de Waterloo.**
la matière : *une statue* **de bronze.**
la mesure : *un trajet* **de dix kilomètres.**
l'origine : *un jambon* **d'Ardenne.**
la possession : *la maison* **de mon père.**
la qualité : *un homme* **de cœur.**
le temps : *les institutions* **du moyen âge.**
la totalité : *une partie* **de cette somme.**
la destination : *une salle* **d'escrime.**
le contenu : *une tasse* **de lait.**

2. La préposition qui introduit ce complément est le plus souvent *de,* mais ce peut être aussi *à, autour, en, envers, contre, par, pour, sans,* etc. :

Une table **à ouvrage,** *un canon* **contre** *avions, la bonté* **envers** *tous.*

3. Tandis que le nom apposé désigne *le même* être ou objet que le nom auquel il est joint, le nom complément déterminatif désigne *un autre* être ou objet que le nom qu'il complète.

4. Un grand nombre de noms d'action ou d'agent peuvent prendre un complément déterminatif *d'objet,* analogue au complément d'objet direct des verbes correspondants :

L'oubli **des injures** (comparez : *oublier les injures*).
Les défenseurs **du pays** (comparez : *défendre le pays*).

---

1. On observera que, dans beaucoup de cas, le complément déterminatif sans article joue le rôle d'une *locution adjective* équivalant à un qualificatif : *un coup* **d'audace** = *un coup* **audacieux** ; *un soleil* **de printemps** = *un soleil* **printanier.**

5. Deux noms peuvent avoir un complément commun s'ils admettent chacun séparément la même préposition après eux :

Le début et la fin **d'un poème.**

(On ne dirait pas : *Les ravages et la lutte contre l'alcoolisme.* — Il faudrait dire, par exemple : *Les ravages* **de** *l'alcoolisme et la lutte* **contre** *ce fléau.*)

64.   Déterminants du pronom. — Le pronom peut être accompagné d'autres mots qui le précisent, le déterminent, le complètent. Au groupe du pronom peuvent appartenir :

1° Un article, dans certains cas :

Ce livre est **le** *mien.*
De ces deux livres, prenez celui-ci, je prendrai **l'**autre.
C'est **un** tel *qui me l'a dit.*

2° Un adjectif qualificatif ou un participe passé adjectif, dans certains cas :

Il y a ceci de **grave.** *— Quoi de* **nouveau ?** *— Personne de* **blessé.**
Eux **seuls** *seront exempts de la commune loi !* (La Font.)

3° Un adjectif numéral ou indéfini, dans certains cas :

Nous **deux.** *—* **Nul** autre ne l'a dit.
*C'est vous-***même** qui l'avez fait.

4° Une apposition, qui peut être un nom, un pronom, un infinitif, une proposition :

Moi, **héron,** que je fasse
Une si pauvre chère ? (La Font.)
Nous avons **tous** notre devoir à remplir.
Je ne désire que ceci : **réussir.**
Je désire ceci : **que vous soyez heureux.**

5° Un complément déterminatif :

Chacun **de** vous a pu le voir. *— Ceux* **de Paris.**

6° Une proposition :

Ceux **qui vivent,** ce sont ceux **qui luttent.** (Hugo.)

65.   Le complément de l'adjectif peut être un nom, un pronom, un infinitif, un adverbe, une proposition :

Un vase plein **d'eau.** *— Brave* **entre tous.** *— Apte* **à nager.**
Un homme **très** actif. *— Un enfant beau* **comme un ange.**
Heureux **à jamais.** *— Un homme digne* **qu'on le confonde.**

N. B. — Parmi les compléments de l'adjectif, il convient de signaler à part le **complément du comparatif** (et **du superlatif relatif**), qui exprime le deuxième terme de la comparaison :

Pierre est moins studieux **que son frère.**
Le jour n'est pas plus pur **que le fond de mon cœur.** (Racine.)
Ce contrat est antérieur **à l'autre.** (Acad.)
Pierre est le plus grand **de tous.**

Remarque. — Deux adjectifs peuvent avoir un complément commun s'ils admettent chacun séparément la même préposition après eux :

Un maître bienveillant et indulgent **pour ses élèves.**

(On ne dirait pas : *Prêt et avide* de *combattre.* On tournerait ainsi : *Prêt* à *combattre et avide* de *le faire.*)

66. Certains mots invariables peuvent avoir un complément. Il y a :

1° Le **complément de l'adverbe** ; ce complément peut être un autre adverbe, un nom, un pronom :

Vous arrivez **trop** *tard.*
Il y avait beaucoup **de fantassins,** *peu* **de cavaliers.**
Ils seront récompensés proportionnellement **à leurs mérites.**
Heureusement **pour lui,** *ses appels furent entendus.*

Remarque. — On peut trouver préférable de considérer *beaucoup de, peu de,* etc. comme adjectifs indéfinis (§ 218, Rem. 1) ; et *proportionnellement à, indépendamment de,* etc. comme locutions prépositives.

2° Le **complément de la préposition** ; ce complément est un adverbe :

Il se tient **tout** *contre le mur.*
J'écrirai **aussitôt** *après votre départ.*

3° Le **complément de la conjonction de subordination** ; ce complément est un adverbe :

Il part **bien** *avant que l'heure sonne.*
Il arrive **longtemps** *après que le spectacle est fini.*

4° Le **complément du présentatif** *(voici, voilà)* :

Voici le jour. — **Le** *voilà. — Voici* **pour votre peine.**
Voilà **qu'une ondée vint à tomber.**

5° Le **complément de l'interjection** :

Adieu **pour jamais !** *— Gare* **la prison !** *— Gare* **à la ruade !**
Gare **que la glace ne cède !**

3. MOTS DE LIAISON

67. Les mots de liaison dans la proposition sont :

1° La **conjonction** de coordination, qui unit entre eux des éléments semblables (sujets, attributs, compléments, épithètes, appositions) :

> *La patience* **et** *le courage sont nécessaires dans les épreuves* **et** *les traverses de la vie.* — *Il deviendra médecin* **ou** *avocat.*

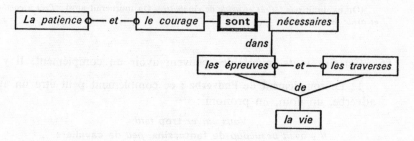

2° La **préposition,** qui unit certains compléments aux mots complétés :

> *Aie le culte* **de** *l'honneur.* — *Obéis* **à** *la loi.*
> *Il part* **vers** *le soir.* — *Nous luttons* **contre** *la mauvaise fortune.*

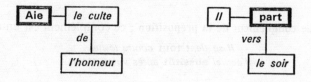

4. MOTS INDÉPENDANTS

68. Certains mots n'ont aucune relation grammaticale avec les autres mots de la proposition. Ce sont :

1° L'**interjection :**

> Ah ! *Je suis content de vous voir.*

2° Le **mot mis en apostrophe :** nom ou pronom désignant l'être animé ou la chose personnifiée à qui on adresse la parole :

> **Poète,** *prends ton luth.* (Musset.)
> **Cieux,** *écoutez ma voix ;* **terre,** *prête l'oreille.* (Racine.)

3° Le **mot explétif,** qui est un pronom personnel marquant l'intérêt que prend à l'action la personne qui parle, ou indiquant qu'on sollicite le lecteur ou l'auditeur de s'intéresser à l'action :

> *On* **vous** *happe notre homme,*
> *On* **vous** *l'échine, on* **vous** *l'assomme.* (La Font.)
> *Goûtez-***moi** *ce vin-là.*

5. ELLIPSE - PLÉONASME

69. L'**ellipse** est l'omission d'un ou de plusieurs mots qui seraient nécessaires pour la construction régulière de la proposition.

Tantôt c'est le sujet qui est omis :

> *Fais ce que* [tu] *dois.*

Tantôt c'est le verbe (on a alors une proposition *elliptique* : § 72) :

> *Combien* [coûte] *ce bijou ? — Heureux* [sont] *les humbles !*

Tantôt c'est à la fois le sujet et le verbe :

> [Qui est] *loin des yeux* [est] *loin du cœur.*
> *Voilà l'histoire d'un homme autrefois heureux parce qu'*[il était]
> *sage.* (Cl. Farrère.)

Remarque. — La brachylogie (grec *brakhus,* court, et *logos,* discours) est, au sens général, un raccourcissement de l'expression ; en un sens plus spécial, c'est une variété d'ellipse consistant à ne pas répéter un élément précédemment exprimé :

> *Donner vingt francs, c'est une générosité ;*
> [donner] *mille* [francs], [c'est] *une largesse.*

70. Le **pléonasme** est une surabondance de termes : il ajoute des mots non exigés par l'énoncé strict de la pensée. Il peut servir à donner plus de force ou de relief à tel ou tel élément de la proposition :

> *On cherche les rieurs, et* **moi** *je les évite.* (La Font.)

N. B. — Quand il n'ajoute rien à l'énergie ou à la grâce de l'expression, le pléonasme est vicieux : *Une panacée* **universelle.** — *Reculez* **en arrière.**

6. ESPÈCES DE PROPOSITIONS

71. Considérées dans leurs rapports réciproques, les propositions se divisent en :

propositions *indépendantes,*
propositions *principales,*
propositions *subordonnées.*

1° Est **indépendante** la proposition qui ne dépend d'aucune autre et dont aucune autre ne dépend :

La moquerie est souvent indigence d'esprit. (La Bruyère.)

2° Est **principale** la proposition qui a sous sa dépendance une ou plusieurs autres propositions :

On a perdu bien peu | *quand on garde. l'honneur.* (Voltaire.)
Si tu travailles avec méthode | *et si tu as du courage,* | **tu réussiras.**

3° Est **subordonnée** la proposition qui est dans la dépendance d'une autre proposition :

Le cœur a ses raisons | **que la raison ne connaît point.** (Pascal.)
Tant que la fortune te favorisera, | *tu compteras beaucoup d'amis.*

Remarques. — 1. La proposition *indépendante* et la *principale* ont la même nature foncière : l'une et l'autre sont des « non subordonnées » ; on pourrait les comparer à des troncs d'arbres : l'indépendante est comme un tronc sans branches, la principale est comme un tronc avec une ou plusieurs branches.

2. Une proposition subordonnée peut avoir dans sa dépendance une autre proposition subordonnée : la première est alors *principale* par rapport à la seconde :

1. *Vous voyez la perfection* | 2. *où s'élève l'âme pénitente* (subordonnée à 1 ; principale par rapport à 3) | 3. *quand elle est fidèle à la grâce* (subordonnée à 2). (Bossuet.)

72. Propositions elliptiques. — Une proposition est dite *elliptique* lorsque son verbe n'est pas exprimé ; en raccourcissant l'expression elle traduit la pensée avec une spontanéité, une vivacité ou une énergie particulières. Les propositions elliptiques se rencontrent surtout dans les dialogues, dans les ordres, dans les exclamations ou les interrogations, dans les proverbes, dans les comparaisons :

Que dites-vous ? Rien. — Silence !
Honneur aux braves ! — À quand votre visite ?
À chacun son métier.
Notre esprit cherche la vérité comme une plante [cherche] *la lumière.*

Remarque. — Parmi les propositions elliptiques, il faut signaler les propositions principales réduites à certains adverbes, à certains noms ou adjectifs, tels que : *apparemment, certainement, dommage, heureusement, nul doute, peut-être, possible, probablement, sans doute, sûrement, vraisemblablement.* Ces propositions ont sous leur dépendance une subordonnée introduite par *que* :

Apparemment *qu'il viendra.* (Acad.) [= Il y a apparence que...].
Heureusement *que vous m'avez averti* = [Il est heureux que... ou : Je suis heureux que...].
Peut-être *que vous avez raison* [= Il se peut que...].
Sans doute *qu'à la foire ils vont vendre sa peau.* (La Font.)

73.   Si l'on considère les propositions au point de vue de la forme, on distingue :

1° La proposition **affirmative,** qui exprime qu'un fait est :

Les passions tyrannisent l'homme. (La Bruyère.)

2° La proposition **négative,** qui exprime qu'un fait n'est pas :

La Mort ne surprend point le sage. (La Font.)

3° La proposition **interrogative,** qui exprime une question portant sur l'existence d'un fait ou sur une circonstance de ce fait :

Rodrigue, as-tu du cœur ? (Corneille.)
Qui vient ?

Remarques. — 1. L'interrogation est **directe** lorsqu'elle est exprimée par une proposition principale ; elle est caractérisée par un *ton* spécial, qui s'élève progressivement jusqu'à la syllabe accentuée du mot qui appelle la réponse. Elle est marquée, dans l'écriture, par un point interrogatif :

As-tu lu ce livre ? — Tu pars déjà ?

L'interrogation est **indirecte** lorsqu'elle est exprimée en dépendance d'une proposition principale dont le verbe indique qu'on interroge ou dont le sens général implique l'idée d'une interrogation ; elle comporte une proposition subordonnée contenant l'*objet* de l'interrogation ; elle se prononce comme une phrase ordinaire et n'est pas, dans l'écriture, marquée par le point interrogatif :

Je demande si tu as lu ce livre.
Dis-moi si tu pars déjà.

Comme on le voit, le verbe principal dont dépend la subordonnée de l'interrogation indirecte peut être non seulement un verbe du type *demander*, mais encore un verbe déclaratif ou perceptif (*dire, sentir, savoir, raconter, comprendre, ignorer,* etc.) à l'idée duquel s'associe l'idée de l'interrogation.

2. Transformée en interrogation indirecte, une interrogation directe commençant par un mot interrogatif ne subit pas de changement en ce qui concerne le mot introducteur :

INTERR. DIRECTE	INTERR. INDIRECTE
Quel *est votre nom ?*	[Je demande] **quel** *est votre nom.*
Qui *appelez-vous ?*	[Je demande] **qui** *vous appelez.*

Toutefois, dans le passage de l'interrogation directe à l'interrogation indirecte, à *est-ce que* devant un sujet correspond la conjonction *si* ; au pronom interrogatif neutre *que* devant un verbe à un mode personnel correspond *ce que* ; à *qu'est-ce qui* peut correspondre *ce qui* :

INTERR DIRECTE	INTERR. INDIRECTE
Est-ce que *tu viens ?*	[Je demande] **si** *tu viens.*
Que *dites-vous ?*	[Je demande] **ce que** *vous dites.*
Qu'est-ce qui *arrive ?*	[Je demande] **ce qui** *arrive.*

3. De l'interrogation véritable, qui ne préjuge pas la réponse, il faut distinguer l'interrogation **oratoire,** qui préjuge la réponse : elle n'interroge pas vraiment, mais n'est qu'une forme de style par laquelle on donne à une proposition affirmative ou négative un relief particulier :

> *Que coûte-t-il d'ôter toutes ces araignées ?*
> *Ne saurait-on ranger ces jougs et ces colliers ?* (La Font.)

4° La proposition **exclamative,** qui exprime, avec la vivacité d'un cri, un sentiment de joie, de douleur, d'admiration, de surprise, etc. :

> *Dieu ! que le son du cor est triste au fond des bois !* (Vigny.)
> *Que je suis content !*
> *Quel courage il a montré !*

Remarque. — On peut distinguer encore :

a) la proposition **énonciative,** qui exprime un fait (positif ou négatif) sans le colorer d'une nuance affective :

> *La lumière se propage en ligne droite. — Le plomb ne se rouille pas.*

b) la proposition **impérative,** qui exprime un ordre, un conseil :

> *Ouvre cette porte ! — Fuyez le vice ! — N'écoutez pas les flatteurs.*

c) la proposition **optative,** qui exprime un souhait, un désir :

> *Puissiez-vous réussir !*

7. GROUPEMENT DES PROPOSITIONS

74. On l'a vu (§§ 40 et 41), tantôt la phrase est *simple,* c'est-à-dire faite d'une seule proposition ; elle n'a qu'un verbe, *base de la phrase :*

> *Le travail ennoblit l'homme ;*

tantôt elle est *composée,* c'est-à-dire formée d'un système de propositions : à un verbe qui est la base de la phrase se subordonnent une ou plusieurs propositions remplissant les fonctions de sujet, d'objet, de complément circonstanciel, etc.

> *Je* **désire** | *que vous travailliez* | *et que vous persévériez.*

Il y a, dans une phrase, autant de propositions qu'on y trouve de verbes à un mode personnel, exprimés ou sous-entendus :

> *Je* **crois** | *que les hommes* **seraient** *plus heureux* |
> *s'ils* **pratiquaient** *mieux la vertu.*
> *Il* **mâche** *sa colère* | *comme un cheval son mors* [comme
> un cheval *mâche* son mors].

Remarque. — Outre les propositions dont le verbe est à un mode personnel, il y a des propositions *infinitives* (§ 461, 4°) et des propositions *participes* (§ 392) :

J'entends | *le train siffler.* — *Dieu aidant,* | *nous vaincrons.*

75. Coordination. Juxtaposition.

Les propositions *de même nature* peuvent, dans la phrase, être associées :

par *coordination ;*
par *subordination.*

a) Sont dites **coordonnées** les propositions de même nature qui, dans une même phrase, sont liées entre elles par une conjonction (qui est une conjonction de coordination) :

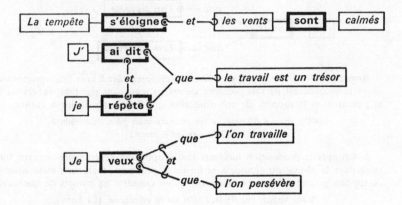

La coordination est dite :

1° **Copulative** quand elle marque simplement au moyen de *et, ni, puis, aussi, ensuite, de plus,* etc., l'union de deux propositions :

L'homme aspire au bonheur, **et** *s'épuise à le trouver.*

2° **Disjonctive** quand elle indique, le plus souvent au moyen de *ou,* que deux propositions s'excluent l'une l'autre ou forment une alternative :

Tu dormais **ou** *tu étais éveillé.* — *Nous vaincrons* **ou** *nous mourrons.*

3° **Adversative** quand elle indique, au moyen de *mais, au contraire, cependant, toutefois, néanmoins,* etc., que deux propositions sont mises en opposition l'une avec l'autre :

L'argent est un bon serviteur, **mais** *c'est un mauvais maître.*

4° **Causale** quand elle indique, au moyen de *car, en effet,* etc., que le fait exprimé par la seconde proposition est la cause du fait exprimé par la première :

Il ne faut pas juger sur l'apparence, **car** *elle est souvent trompeuse.*

5° **Consécutive** quand elle indique, au moyen de *donc, par conséquent,* etc., que le fait exprimé par la seconde proposition est la conséquence du fait exprimé par la première :

Le temps est précieux ; **donc** *ne le gaspillez pas.*

b) Sont dites **juxtaposées** les propositions de même nature qui, dans une même phrase, ne sont reliées entre elles par aucune conjonction :

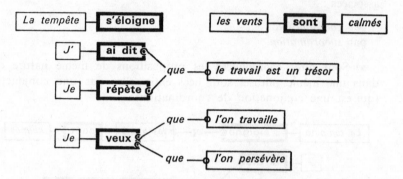

Remarques. — 1. La **parataxe** consiste à disposer côte à côte deux propositions (dont la seconde est parfois précédée de *et*) en marquant par l'intonation ou par la ponctuation le rapport de subordination qui unit l'une d'elles à l'autre :

Albe vous a nommé, je ne vous connais plus. (Corneille.)
Qu'il ose, et il verra !

2. On appelle proposition **incidente** une proposition généralement courte, intercalée dans la phrase ou ajoutée à la fin de la phrase — mais sans avoir avec elle aucun lien grammatical — et indiquant qu'on rapporte les paroles de quelqu'un :

Vous voyez, **reprit-il,** *l'effet de la concorde.* (La Font.)
Allons, faites donner la garde, **cria-t-il.** (Hugo.)

N. B. — Ces propositions *incidentes* appartiennent à une catégorie plus générale : celle des éléments insérés incidemment dans une proposition, à laquelle ils sont grammaticalement étrangers et dont ils interrompent le déroulement naturel. **L'élément incident** joue le même rôle qu'une proposition incidente ; ce peut être :

a) Une proposition avec un verbe :

Cette entreprise coûtera, **on le devine,** *beaucoup d'argent.*
Vous voulez, **je vous en félicite,** *réparer votre erreur.*
C'était, **je pense,** *un jour de fête.*

b) Un adverbe, une interjection, une locution sans verbe :

Aucun de nous, **heureusement,** *ne s'est obstiné dans l'erreur.*
Nous avons, **Dieu merci,** *échappé au danger.*
Cet homme, **à mon avis,** *se trompe.*

On notera que l'élément incident marque une intervention personnelle de celui qui parle ou qui écrit, destinée soit à apprécier, soit à appuyer, soit à atténuer, soit à rectifier, soit à exprimer une émotion, etc.

8. L'ORDRE DES MOTS

76. Construction habituelle. — Selon l'ordre habituel de l'énonciation, les éléments de la proposition sont placés suivant un ordre réglé par leur fonction grammaticale : on met d'abord le *sujet,* point de départ de l'énoncé, puis le *verbe,* puis l'*attribut* ou le *complément.*

Ainsi cet ordre habituel peut présenter les types d'enchaînement suivants :

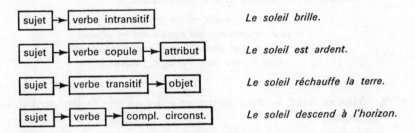

sujet → verbe intransitif	*Le soleil brille.*
sujet → verbe copule → attribut	*Le soleil est ardent.*
sujet → verbe transitif → objet	*Le soleil réchauffe la terre.*
sujet → verbe → compl. circonst.	*Le soleil descend à l'horizon.*

Si le verbe a plusieurs compléments, d'ordinaire l'harmonie demande que le plus long soit à la fin de la phrase :

La lune prêta son pâle flambeau à cette scène funèbre.

Pour la place du sujet, voir § 45 ; — pour celle de l'attribut, voir § 62 ; — pour celle du pronom personnel complément d'objet, voir § 236 ; — pour celle de l'adjectif épithète, voir § 197 ; — pour celle de l'adverbe, voir § 409.

77. L'ordre des mots n'est pas réglé uniquement par les fonctions grammaticales des éléments de la proposition. Souvent on ordonne les éléments de la phrase suivant un principe *logique,* qui tient compte des mouvements mêmes de la pensée, de l'ordre chronologique des faits, de leur importance relative.

En outre il y a un ordre *affectif,* qui suit les mouvements très variés des sentiments, — et un ordre *esthétique,* qui produit des effets de surprise, d'emphase, de variété, etc.

78. Parmi les procédés dont dispose le langage pour mettre dans la phrase un ordre réglé par la logique, ou par l'harmonie, ou par le sentiment, il y a l'*inversion* et l'*anacoluthe.*

a) L'inversion est un renversement de l'ordre habituel des mots. Ainsi le sujet, l'attribut, le complément du verbe, le complément déterminatif (en poésie), le complément de l'adjectif (en poésie), peuvent occuper une autre place que celle qu'indiquerait la construction habituelle :

> *Passaient et repassaient dans les rues des députations*
> *populaires.* (Chateaubriand.)
> *Grande fut ma surprise.*
> *À un tel chef chacun obéirait.*
> *Pour une si belle cause, marchons !*
> *Des travaux journaliers voilà d'abord l'asile.* (Lamartine.)
> *Et cette église seule à mes ordres rebelle...* (Boileau.)

b) L'anacoluthe est une construction brisée : la phrase, commencée d'une manière, s'achève d'une autre manière :

> *... Ce monde est un grand rêve,*
> *Et le peu de bonheur qui nous vient en chemin,*
> *Nous n'avons pas plus tôt ce roseau dans la main*
> *Que le vent nous l'enlève.* (Musset.)

79. Mise en relief. — Pour mettre en relief un mot (sujet, attribut, complément) :

tantôt on le place en tête de la phrase et on le reprend par un pronom :

> **Ce livre, il** *est admirable.*
> **Les vrais grands hommes,** *nous les admirons.*

tantôt on l'annonce par un pronom, qui crée comme un état d'attente :

> **Ils** *arrivèrent, en effet,* **ces fameux Comices.** (Flaubert.)

Souvent aussi, pour la mise en relief, on se sert des tours présentatifs *c'est ... qui* ou *c'est ... que* (§ 252, Rem. 1) :

> **C'est** *moi* **qui** *suis le chef* [comparez : *Je suis le chef*].
> **C'est** *demain* **que** *je pars* [comparez : *Je pars demain*].

TROISIÈME PARTIE

LES PARTIES DU DISCOURS

CHAPITRE I

LE NOM

1. DÉFINITIONS - ESPÈCES

80. Le **nom** ou **substantif** est un mot qui sert à désigner les êtres, les choses, les idées :

Louis, livre, chien, gelée, bonté, néant.

Une **locution substantive** est une réunion de mots équivalant à un nom :

Se moquer du qu'en-dira-t-on.
Nous aurons beaucoup d'autres 1ᵉʳ janvier pour échanger des vœux. (É. Estaunié.)

81. Noms communs, noms propres.

a) Le nom *commun* est celui qui convient à tous les êtres ou objets d'une même espèce :

Tigre, menuisier, table.

b) Le nom *propre* est celui qui ne convient qu'à un seul être ou objet ou à un groupe d'individus de même espèce :

Jean, Paris, les Français.

Les noms propres prennent toujours une majuscule.

82. Noms concrets, noms abstraits.

a) Le nom *concret* est celui qui désigne un être ou une chose réels, ayant une existence propre, perceptible par les sens :

Plume, fleuve, neige.

b) Le nom *abstrait* est celui qui désigne une qualité, une propriété séparée par notre esprit du sujet auquel elle est unie, et considérée comme existant indépendamment de ce sujet :

Patience, épaisseur.

83. **Noms individuels, noms collectifs.**

a) Le nom *individuel* est celui qui désigne un individu, un objet particulier :

Jardin, habit.

b) Le nom *collectif* est celui qui, même au singulier, désigne un ensemble, une collection d'êtres ou d'objets :

Foule, tas.

84. **Noms simples, noms composés.**

a) Le nom *simple* est formé d'un seul mot :

Ville, chef.

b) Le nom *composé* est formé par la réunion de plusieurs mots exprimant une idée unique et équivalant à un seul nom :

Chemin de fer, arc-en-ciel.

2. GENRE DU NOM

85. Le français a deux genres : le **masculin** et le **féminin.**

a) Les noms d'êtres animés sont, en général, du genre *masculin* quand ils désignent des hommes ou des animaux mâles ; on peut les faire précéder de *un, le (l')* : *Le père, un cerf.*
Ils sont du genre **féminin** quand ils désignent des femmes ou des animaux femelles ; on peut les faire précéder de *une, la, (l')* : *La mère, une brebis.*

b) Les noms d'êtres inanimés ou de notions abstraites sont, sans variation, les uns masculins, les autres féminins ; leur genre s'explique par des raisons d'étymologie, d'analogie ou de forme.

FÉMININ DES NOMS

N. B. — Au point de vue orthographique, le féminin des noms d'êtres animés se marque :

1° En général, par *addition d'un* e à la forme masculine ;

2° Par *modification ou addition de suffixe ;*

3° Par une *forme spéciale,* de même radical cependant que celle du masculin — ou encore par un *terme spécial* dont le radical est entièrement différent de celui du masculin.

Il faut noter en outre que, pour certains noms d'êtres animés, il n'y a pas de variation de forme selon le genre.

1° Addition d'un e.

Règle générale.

86. On obtient le féminin de la plupart des noms d'êtres animés en écrivant à la fin de la forme masculine un **e**, qui souvent ne se prononce pas :

*Ami, ami**e**. — Marchand, marchand**e**.*

N. B. — 1. Dans les noms terminés par une *voyelle,* l'adjonction de l'*e* du féminin n'entraîne pas, quant à la prononciation, l'allongement de cette voyelle finale : l'*i*, l'*u* ont la même durée dans *amie, têtue* que dans *ami, têtu*.

2. Dans les noms terminés par une *consonne,* l'adjonction de l'*e* du féminin :

a) tantôt ne modifie pas la prononciation du nom : *Aïeul, aïeule ;*

b) tantôt fait reparaître, dans la prononciation, la consonne finale qui (sauf en liaison) ne se prononce pas au masculin : *Marchand, marchan**d**e. — Parent, paren**t**e ;*

c) tantôt, comme on va le constater, provoque un redoublement ou une modification de cette consonne finale, avec parfois une modification (phonétique ou même orthographique) de la voyelle qui précède :

Cas particuliers.

87. Les noms en **-el** et en **-eau** (masc. ancien en *-el*) font leur féminin en *-elle :*

*Colonel, colon**elle**. — Gabriel, Gabri**elle**.*
Chameau (autrefois *chamel*), *cham**elle**.*

Fou (autrefois *fol*) a pour féminin *folle*.

88.   Noms en -*n*.

Les noms en **-en, -on** redoublent l'*n* devant l'*e* du féminin (et il y a dénasalisation) :

> Gardien, gardie**nne**. — Baron, baro**nne**.

Pour *Lapon, Letton, Nippon,* l'usage hésite : *Une Lapo*ne ou *Lapo*nne, *une Letto*ne ou *Letto*nne, *une Nippo*ne ou *Nippo*nne.

Mais les noms en **-in** *(-ain)* ou en **-an** — sauf *Jean, paysan, rouan, Valaisan* et *Veveysan* — ne redoublent pas l'*n* (et il y a dénasalisation) :

> Orphelin, orpheli**ne**. — Châtelain, châtelai**ne**. — Sultan, sulta**ne**.
> (Mais : Jean, Jea**nne**. — Paysan, paysa**nne**. — Rouan, roua**nne**. —
> Valaisan, Valaisa**nne**. — Veveysan, Veveysa**nne**.)

89.   Noms en -*t*.

Les noms en **-et** — sauf *préfet, sous-préfet* — redoublent le *t* devant l'*e* du féminin :

> Cadet, cade**tte**. — Coquet, coque**tte**.
> (Mais : Préfet, préfè**te**, avec un accent grave sur l'*e* qui précède le *t*.)

Mais les noms en **-at, -ot,** — sauf *chat, linot, sot* — ne redoublent pas le *t* :

> Avocat, avoca**te**. — Idiot, idio**te**.
> (Mais : Chat, cha**tte**. — Linot, lino**tte**. — Sot, so**tte**.)

Favori fait au féminin *favorite*.

90.   Les noms en -er forment leur féminin en **-*ère*** (l'*e* fermé du masculin devient *e* ouvert, et prend l'accent grave) :

> Berger, berg**ère**.

91.   La plupart des noms en -s (précédé d'une voyelle) ou en **-x** ont leur féminin en **-*se*** (*s* prononcé *z*) :

> Bourgeois, bourgeoi**se**.
> Époux, épou**se**. — Ambitieux, ambitieu**se**.

Andalou (anciennement *Andalous*) fait au féminin *Andalouse*.
Métis, vieux, roux font *métisse, vieille, rousse*.

92.   Les noms en -f changent *f* en *v* devant l'*e* du féminin :

> Captif, capti**ve**. — Juif, jui**ve**. — Veuf, veu**ve**.

93.   *Franc, Frédéric, Turc* changent le *c* en **-*que*** au féminin :

> Franc, Franc**que**. — Frédéric, Frédéri**que**. — Turc, Tur**que**.

Grec fait *Gre**cque*** au féminin.

2° Modification ou addition de suffixe.

94. Noms en *-eur*.

a) Les noms en *-eur* auxquels on peut faire correspondre un participe présent en changeant *-eur* en *-ant* font leur féminin en *-euse* [1] (*eu* devient fermé) :

> Menteur, ment**euse**. — Porteur, port**euse**.

Exceptions : *Enchanteur, pécheur, vengeur* changent *-eur* en **-eresse** : Enchant**eresse**, péch**eresse**, veng**eresse**.
Exécuteur, inspecteur, inventeur, persécuteur changent *-teur* en **-trice** : *Exécu***trice**, etc.

b) Les noms en *-teur* auxquels on ne peut faire correspondre un participe présent en changeant *-eur* en *-ant* font leur féminin en **-trice** [2] : *Directeur, direc***trice**.

Remarques. — 1. *Inférieur, mineur, prieur, supérieur* (qui sont des comparatifs employés comme noms) forment leur féminin par simple addition d'un *-e* : *Inférieur***e**, *mineur***e**, *prieur***e**, *supérieur***e**.

2. *Ambassadeur* fait au féminin *ambassadrice*. — *Empereur* fait *impératrice*. — *Débiteur* fait *débiteuse* (qui débite) et *débitrice* (qui doit). — *Chanteur* fait ordinairement *chanteuse* ; *cantatrice* se dit d'une femme qui a acquis quelque célébrité dans l'art du chant.

3. Les termes de la langue juridique *bailleur, défendeur, demandeur, vendeur* — ainsi que *charmeur, chasseur,* quand ils sont employés dans la langue poétique — font leur féminin en **-eresse** : *Baill***eresse**, *défend***eresse**, *vend***eresse**, *charm***eresse**, *chass***eresse**.
Dans l'usage courant, on a les féminins *demand***euse**, *vend***euse**, *charm***euse**, *chas-***seuse**.

4. *Devineur* (qui juge par voie de conjecture, qui trouve le mot d'une charade, etc.) fait au féminin *devin***euse**. — *Devineresse* sert de féminin à *devin*.

95. Féminin en *-esse*.

Une trentaine de noms (presque tous en *-e*) ont leur féminin en *-esse :*

---

1. Ces noms sont de formation populaire ; leur finale se prononçait anciennement comme celle des noms en *-eux* (on prononçait, par exemple, *un menteux* ; ainsi on comprend pourquoi leur féminin est en *-euse*).
2. Ces noms sont de formation savante. Leur féminin est emprunté ou imité du féminin latin en *-trix* ; par exemple, *directrice* reproduit le féminin latin *directrix*.

Abbé, abbesse	Faune, faunesse	Pauvre, pauvresse
Ane, ânesse	Hôte, hôtesse	Poète, poétesse
Borgne, borgnesse	Ivrogne, ivrognesse	Prêtre, prêtresse
Bougre, bougresse	Ladre, ladresse	Prince, princesse
Chanoine, chanoinesse	Larron, larronnesse	Prophète, prophétesse
Comte, comtesse	Maître, maîtresse	Sauvage, sauvagesse
Diable, diablesse	Mulâtre, mulâtresse	Suisse, Suissesse
Drôle, drôlesse	Nègre, négresse	Tigre, tigresse
Druide, druidesse	Ogre, ogresse	Traître, traîtresse
Duc, duchesse	Pair, pairesse	Vicomte, vicomtesse

3° Forme spéciale au féminin.

96. Certains noms ont au féminin une **forme spéciale,** de même radical cependant que celle du masculin :

Canard, cane	Empereur, impératrice	Mulet, mule
Chevreuil, chevrette	Favori, favorite	Neveu, nièce
Compagnon, compagne	Fils, fille	Perroquet, perruche [2]
Daim, daine [1]	Gouverneur, gouvernante	Roi, reine
Diacre, diaconesse	Héros, héroïne	Serviteur, servante
Dieu, déesse	Lévrier, levrette	Sylphe, sylphide
Dindon, dinde	Loup, louve	Tsar, tsarine
Doge, dogaresse	Merle, merlette	

97. Certains noms marquent la distinction des genres par **deux mots de radical différent :**

Bélier, brebis	Homme, femme	Papa, maman
Bouc, chèvre	Jars, oie	Parrain, marraine
Cerf, biche	Lièvre, hase	Père, mère
Coq, poule	Mâle, femelle	Sanglier, laie
Étalon, jument	Mari, femme	Singe, guenon
Frère, sœur	Matou, chatte	Taureau, vache
Garçon, fille	Monsieur, madame	Verrat, truie
Gendre, bru	Oncle, tante	

4° Noms ne variant pas en genre.

98. Certains noms de personnes, terminés pour la plupart en *-e,* ont la **même forme pour les deux genres :**

> *Un artiste, une artiste. — Un élève, une élève.*
> *Un bel enfant, une aimable enfant.*

Remarque. — Un grand nombre de noms d'animaux ne désignent que l'espèce et n'ont qu'une forme pour les deux genres. Pour indiquer le sexe, on ajoute un mot déterminant :

> *Un éléphant* **femelle.** *— Une souris* **mâle.** *— Un* **coq** *faisan.*

---

1. Les chasseurs disent aussi *dine.*
2. *Perruche* se dit de la femelle du perroquet ; il désigne aussi, sans distinction de sexe, un oiseau de la même famille que le perroquet, mais de taille plus petite.

99. **a)** Certains noms de personnes ne s'appliquant habituellement qu'à des hommes n'ont **pas de forme féminine** : *Auteur, bourreau, charlatan, cocher, déserteur, échevin, écrivain, filou, médecin, possesseur, professeur, successeur, vainqueur,* etc.

Remarques. — 1. Appliqués à des femmes, ces noms veulent au masculin les articles, adjectifs ou pronoms qui s'y rapportent :

Madame de Sévigné est **un grand** *écrivain.*
Cette femme est **un excellent** *professeur.*

2. Pour indiquer le féminin, on fait parfois précéder ces noms du mot *femme* :

Une **femme** *auteur.* — *Ce siècle est fécond en* **femmes** *écrivains.*

b) Certains noms ne s'appliquant qu'à des femmes n'ont **pas de forme masculine** : *Lavandière, douairière, nonne, matrone,* etc.

> **NOMS À DOUBLE GENRE**

---

100. **Aigle** est du masculin quand il désigne l'oiseau de proie ou, au figuré, un homme de génie ; de même quand il désigne un pupitre d'église ou une décoration portant un aigle :

L'aire d' **un** *aigle.* (Acad.) — *Cet homme-là est* **un** *aigle.* (Id.)
Il y a dans le chœur de cette église **un** *aigle de cuivre.*
L'aigle **blanc** *de Pologne.*

Il est du féminin quand il désigne expressément l'oiseau femelle ou dans le sens d'étendard, d'armoiries :

L'aigle est **furieuse** *quand on lui ravit ses aiglons.* (Acad.)
Les aigles **romaines.** — *L'aigle* **impériale.**

101. **Amour,** dans l'acception générale, est masculin :

Amour **sacré** *de la patrie.* (Rouget de Lisle.)
Il a eu dans sa vie deux **grands** *amours :* **celui** *de Dieu et* **celui** *de sa patrie.*

Dans le sens spécial de « passion », il est quelquefois féminin au singulier en poésie et presque toujours féminin au pluriel, même en prose :

Une **amour** *violente.* (Acad.) — *De* **folles** *amours.* (Id.)

Remarque. — *Amour* est toujours masculin en termes de mythologie, de peinture ou de sculpture :

Peindre, sculpter de **petits Amours.** (Acad.)

102. Délice. Au pluriel, ce nom est du féminin :

> *Il fait* **toutes** *ses délices de l'étude.* (Acad.)

Au singulier, *délice* est du masculin :

> *Cette prose de Racine est* **un** *délice.* (J. Lemaitre.)
> *Manger des mûres est* **un** *délice.* (H. Bosco.)

103. Foudre est féminin dans le sens de « feu du ciel » et aussi quand il désigne figurément ce qui frappe d'un coup soudain :

> **La** *foudre est* **tombée.** (Acad.)
> *Les foudres de l'excommunication furent* **lancées** *contre cet hérésiarque.*

Il est masculin dans les expressions *foudre de guerre, foudre d'éloquence,* ainsi que dans la langue du blason et quand il désigne le faisceau enflammé, attribut de Jupiter :

> *Je suis donc* **un** *foudre de guerre.* (La Font.)
> *Une aigle tenant* **un** *foudre dans ses serres.* (Acad.)

Foudre, grand tonneau (allem. *Fuder*), est masculin : **Un** *foudre de vin.*

104. a) Gens, nom pluriel signifiant *personnes,* est du masculin :

> **Tous** *les gens* **querelleurs,** *jusqu'aux simples mâtins,*
> *Au dire de chacun étaient de petits saints.* (La Font.)

b) Cependant s'il est précédé *immédiatement* d'un adjectif ayant une terminaison différente pour chaque genre, il veut au féminin cet adjectif et tout adjectif placé avant lui ; quant aux adjectifs (et pronoms) qui suivent *gens* et sont en rapport avec lui, on les laisse au masculin :

> **Toutes** *les* **vieilles** *gens.* (Acad.) — **Quelles** *honnêtes et* **bonnes** *gens !*
> (Mais : **Quels bons** *et honnêtes gens !*)
> *Plus* **telles** *gens sont* **pleins,** *moins* **ils** *sont* **importuns.** (La Font.)
> *Ce sont les* **meilleures** *gens que j'aie* **connus.**

c) Les adjectifs qui ne précèdent *gens* que par inversion restent au masculin :

> **Instruits** *par l'expérience, les vieilles gens sont soupçonneux.* (Acad.)

Remarques. — 1. *Gens*, dans certaines expressions telles que *gens de robe, gens de guerre, gens d'épée, gens de loi, gens de lettres*, etc., veut toujours au masculin l'adjectif ou le participe :

> *De* **nombreux** *gens de lettres.* (Acad.) — **Certains** *gens d'affaires.* (Id.)

2. *Gent* signifiant *nation, race,* est féminin :

La *gent* **marécageuse.** (La Font.)
Une amende honorable, payée à **la** *gent* **canine.** (Colette.)

105. Hymne est masculin dans l'acception ordinaire :

Les soldats chantaient **un** *hymne* **guerrier.**
Un *hymne se lève de mon cœur.* (M. Barrès.)

Il est ordinairement féminin dans le sens de « cantique latin qui se chante à l'église » :

Le jeune Racine traduisait en vers les hymnes **latines** *de saint Ambroise.*

106. Œuvre est toujours féminin au pluriel ; il l'est généralement aussi au singulier :

Faire de **bonnes** *œuvres.*
Toute *œuvre* **humaine** *est* **imparfaite.**
*Les Pensées de Pascal sont les fragments d'***une** *œuvre* **inachevée.** (Acad.)

Il est masculin quand il désigne, soit l'ensemble de la bâtisse, soit l'ensemble des œuvres d'un artiste, soit la transmutation des métaux en or, dans l'expression *le grand œuvre :*

Le gros *œuvre est* **achevé.**
L'œuvre **entier** *de Rembrandt.* (Acad.)
Travailler **au grand** *œuvre.* (Id.)

107. Orge est féminin :

De l'orge bien **levée.** (Acad.) — *De* **belles** *orges ;*

sauf dans les deux expressions *orge mondé, orge perlé.*

108. Orgue, au singulier, est du masculin :

L'orgue de telle église est **excellent.**

Le pluriel *orgues* est également du masculin quand il désigne plusieurs instruments :

Les deux orgues de telle église sont **excellents.**

Le pluriel *orgues* est du féminin lorsqu'il désigne un instrument unique :

Les **grandes** *orgues.* (Acad.) — *Des orgues* **portatives.** (Id.)

109. Pâque, désignant une fête des Juifs, est un nom commun féminin et demande l'article :

> *Les Juifs célébraient tous les ans* **la** *pâque en mémoire de leur sortie d'Égypte.*

Pâques (avec *s* final), désignant la grande fête chrétienne, est masculin et singulier ; il prend la majuscule et rejette l'article :

> *Quand Pâques sera* **venu.** (Acad.)
> *Je vous paierai à Pâques* **prochain.** (Id.)

Remarque. — *Pâques* est féminin et ne s'emploie qu'au pluriel dans les expressions *faire ses pâques* (remarquez la minuscule), *Pâques fleuries, Pâques closes, Joyeuses Pâques.*

110. Période, féminin dans les acceptions ordinaires, est masculin quand il désigne le point où une chose, une personne est arrivée :

> *Démosthène et Cicéron ont porté l'éloquence à* **son** *plus* **haut** *période.* (Acad.)
> *Cet homme est* **au dernier** *période de sa vie.* (Id.)

3. NOMBRE DU NOM

111. Le français distingue deux nombres :

le **singulier,** qui désigne un seul être ou un seul ensemble d'êtres :

> *Un livre, un essaim ;*

et le **pluriel,** qui désigne plusieurs êtres ou plusieurs ensembles d'êtres :

> *Des livres, des essaims.*

PLURIEL DES NOMS

1° *Règle générale :* **Pluriel en -s.**

112. On forme le pluriel des noms en écrivant à la fin de la forme du singulier un s[1] (muet, sauf en liaison) :

> *Un homme. Des homme***s** *(en liaison : des hommes* [z] *avides).*

---

1. **Origine de l's du pluriel.** — Des six *cas* du latin (formes diverses par lesquelles se marquaient, au moyen de désinences particulières, les fonctions du nom dans la proposition),

N. B. — **Le pluriel au point de vue phonétique.** — Jusqu'à la fin du XVIe siècle, l's du pluriel s'est prononcé. Aujourd'hui, en général, il n'y a plus, pour l'oreille, de différence entre la forme du pluriel et celle du singulier : *l'ami, les amis.* — Toutefois il subsiste deux prononciations différentes selon le nombre : 1° quand on fait la liaison ; — 2° dans la plupart des noms en -*al* : *un animal, des animaux* ; — 3° dans quelques noms en -*ail* : *un émail, des émaux*, etc. ; — 4° dans quelques autres noms : *un os, des os ; un œuf, des œufs ; un œil, des yeux*, etc.

En général, c'est par l'article ou par l'adjectif accompagnant le nom que l'oreille peut distinguer si ce nom est au singulier ou au pluriel.

113. Les noms terminés par **-s, -x** ou **-z** ne changent pas au pluriel :

Un pois, des pois. — Une croix, des croix. — Un nez, des nez

2° Pluriel en -*x* [1].

114. Les noms en **-al** changent -*al* en **-*aux*** au pluriel :

Un cheval. Des chevaux.

Exceptions : *Bal, cal, carnaval, chacal, festival, régal* prennent simplement s au pluriel. De même quelques noms moins usités : *aval, bancal, caracal, cérémonial, choral, narval, nopal, pal, récital*, etc.

115. Les noms en **-au, -eu,** prennent un *x* au pluriel :

Un tuyau, des tuyaux. — Un cheveu, des cheveux.

Exceptions : *Landau, sarrau, bleu, pneu* prennent un s : *Des landaus, des sarraus, des bleus, des pneus.*

116. Les noms en **-ail** prennent un s au pluriel :

Un éventail, des éventails.

---

l'ancien français n'avait gardé que le *nominatif* (cas sujet) et l'*accusatif* (cas régime ou cas du complément), par exemple :

Singulier : suj. : *murs* (du lat. *murus*) ; — compl. : *mur* (du lat. *murum*).

Pluriel : suj. : *mur* (du lat. *muri*) ; — compl. : *murs* (du lat. *muros*).

Au XIIIe siècle, le cas sujet disparut, et l'on n'eut plus que les formes-types *mur* pour le singulier et *murs* pour le pluriel. Ainsi s'explique que l's est devenu le signe caractéristique du pluriel.

1. **Origine de ce pluriel en -x.** — Dans l'ancienne langue, *l* se vocalisait en *u* (prononcé *ou*) devant l's du pluriel : *un cheval, des chevaus.* Or, au moyen âge, le groupe -*us* se notait ordinairement par un signe abréviatif ressemblant à la lettre *x* et qui finit par se confondre avec cette lettre ; tout en prononçant *chevaus* (pron. *chevaws*), on écrivait *chevax.* Plus tard, on oublia la fonction du signe abréviatif *x* et on rétablit *u* dans l'écriture, tout en maintenant l'*x* : *des chevaux.*

Excepté les neuf noms : *bail, corail, émail, fermail, soupirail, travail, vantail, ventail, vitrail*, qui changent *-ail* en **-aux** :

> *Un bail, des baux.* — *Un corail, des coraux*, etc.

Bétail n'a pas de pluriel (*bestiaux* est le pluriel de l'ancien nom *bestial*). — Le pluriel *bercails* est peu usité.

117. Les noms en **-ou** prennent un *s* au pluriel :

> *Un clou, des clous.*

Excepté les sept noms : *bijou, caillou, chou, genou, hibou, joujou* et *pou*, qui prennent un **x** :

> *Un bijou, des bijoux.* — *Un caillou, des cailloux*, etc.

118. Noms à double forme au pluriel :

1° **Aïeul** fait au pluriel *aïeuls* quand on désigne précisément le grand-père paternel et le grand-père maternel, ou encore le grand-père et la grand-mère :

> *Ses deux **aïeuls** assistaient à son mariage.* (Acad.)
> *Ses **aïeuls** paternels ont célébré leurs noces d'or.*

Il fait *aïeux*, au sens d'*ancêtres* :

> *Qui sert bien son pays n'a pas besoin d'**aïeux**.* (Voltaire.)

Remarque. — Régulièrement on dit : *les bisaïeuls* (Littré), *les trisaïeuls* (Id.). — Cependant les pluriels *bisaïeux, trisaïeux* sont aussi en usage :

> *Nos **bisaïeux**.* (A. Maurois.) — *Jusqu'à nos **trisaïeux**.* (Destouches.)

2° **Ail** fait au pluriel *aulx* :

> *Il y a des **aulx** cultivés et des **aulx** sauvages.* (Acad.)

Les botanistes disent également *ails* au pluriel :

> *Il cultive des **ails** de plusieurs espèces.* (Acad.)

3° **Ciel** fait au pluriel *cieux* quand il désigne l'espace indéfini où se meuvent les astres, ou encore le paradis :

> *L'immensité des **cieux**.* (Acad.)
> *Celui qui règne dans les **cieux**.* (Bossuet.)

Il fait *ciels* quand il signifie :

a) Couronnement d'un lit :

> *Des **ciels** de lit.*

b) Ce qui sert de plafond à une carrière :

Des **ciels** *de carrière.*

c) Partie d'un tableau qui représente le ciel :

Ce peintre fait bien les **ciels.** (Acad.)

d) Climat :

Un de ces **ciels** *perfides qui caressent et brûlent la peau tendre des citadins.* (A. France.)

4° **Œil** fait au pluriel *yeux :*

Des **yeux** *bleus. — Les* **yeux** *du pain, du fromage, du bouillon. Tailler à deux* **yeux.**

Le pluriel *œils* appartient à certains noms composés :

Des **œils**-*de-bœuf* (fenêtres rondes ou ovales).
Des **œils**-*de-perdrix* (cors).
Des **œils**-*de-chat* (pierres précieuses), etc.

5° **Travail** a pour pluriel ordinaire *travaux*. Il fait au pluriel *travails* quand il désigne une machine dans laquelle on assujettit les chevaux pour les ferrer, les panser, etc. :

Ce maréchal-ferrant a deux **travails.**

Pluriel des noms propres.

119. Les noms propres **prennent** la marque du pluriel :

1° Quand ils désignent des peuples ou certaines familles illustres :

Les **Espagnol**s. — *Les* **Gracque**s, *les* **César**s, *les* **Stuart**s.

2° Quand ils désignent des personnes possédant les talents, le caractère, etc. des personnages nommés ou plus généralement quand ils désignent des types :

Existe-t-il encore des **Aristides ?** (c.-à-d. des hommes justes comme Aristide).
Les **Pasteurs** *sont rares.*

120. Les noms propres **ne prennent pas** la marque du pluriel :

1° Quand ils désignent des familles entières (hors le cas signalé au § 119, 1°) :

Les **Roquevillard.** — *Les* **Dupont** *sont en voyage.*

2° Quand ils désignent, non des familles entières, mais des *individus* qui ont porté le même nom :

> *Les deux* **Corneille** *ont composé des tragédies.*

3° Quand, par emphase, on leur donne l'article pluriel, quoiqu'on n'ait en vue qu'un seul individu :

> *Les* **Racine**, *les* **Boileau**, *les* **Molière**, *les* **La Fontaine** *ont illustré le règne de Louis XIV.*

4° Quand ils désignent des titres d'ouvrages, de revues, etc. :

> *J'ai acheté deux* **Énéide**.
> *Un paquet de « **Revue des Deux Mondes** ».*

Remarque. — Les noms propres désignant des œuvres par le nom de leur auteur peuvent prendre la marque du pluriel :

> *Des* **Callots** *accrochés aux murs.* (É. Estaunié.)
> *Les* **Raphaëls** *du Vatican. — J'ai deux* **Virgiles**.

Mais on peut aussi les laisser invariables :

> *La Caridad renferme des* **Murillo** *de la plus grande beauté.* (Th. Gautier.)
> *J'ai deux* **Virgile**.

121. Les noms propres géographiques désignant plusieurs pays, provinces, cours d'eau, etc., prennent la marque du pluriel :

> *Les* **Amériques**, *les* **Guyanes**, *les deux* **Sèvres**, *les* **Pyrénées**.

Mais on écrira : *Il n'y a pas deux* **France**. — *Il y a plusieurs* **Villeneuve**.

Pluriel des noms composés.

1° *Éléments soudés.*

122. Les noms composés dont les éléments sont soudés en un mot simple forment leur pluriel comme les noms simples :

> *Des bonjours. — Des entresols. — Des passeports.*
> *Des pourboires. — Des portemanteaux.*

Exceptions : *Bonhomme, gentilhomme, madame, mademoiselle, monseigneur, monsieur* font au pluriel : *bonshommes, gentilshommes,* **mes**dames, **mes**demoiselles, **mes**seigneurs (**nos**seigneurs), **mes**sieurs.

On dit parfois familièrement : *des madames, des monseigneurs, des monsieurs.*

2° Éléments non soudés.

Dans les noms composés dont les éléments ne sont pas soudés en un mot simple, on met au pluriel les éléments (*noms* et *adjectifs* seulement) qui, **selon le bon sens**, doivent prendre la marque du pluriel.

123. Nom + nom en apposition. — Nom + adjectif. — Quand le nom composé est formé de deux noms dont l'un est apposé à l'autre, ou d'un nom et d'un adjectif, les deux éléments prennent la marque du pluriel :

> *Des chefs-lieux, des oiseaux-mouches.*
> *Des coffres-forts, des arcs-boutants.*

L'Académie écrit : *des porcs-épics, des reines-claudes, des pique-niques, des compères-loriot, des patte-pelus, des chevau-légers, des sauf-conduits.*
On écrit : *des grand-mères, des grand-tantes,* etc. (§ 192).

124. Nom + nom complément. — Quand le nom composé est formé de deux noms dont le second (avec ou sans préposition) est complément du premier, le premier nom seul prend la marque du pluriel :

> *Des arcs-en-ciel. — Des chefs-d'œuvre. — Des timbres-poste.*

125. Mot invariable + nom. — Quand le nom composé est formé d'un mot invariable et d'un nom, évidemment le nom seul prend la marque du pluriel :

> *Des arrière-gardes. — Des haut-parleurs.*
> *Des en-têtes. — Des contre-attaques.*

On écrit : *des après-midi.*

126. Verbe + complément. — Quand le nom composé est formé d'un verbe et d'un nom complément d'objet direct, le nom seul varie au pluriel, à moins que le sens ne s'y oppose :

> *Des bouche-trous. — Des couvre-lits.*
> Mais : *Des abat-jour. — Des perce-neige.*

Remarques. — 1. Dans certains noms composés, même au singulier, le complément d'objet direct a toujours la marque du pluriel : *Un casse-noisettes, un compte-gouttes, un porte-bagages, un presse-papiers,* etc.

2. Dans les noms composés à l'aide du mot *garde,* ce mot varie au pluriel quand le composé désigne une personne : *Des gardes-chasse, des gardes-malades ;* — il reste invariable quand le composé désigne une chose : *Des garde-corps, des garde-robes.*

Selon un ancien usage (§ 362, Rem.), on écrit : *des ayants droit, des ayants cause.*

127. Expressions toutes faites ou elliptiques. — Quand le nom composé est formé d'une expression toute faite ou d'une expression elliptique, aucun élément ne varie au pluriel :

Des meurt-de-faim. — Des pince-sans-rire.
Des on-dit. — Des coq-à-l'âne. — Des pur sang.

On écrit : *des terre-pleins* [lieux pleins de terre].

128. Mots étrangers. — Dans les noms composés, les mots étrangers restent invariables :

Des **ex-voto.** *— Des* **post-scriptum.** *— Des* **vice-rois.**

Cependant on écrit : *des fac-similé*s, *des orangs-outang*s, *des sénatus-consulte*s.
Quand le premier élément présente la terminaison *-o*, il reste invariable : *Les Gallo-Romains, des électro-aimants.*
On écrit : *des tragi-comédies.*

Pluriel des noms étrangers.

129. Les noms empruntés aux langues étrangères admettent la marque du pluriel français quand un fréquent usage les a vraiment francisés :

*Des accessit*s. (Acad.) *— Des autodafé*s. (Id.)
*Des cicerone*s. (Id.)

130. *a)* Certains mots latins restent invariables, et notamment des mots de la langue liturgique :

Des intérim, des exeat, des Avé, des Gloria, des Pater, des Salvé,
des Te Deum, des miserere.

L'Académie écrit toutefois : *des Alléluia*s, *des bénédicité*s.

b) Les noms italiens *bravo* (assassin), *carbonaro, condottiere, dilettante, lazarone, libretto, pizzicato, soprano* font ordinairement leur pluriel en *-i* : *Des brav*i, etc. *—* On écrit : *des concetti, des confetti, des lazzi* (ou *lazzis*).

c) Les noms anglais en *-man* font ordinairement leur pluriel en changeant *-man* en *-men* :

*Un gentleman, des gentle*men ; *un sportsman, des sports*men, etc.

Les noms anglais en *-y* changent parfois *-y* en *-ies* au pluriel :

*Une lady, des lad*ies ; *un baby, des bab*ies ; *un dandy, des dand*ies
(ou : *des ladys, des babys, des dandys*).

Pluriel des noms accidentels.

131. Les mots invariables pris comme noms ainsi que les noms des lettres de l'alphabet, des chiffres, des notes de musique, ne changent pas au pluriel :

> *Les* **si**, *les* **car**, *les contrats sont la porte*
> *Par où la noise entra dans l'univers.* (La Font.)
> *Écrire deux* **sept.** — *Les quatre* **huit** *d'un jeu de cartes.*
> *Deux* **mi.** — *Deux* **a.**

Cependant les infinitifs devenus noms, ainsi que *avant, devant, derrière,* employés substantivement, prennent *s* au pluriel :

> *Les* **rires.** — *Prendre les* **devants.** — *Les* **avants** *(au football).*
> *Les* **derrières** *d'une armée.*

On écrit : *les* **attendus,** *les* **considérants** *d'un jugement.*

Noms sans singulier ou sans pluriel.
Noms qui changent de sens en changeant de nombre.

132. **a)** Certains noms ne s'emploient qu'au pluriel :

> *Des agissements, les alentours, des annales, des armoiries,*
> *les bonnes grâces, les confins, les décombres, les frais, les funérailles,*
> *des menottes, des obsèques, des pierreries,* etc.

b) D'autres ne se trouvent ordinairement qu'au singulier :

noms de sciences ou d'arts : *La botanique, la sculpture,* etc. ;
noms de matières : *L'or, le plâtre,* etc. ;
noms abstraits : *La haine, la soif,* etc. ;
noms des sens, des points cardinaux : *L'odorat, le nord.*

Remarque. — La plupart de ces noms admettent le pluriel quand on les emploie au figuré ou dans des acceptions particulières :

> *Je vous remercie de vos* **bontés.** — *Des* **ors** *différents.*

133. Certains noms changent de sens en changeant de nombre. Comparez :

Un **ciseau** *de sculpteur.*	*Mettre les* **ciseaux** *dans une étoffe.*
Une **lunette** *d'approche.*	*Mettez vos* **lunettes.**
*Montrer de l'***humanité.**	*Faire ses* **humanités.**
La **vacance** *du trône.*	*Être en* **vacances.**

CHAPITRE II

L'ARTICLE

134. L'**article** est un mot que l'on place devant le nom pour marquer que ce nom est pris dans un sens complètement ou incomplètement déterminé ; il sert aussi à indiquer le genre et le nombre du nom qu'il précède.

135. On distingue deux espèces d'articles : l'article *défini* et l'article *indéfini*.

1. ARTICLE DÉFINI

136. L'article **défini** est celui qui se met devant un nom dont le sens est complètement déterminé :

Le *livre de Paul.* — **La** *race noire.*
Donnez-moi **la** *clef* (la clef que l'on sait).

137. L'article défini est :

le pour le masculin singulier,
la pour le féminin singulier,
les pour le pluriel des deux genres.

138. L'article **élidé** est l'article *le, la,* dont la voyelle est remplacée par une apostrophe devant les mots commençant par une voyelle ou un *h* muet :

L'*or,* l'*âme,* l'*habit,* l'*heure,* l'*humble fleur.*

139. L'article **contracté** est le résultat de la fusion des prépositions *à, de,* avec les articles *le, les :*

à *le* se contracte en **au ;**   à *les* se contracte en **aux ;**
de le   »   **du ;**   *de les*   »   **des.**

Emploi.

140. **a) Emploi général.** — D'une manière générale, l'article défini se met devant les noms communs pris dans un sens complètement déterminé.

b) Emplois particuliers. — En particulier, il s'emploie :

1° Parfois comme démonstratif :

> *Ah !* le *détour* (= ce détour) *est bon !* (Molière.)
> *Nous partons à* l'*instant. — Oh !* le *beau papillon !*

2° Parfois comme possessif, surtout devant des noms désignant des parties du corps ou du vêtement, ou les facultés de l'âme, quand l'idée de possession est suffisamment marquée par le sens général de la phrase :

> Les *yeux lui sortent de* la *tête. — Il m'a saisi à* la *gorge.*
> *Il me prend par* la *manche. — Il perd* la *mémoire.*

3° Devant le nom complément du collectif général (désignant tous les êtres d'une espèce ou d'un groupe) :

> *La multitude* des *étoiles étonne* l'*imagination.*

4° Parfois devant les noms propres de personnes :

α) Quand ils sont employés soit dans un sens emphatique (alors l'article est au pluriel), soit dans un sens méprisant :

> Les *Corneille,* les *Racine,* les *Molière ont illustré la scène française. —* La *Brinvilliers.*

L'article se rencontre devant des noms de famille italiens ou devant des noms de cantatrices ou d'actrices célèbres :

> Le *Tasse,* le *Corrège,* la *Malibran.*

β) Quand ces noms propres sont accompagnés d'une épithète ou déterminés par un complément :

> Le *grand Corneille. —* Le *Racine des « Plaideurs ».*

γ) Quand ils désignent soit plusieurs individus de même nom, soit des types, des familles entières, des peuples :

> Les *deux Corneille. —* Les *Cicérons sont rares.*
> Les *Dupont. —* Les *Français.*

δ) Quand ils désignent des œuvres produites :

> **Les** *Raphaëls du Vatican.* — **Le** *Corneille est parfois joli.*

5° Devant les noms propres de continents, de pays, de provinces, de montagnes, de mers, de cours d'eau, d'îles :

> L'*Amérique,* la *France,* le *Poitou,* les *Vosges,*
> la *Méditerranée,* la *Meuse,* la *Sardaigne.*

Les noms des petites îles et les noms masculins d'îles lointaines ne prennent pas l'article : *Malte, Madagascar, Bornéo.*

Les noms de villes rejettent l'article : *Paris, Rome ;* sauf s'ils sont accompagnés d'une épithète ou d'un complément, ou encore s'ils étaient originairement des noms communs : *Le vieux Paris,* le *Paris d'autrefois, Le Havre, La Haye.*

On dit cependant : *Paris entier, tout Paris.*

141. **a)** Devant ***plus, moins, mieux,*** suivis d'un adjectif ou d'un participe, l'article *le* reste invariable et forme avec ces adverbes des locutions adverbiales, quand il y a comparaison entre les différents degrés d'une qualité :

> *C'est au milieu de ses enfants qu'une mère est* **le** *plus*
> *heureuse* (heureuse au plus haut degré).

b) Mais l'article s'accorde lorsqu'on fait la comparaison entre des êtres ou des objets différents :

> *Cette femme est* **la** *plus heureuse des mères, la mère* **la** *plus*
> *heureuse* (elle est comparée aux autres mères).

Remarque. — Moyen pratique : Quand on peut placer après l'adjectif les expressions *au plus haut (bas) degré, le plus (moins, mieux) possible,* on laisse l'article invariable. — Quand on peut placer après l'adjectif les mots *de tous, de toutes,* on fait accorder l'article.

2. ARTICLE INDÉFINI

142. L'article **indéfini** indique que l'être ou l'objet nommé est présenté comme non précisé, non déterminé, non encore connu :

> **Un** *agneau se désaltérait*
> *Dans le courant d'*une *onde pure.* (La Font.)
> *Je vois venir* **un** *homme.*
> *Donnez-moi* **une** *plume,* **des** *crayons.*

143. L'article indéfini est :

un   pour le masculin singulier,
une   pour le féminin singulier,
des   pour le pluriel des deux genres.

144. Emploi. — Outre les valeurs qu'il a dans l'emploi général (c.-à-d. la valeur numérale affaiblie ou celle de « un certain »), l'article indéfini peut avoir, dans des emplois particuliers, certaines valeurs expressives ; ainsi il s'emploie :

1° Avec une valeur de généralisation, devant un nom désignant un type (c.-à-d. considéré comme représentant tous les individus de l'espèce) :

Un soldat ne tremble pas.

2° Avec une valeur emphatique, dans des phrases exclamatives :

*Il fait **une** chaleur ! — Il a **des** oreilles !*

3° Devant un nom propre, soit par mépris, soit par emphase, soit pour donner au nom propre la valeur d'un nom commun :

*On a vu **un** Néron machiner la mort de sa mère.*
***Un** Alexandre, **un** César, **un** Napoléon ont bouleversé le monde : ont-ils mieux mérité de l'humanité qu'**un** Pasteur ou qu'**un** Fleming ?*
***Un** Auguste aisément peut faire **des** Virgiles.* (Boileau.)

Article partitif.

145. L'article **partitif** est celui qui se place devant le nom des choses qui ne peuvent se compter, pour indiquer qu'il s'agit d'une *partie* seulement ou d'une certaine *quantité* de ce qui est désigné par le nom :

*Prendre **du** sel, **de la** farine, **de** l'eau ; manger **des** épinards.*

  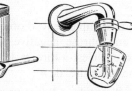 

du *sel*   **de la** *farine*   **de** l'*eau*   **des** *épinards*

146. L'article partitif est :

du *(de l')*   pour le masculin singulier,
de la *(de l')* pour le féminin singulier,
des   pour le pluriel des deux genres.

Remarques. — 1. L'article partitif résulte de la combinaison ou de la fusion de la préposition *de* (qui abandonne sa valeur ordinaire) avec l'article défini *le, la, l', les.*

2. *Des* est un article partitif quand il correspond au singulier *du, de la, de l'* : *J'ai mangé des épinards* ; — c'est un article indéfini quand il correspond au singulier *un* ou *une* (il désigne alors des choses nombrables) : *J'ai mangé des noix.*

3. La préposition *de* employée seule peut servir d'article partitif ou indéfini : *Il n'a pas de pain. — J'ai mangé de bons épinards, de bonnes noix.*

4. De l'article partitif, qui se place devant des sujets ou des compléments d'objet directs, on distinguera *du, de la, de l', des,* introduisant des compléments d'objet indirects, des compléments déterminatifs ou circonstanciels : *La paix du cœur, avoir pitié de l'orphelin, une corbeille de fruits, douter de la vie, tomber des nues.*

147. a) Devant les noms précédés d'un adjectif, au lieu de *du, de la, de l', des,* régulièrement on met *de* :

> *Manger de bonne viande.* (Acad.)
> *Il partit en campagne avec de grandes espérances.* (A. France.)

b) Cependant on met *du, de la, de l', des* :

1° Quand l'adjectif sert à former un nom composé :

> **Des** *grands-pères.*

2° Quand l'adjectif fait corps avec le nom :

> **De la** *bonne volonté,* **des** *jeunes gens.*

Remarque. — Devant les noms précédés d'un adjectif, la langue populaire ou familière, au lieu du simple *de,* emploie toujours *du, de la, de l', des* :

> *J'ai* **du** *bon tabac, manger* **de la** *bonne soupe.*

La langue littéraire aussi met souvent *du, de la, de l', des,* là où la règle stricte demanderait *de* :

> *Il y a aussi une affluence de mendiants qui nous offrent* **des** *petits bouquets de roses.* (P. Loti.)

148. a) Devant un nom complément d'objet direct ou sujet réel pris partitivement dans une phrase négative, on emploie le simple *de* si la négation est absolue, c'est-à-dire si le nom peut être précédé de l'expression « aucune quantité de » :

> *Je n'ai pas d'argent. — N'avez-vous pas d'amis ?*

b) Mais on emploie *du, de la, de l', des,* si la phrase, malgré le tour négatif, implique, quant au nom, une idée affirmative :

> *Je n'ai pas de l'argent pour le gaspiller* (j'ai de l'argent, mais non pour le gaspiller).
> *N'avez-vous pas* **des** *amis,* **de la** *fortune ?* (tour négatif, mais sens positif.)

De même quand on veut insister sur le nom :

> *Vous n'avez pas demandé* **du** *vin, mais* **de la** *bière.*

3. RÉPÉTITION DE L'ARTICLE

149. **a)** Si l'article est employé devant le premier nom d'une série, il doit l'être aussi devant chacun des autres :

> Le *courage,* la *patience et* la *prudence sont nécessaires dans* les *difficultés et* les *traverses de la vie.*

b) Mais l'article ne se répète pas quand le second nom est l'explication du premier, ou qu'il désigne le même être ou objet, ou encore quand les noms forment un tout étroitement uni dans la pensée :

> *L'onagre ou âne sauvage. — Un collègue et ami.*
> *Les arts et métiers.*

150. **a)** L'article se répète devant deux adjectifs unis par *et* ou par *ou* lorsque ces adjectifs qualifient des êtres ou des objets différents, quoique désignés par un seul nom :

> Les *bons et* les *mauvais anges suffisaient cependant à la conduite de l'action.* (Chateaubriand.)
> *Il y a donc* un *bon et* un *mauvais goût.* (La Bruyère.)

b) Mais on ne répète pas l'article si les deux adjectifs qualifient un seul et même être ou objet, un seul groupe d'êtres ou d'objets :

> *Un pitoyable et insupportable raisonnement.* (Bossuet.)
> *Les menteurs et traîtres appas.* (La Font.)

Remarques. — 1. Si les deux adjectifs ne sont pas unis par *et* ou par *ou*, on doit répéter l'article :

> Le *grand,* le *sublime Corneille nous émeut.*

2. Si le nom précède les deux adjectifs coordonnés, on peut avoir les tours suivants :

1° La *langue latine et* la *langue grecque* (c'est le tour ordinaire) ;
2° La *langue latine et grecque ;*
3° La *langue latine et* la *grecque ;*
4° Les *langues latine et grecque* (surtout dans le langage technique).

3. Dans une série de superlatifs relatifs se rapportant à un même nom, l'article doit être répété chaque fois :

> *Il a perdu* la *plus tendre,* la *plus douce,* la *plus aimante des mères.*

4. OMISSION DE L'ARTICLE

151. On omet l'article :

1° Devant des compléments déterminatifs n'ayant qu'une simple valeur qualificative :

Un poète de génie, une chaîne d'or.

2° Dans certains proverbes, dans certaines comparaisons ou certaines expressions sentencieuses :

Noblesse oblige. — Blanc comme neige.
Il y a anguille sous roche.

3° Dans certaines énumérations rapides :

Vieillards, hommes, femmes, enfants, tous voulaient
me voir. (Montesquieu.)

4° Devant le nom apposé ou attribut exprimant simplement une qualité :

Le lion, terreur des forêts. (La Font.) — Vous êtes roi.

Mais on met l'article si le nom apposé ou attribut garde toute sa valeur substantive et marque une identification nettement soulignée :

*Rome, l'unique objet de mon ressentiment. (Corn.). — Vous êtes **le** roi.*

5° Devant le nom mis en apostrophe :

Cieux, écoutez ma voix ; terre, prête l'oreille. (Racine.)

6° Dans un grand nombre d'expressions où le complément est intimement lié au verbe ou à la préposition :

Avoir peur, donner congé, rendre justice, imposer silence,
perdre patience ; — avoir à cœur, aller à cheval, avec soin,
sans gêne, par hasard, sous clef, etc.

Notons encore les trois cas suivants (moins importants) :

1° Dans certaines poésies familières et devant le sujet d'un infinitif de narration :

Quand reginglettes et réseaux
Attraperont petits oiseaux. (La Font.)
Ainsi dit le renard ; et flatteurs d'applaudir. (Id.)

2° Souvent devant les noms unis au moyen de *soit... ou, tant... que, (ni) ... ni, (et) ... et :*

Soit instinct, soit expérience. (La Font.)
Ni loups, ni renards n'épiaient
La douce et l'innocente proie. (Id.)

3° Dans les inscriptions, les titres d'ouvrages, les adresses, etc. :

Maison à vendre. — Précis d'Arithmétique.
Monsieur X., 20, rue du Commerce.

CHAPITRE III

L'ADJECTIF

152. L'**adjectif** est un mot que l'on joint au nom pour le qualifier ou pour le déterminer.

Une **locution adjective** est une réunion de mots équivalant à un adjectif : *Une femme* **pot-au-feu.** — *Des étoffes* **lie de vin.**

153. On distingue : **a)** les adjectifs *qualificatifs ;*

b) les adjectifs *non qualificatifs : numéraux, possessifs, démonstratifs, relatifs, interrogatifs, exclamatifs* et *indéfinis.*

Il y a aussi l'*adjectif verbal :* on appelle ainsi le participe présent employé adjectivement (§ 373) : *La brise* **errante.** — *Les bois* **jaunissants.**

1. ADJECTIFS QUALIFICATIFS

154. L'adjectif **qualificatif** exprime une manière d'être, une qualité de l'être ou de l'objet désigné par le nom auquel il est joint : *Un livre* **utile.** — *Un ouvrier* **actif.**

FÉMININ DES ADJECTIFS QUALIFICATIFS

---

155. **N. B.** — Au point de vue orthographique, le féminin des adjectifs qualificatifs se marque :
1° En général, par *addition d'un* e à la forme masculine ;
2° Par *modification du suffixe,* dans les adjectifs en *-eur.*

1° Addition d'un **e.**

Règle générale.

156. On obtient le féminin des adjectifs en écrivant à la fin de la forme masculine un *e,* qui souvent ne se prononce pas :

Un haut mur. La haute mer. — Un ciel bleu. Une robe bleue.

Évidemment les adjectifs déjà terminés par un *e* au masculin ne changent pas au féminin :

Un livre **utile**. Une chose **utile**.

Toutefois *maître* et *traître*, adjectifs, font au féminin *maîtresse, traîtresse :*

La **maîtresse** branche. — Une voix **traîtresse**.

N. B. — 1. Dans les adjectifs terminés au masculin par une *voyelle*, l'adjonction de l'*e* du féminin n'entraîne pas, quant à la prononciation, l'allongement de cette voyelle finale : l'*i*, l'*u* ont la même durée dans *jolie, menue* que dans *joli, menu,*

2. Dans les adjectifs terminés au masculin par une *consonne*, l'adjonction de l'*e* du féminin :

a) tantôt ne modifie pas la prononciation de l'adjectif : *Banal, banale ;*

b) tantôt fait reparaître, dans la prononciation, la consonne finale qui (sauf en liaison) ne se prononce pas au masculin : *Petit, petite.* — *Lourd, lour*de *;*

c) tantôt, comme on va le constater, provoque un redoublement ou une modification de cette consonne finale, avec parfois une modification (phonétique ou même orthographique) de la voyelle qui précède :

Cas particuliers.

157. Les adjectifs en **-el, -eil**, ainsi que **nul** et **gentil**, redoublent l'*l* devant l'*e* du féminin :

Cruel, crue**ll**e. — Pareil, parei**ll**e.
Nul, nu**ll**e. — Gentil, genti**ll**e.

Jumeau (autrefois *jumel*) fait *jum*e**ll**e au féminin.

Remarque. — *Beau, nouveau, fou, mou, vieux* font au féminin *belle, nouvelle, folle, molle, vieille.* Ces formes féminines sont tirées des masculins anciens : *bel, nouvel, fol, mol, vieil,* qui sont encore d'usage devant un nom masculin singulier commençant par une voyelle ou un *h* muet :

Un **bel** ouvrage, un **nouvel** habit, un **fol** espoir, un **mol** abandon, un **vieil** avare.

158. Adjectifs en -n.

Les adjectifs en **-en, -on** redoublent l'*n* devant l'*e* du féminin (et il y a dénasalisation) :

Ancien, ancie**nn**e. — Bon, bo**nn**e.

Pour *lapon, letton, nippon,* l'usage hésite : *Une famille lapo*ne ou *lapo*nne. *La langue letto*ne ou *letto*nne. *La flotte nippo*ne ou *nippo*nne.

Mais les adjectifs en **-in,** *(-ain, -ein),* **-un, -an** (sauf *paysan, rouan, valaisan* et *veveysan*), ne redoublent pas l'*n* (et il y a dénasalisation) :

> *Voisin, voisine.* — *Hautain, hautaine.* — *Plein, pleine.*
> *Commun, commune.* — *Persan, persane.*
> (Mais : *paysan, paysanne ; rouan, rouanne ; valaisan, valaisanne ;*
> *veveysan, veveysanne.*)

Remarque. — *Bénin, malin* font au féminin *bénigne, maligne* (lat. *benigna, maligna*).

159. Adjectifs en -*t*.

Les adjectifs en **-et** redoublent le *t* devant l'*e* du féminin :

> *Muet, muette.*

Exceptions : Les neuf adjectifs *complet, incomplet, concret, désuet, discret, indiscret, inquiet, replet, secret* ne redoublent pas le *t* au féminin et prennent un accent grave sur l'*e* qui précède (lat. *completa,* etc.) :

> *Complet, complète.* — *Concret, concrète.*

Mais les adjectifs en **-at, -ot,** — sauf *bellot, boulot, maigriot, pâlot, sot, vieillot* — ne redoublent pas le *t :*

> *Délicat, délicate.* — *Idiot, idiote.*
> (Mais : *bellotte, boulotte, maigriotte, pâlotte, sotte, vieillotte.*)

Favori fait au féminin *favorite.*

160. La plupart des adjectifs en **-s** (précédé d'une voyelle) ou en **-x** ont leur féminin en **-se** (*s* prononcé *z*) :

> *Gris, grise.* — *Mauvais, mauvaise.*
> *Heureux, heureuse.* — *Jaloux, jalouse.*

Mais *bas, gras, las, épais, gros, métis, faux* (anciennement *faus*), *roux* (anciennement *rous*), ont leur féminin en **-sse :**

> *Basse, grasse, lasse, épaisse, grosse, métisse, fausse, rousse.*

Remarque. — *Andalou* (anciennement *andalous*) fait *andalouse.*
Doux fait *douce.*
Exprès, profès font : *expresse, professe* (sans accent grave).
Tiers fait *tierce.*
Frais fait *fraîche.*

161. Les adjectifs en **-er** (*r* muet ou non) forment leur féminin en **-ère,** avec un accent grave sur l'*e* qui précède l'*r :*

> *Léger, légère.* — *Fier, fière.*

162. Les adjectifs en **-f** changent *f* en *v* devant l'*e* du féminin :

> *Naïf, naïve.*

Bref fait *brève.*

163. *Ammoniac, caduc, franc* (peuple), *public, turc* changent *-c* en *-que* au féminin :

> *Ammonia*que, *cadu*que, (nation) *fran*que, *publi*que, *tur*que.

Grec fait *gre*cque.
Blanc, franc (qui a de la franchise), *sec* font : *blan*che, *fran*che, *sè*che.

164. *Long, oblong* prennent entre le *g* et l'*e* du féminin un *u*, qui garde au *g* sa prononciation gutturale :

> *Long, lon*gue. — *Oblong, oblon*gue.

165. Les adjectifs en **-gu** prennent sur l'*e* du féminin un tréma, indiquant que l'*u* doit se prononcer :

> *Aigu, aigu*ë.

2° Modification du suffixe.

166.   Adjectifs en *-eur*.

a) Les adjectifs en *-eur* auxquels on peut faire correspondre un participe présent en changeant *-eur* en *-ant* font leur féminin en **-euse**[1] (*eu* devient fermé) :

> *Menteur, ment*euse. — *Trompeur, tromp*euse.

Exceptions : *Enchanteur, pécheur, vengeur* changent *-eur* en *-eresse :* *Enchant*eresse, *péch*eresse, *veng*eresse.
Exécuteur, inspecteur, inventeur, persécuteur changent *-teur* en *-trice :* *Exécu*trice, etc.

Pour le féminin de *sauveur*, on emploie *salvatrice* (parfois : *sauveuse*).
Pour le féminin de *vainqueur*, on emprunte à *victorieux* le féminin *victorieuse*.

b) Les adjectifs en *-teur* auxquels on ne peut faire correspondre un participe présent en changeant *-eur* en *-ant* font leur féminin en **-trice**[2] :

> *Consolateur, consola*trice.

Remarque. — Onze comparatifs en *-eur* font leur féminin par simple addition d'un *e* ; ce sont : *antérieur, postérieur ; citérieur, ultérieur ; extérieur, intérieur ; majeur, mineur ; supérieur, inférieur ; meilleur.*

---

1. Dans ces adjectifs, qui sont de formation populaire, *-eur* se prononçait autrefois *eux :* on prononçait, par exemple : *un homme menteux.* Ainsi s'explique leur féminin en *-euse.*
2. Le féminin de ces adjectifs, qui sont de formation savante, est emprunté ou imité du féminin latin en *-trix :* par exemple, *consolatrice* reproduit le féminin latin *consolatrix.*

3° Cas spéciaux.

167.   a) *Coi* fait au féminin *coite*.

Pour le féminin de *hébreu*, on emploie *juive* en parlant de *personnes : Le peuple hébreu, la race* **juive ;** — pour les choses, on emploie *hébraïque*, adjectif des deux genres, mais rare au masculin : *Un texte hébreu, la langue* **hébraïque**.

b) *Angora, capot, chic* (familier), *kaki, rosat, snob* n'ont qu'une forme pour les deux genres : *Une chèvre* **angora**. (Acad.) — *Elle est demeurée* **capot**. (Id.) — *Une toilette* **chic**. (Id.) — *Huile* **rosat**. — *Une vareuse* **kaki**. — *Elle est un peu* **snob**.

Sont inusités au masculin : (bouche) *bée*, (ignorance) *crasse*, (œuvre) *pie*, (fièvre) *scarlatine*.

Sont inusités au féminin : (nez) *aquilin, benêt*, (pied) *bot*, (vent) *coulis, fat*, (feu) *grégeois*, (yeux) *pers, preux*, (hareng) *saur*, (papier) *vélin, violat*.

Châtain, dit la grammaire traditionnelle, n'a que la forme masculine. Cette opinion est à réformer : le féminin *châtaine* est aujourd'hui courant : *Chevelure* **châtaine**. (Colette.)

Canin n'est guère usité qu'au féminin : *Race canine, faim canine*.

Sterling est invariable et ne s'emploie plus aujourd'hui qu'avec le nom *livre : Cinquante livres* **sterling**.

B. PLURIEL DES ADJECTIFS QUALIFICATIFS

1° *Règle générale :* Pluriel en *-s*.

168.   On forme le pluriel des adjectifs en écrivant à la fin de la forme du singulier un s (muet, sauf en liaison) :

*Un vin pur. Des vins pur***s**. — *L'eau pure. Les eaux pure***s**.

Tous les adjectifs *féminins* prennent un *s* au pluriel. Ce qui va suivre ne concerne que le pluriel des adjectifs *masculins*.

169.   Les adjectifs en -s ou -x ne changent pas au pluriel :

Un mot bas et haineux. Des mots bas et haineux.

2° Pluriel en *-x*.

170.   La plupart des adjectifs en -al changent au pluriel masculin cette finale en *-aux* :

*Un homme loyal. Des hommes loy***aux**.

Exceptions : *Bancal, fatal, final, naval* ont leur pluriel en *-als :*

*Des mendiants bancal***s**. — *Les rocs fatal***s**. (Vigny.)
*Sons final***s**. (Littré.) — *Combats naval***s**. (Acad.)

Pour un certain nombre d'autres adjectifs en *-al*, le pluriel masculin est peu employé ou mal fixé. Ainsi font parfois leur pluriel en **-als** : *austral, boréal, glacial, initial, jovial, martial, matinal, natal, pascal, théâtral,* etc. :

> *De glacials coups de vent.* (Alain-Fournier.)

Mais rien n'empêche de donner à ces adjectifs un pluriel en *-aux* :

> *Sarcasmes glaciaux.* (F. Vandérem.) — *Propos initiaux.* (G. Duhamel.)
> *Critiques théâtraux.* (J. Giraudoux.) — *Hommages matinaux.* (J. Romains.)

Remarque. — *Banal,* terme de droit féodal, fait au pluriel masculin *banaux :
Des fours banaux.* — Dans l'emploi ordinaire, il fait *banaux* ou *banals : Des compliments banals.* (Acad.) — *Quelques mots banaux.* (R. Rolland.)

171. *Beau, nouveau, jumeau, hébreu* prennent un **x** au pluriel :

> *De beaux sentiments. — Des textes hébreux.*

C. DEGRÉS DES ADJECTIFS QUALIFICATIFS

172. On exprime le degré plus ou moins élevé d'une qualité par le *positif,* le *comparatif* et le *superlatif* des adjectifs qualificatifs.

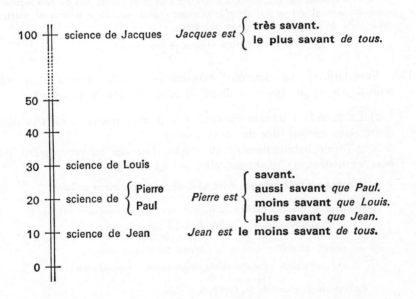

173. Positif. — Le *positif* exprime simplement la qualité, sans aucune idée de comparaison :

> *Pierre est* **savant.**

174. Comparatif. — Le *comparatif* exprime la qualité avec comparaison :

1° Le comparatif *d'égalité* se forme au moyen de l'adverbe *aussi* précédant l'adjectif :

Pierre est **aussi savant** *que Paul.*

2° Le comparatif *de supériorité* se forme au moyen de l'adverbe *plus* précédant l'adjectif :

Pierre est **plus savant** *que Jean.*

3° Le comparatif *d'infériorité* se forme au moyen de l'adverbe *moins* précédant l'adjectif :

Pierre est **moins savant** *que Louis.*

Remarque. — *Meilleur, moindre, pire,* comparatifs de *bon, petit, mauvais,* sont issus des comparatifs latins *meliorem, minorem, pejorem.*

Moindre s'emploie au sens abstrait :

Son mal n'est pas **moindre** *que le vôtre.* (Acad.)

Au sens concret, on dit *plus petit* :

Cette chambre-là est **plus petite** *que celle-ci.*

Dans la plupart des cas, on peut employer l'un pour l'autre *pire* ou *plus mauvais,* mais, en général, on se sert de *plus mauvais* quand *mauvais* a le sens de « détestable » ou de « qui ne fonctionne pas bien » :

Sa vue est **plus mauvaise** *que jamais.*

175. Superlatif. — Le *superlatif* exprime une qualité portée à un très haut degré ou au plus haut degré. Il peut être *absolu* ou *relatif.*

a) Le superlatif *absolu* exprime une qualité portée à un très haut degré, sans aucune idée de comparaison.

Il se forme habituellement au moyen d'un des adverbes *très, fort, bien, extrêmement, infiniment,* etc., précédant l'adjectif :

Jacques est **très savant, fort savant, extrêmement savant.**

Le superlatif se marque parfois aussi, soit au moyen de certains préfixes :

extra-fin, surfin, superfin, ultra-comique, archifou ;

soit au moyen du suffixe *-issime,* qui forme des termes d'étiquette :

excellentissime, révérendissime, illustrissime, éminentissime ;

ou des superlatifs plaisants ou familiers :

grandissime, richissime, rarissime, etc.

b) Le superlatif *relatif* exprime une qualité portée au degré le plus élevé ou le plus bas, par comparaison, soit avec l'être ou l'objet dont il s'agit considéré dans des circonstances différentes, soit avec un ou plusieurs autres êtres ou objets.

Il est formé du comparatif de supériorité ou d'infériorité précédé soit de l'article défini :

Le plus savant *des hommes.* — *L'homme* **le moins savant.**

soit d'un adjectif possessif :

Votre plus grand *désir.*

soit de la préposition *de :*

Ce qu'il y a **de plus honorable.**

176. Certains adjectifs n'admettent pas de degrés, parce qu'ils expriment des idées absolues ou encore parce qu'ils expriment par eux-mêmes le comparatif ou le superlatif.

Tels sont : *aîné, cadet, carré, circulaire, double, triple, équestre, principal, majeur, mineur, ultime,* etc.

D. ACCORD DE L'ADJECTIF QUALIFICATIF
(épithète, attribut)

Règles générales.

177. L'adjectif qualificatif s'accorde en genre et en nombre avec le nom ou le pronom auquel il se rapporte :

Une **bonne** *parole.* — *De* **beaux** *discours.* — *Ils sont* **forts.**

178. **a)** L'adjectif qualificatif qui se rapporte à *plusieurs noms ou pronoms* se met au pluriel et prend le genre des mots qualifiés :

Un livre et un cahier **neufs.** — *Servitude et grandeur* **militaires.**

b) Si les mots qualifiés sont de *genres différents,* l'adjectif se met au masculin pluriel :

Une veste et un pantalon **neufs.**

Remarques. — 1. Quand l'adjectif a pour les deux genres des prononciations fort différentes, l'harmonie demande que le nom masculin soit rapproché de l'adjectif :

Les gloires et les deuils nationaux
(plutôt que : *Les deuils et les gloires nationaux*).

2. Parfois l'adjectif, quoique se rapportant à plusieurs noms, ne s'accorde qu'avec le plus rapproché :

Ses moindres actions étaient d'une correction et d'une gravité **admirable.** (Taine.)

3. Le sens exige parfois que l'accord n'ait lieu qu'avec le dernier nom :

Venez avec votre père et votre frère **aîné.**

Règles particulières.

179. Quand l'adjectif est en rapport avec plusieurs *noms joints par une conjonction de comparaison* (*comme, ainsi que,* etc.), il s'accorde avec le premier terme de la comparaison si la conjonction garde sa valeur comparative :

L'aigle a le bec, ainsi que les serres, **puissant** *et* **acéré.**

Mais on fait l'accord simultané si la conjonction a le sens de *et :*

Il a la main ainsi que l'avant-bras tout **noirs** *de poussière.*

180. Quand l'adjectif est en rapport avec des *noms synonymes* ou placés par *gradation,* il s'accorde avec le dernier, qui exprime l'idée dominante :

Il entra dans une colère, une fureur **terrible.**

181. Quand l'adjectif est en rapport avec deux *noms joints par* **ou,** il s'accorde le plus souvent avec le dernier :

Il faudrait, pour réussir dans cette entreprise, un talent ou une habileté **rare.**

Cet accord est obligatoire si l'adjectif ne qualifie évidemment que le dernier nom :

Une statue de marbre ou de bronze **doré.**

L'adjectif s'accorde avec les deux noms quand on veut marquer qu'il qualifie chacun d'eux :

On demande un homme ou une femme **âgés.**

182. Quand l'adjectif suit un complément déterminatif, il s'accorde avec le nom complément ou avec le nom complété, selon le sens :

Du poisson de mer **frais.** *— Un groupe de soldats* **italiens.**

183. Quand un adjectif est en rapport avec *avoir l'air,* on a, en général, la faculté d'accorder cet adjectif avec *air* ou avec le sujet :

Ils ont l'air **hardi** *ou* **hardis.**

Quand on fait l'accord avec *air,* c'est qu'on donne à ce nom le sens d'« aspect », de « mine » :

Elle a l'air **faux.** (Acad.)

Quand on fait l'accord avec le sujet, *avoir l'air* est synonyme de « paraître » :

Elle a l'air mal **faite.** (Acad.)

N. B. — Quand le sujet est un nom de chose, c'est le plus souvent avec lui que l'adjectif s'accorde : *Ces propositions ont l'air* **sérieuses.** (Acad.)

184. L'adjectif précédé de *des plus, des moins, des mieux* se met presque toujours au pluriel, même s'il est question d'une seule personne ou d'une seule chose : ces expressions équivalent à « parmi les plus, les moins, les mieux » :

Notre souper fut des plus simples. (Th. Gautier.)
Chose (...) des moins faciles à expliquer. (L. Bloy.)
Le bonhomme est un braque des mieux conditionnés. (É. Augier.)

Toutefois quand l'adjectif se rapporte à un pronom neutre, on met le singulier :

Il s'est vraiment voué à ne rien faire, ce qui n'est pas des plus aisé. (E. Jaloux.)

Même en dehors de ce cas, on met parfois le singulier, qui s'explique par le fait que la comparaison est établie, non entre différents êtres ou objets, mais entre les différents degrés d'une qualité :

La situation était des plus embarrassante. (G. Duhamel.)

185. Mots désignant une couleur.

a) Si l'adjectif désignant la couleur est *simple,* il s'accorde avec le nom qu'il qualifie :

Des cheveux noirs. — Des étoffes vertes.

Si l'adjectif désignant la couleur est *composé* (c'est-à-dire qualifié par un autre adjectif ou complété de façon quelconque), l'ensemble reste invariable :

Des cheveux brun clair (= d'un brun clair).
Des robes bleu [de] ciel. — Des broderies blanc et or.

b) Le nom (simple ou composé) employé pour désigner la couleur reste invariable :

Des rubans orange. — Des vestes ventre de biche.

Remarque. — *Écarlate, mauve, pourpre, rose,* devenus adjectifs, varient :

Des rubans mauves. (Acad.) — *Ses joues étaient pourpres.* (E. Jaloux.)

186. Adjectifs composés.

a) Quand un adjectif composé est formé de deux adjectifs qualifiant l'un et l'autre le même nom, les deux éléments sont variables :

Des paroles aigres-douces. (Acad.)
Des femmes sourdes-muettes.

Dans *grand-ducal* et dans les adjectifs composés dont le premier élément présente la désinence *-o* ou *-i,* le premier élément est invariable :

La cour grand-ducale. — Les officiers grand-ducaux.
Les populations anglo-saxonnes. — Des poèmes héroï-comiques.

b) Dans les adjectifs composés formés d'un mot invariable et d'un adjectif, évidemment l'adjectif seul est variable :

L'avant-dernière page.

c) Dans les adjectifs composés formés de deux adjectifs, si le premier a la valeur adverbiale, il est invariable :

Une fille nouveau-née.
Des vins nouveau percés. (Littré.)
Des personnes haut placées. (Id.)
Légère et court-vêtue. (La Font.)
Une brebis mort-née. (Acad.)

Remarque. — *Nouveau,* devant un participe passé pris substantivement, s'accorde, sauf dans *nouveau-né :*

Des nouveaux mariés. (Acad.)
Les nouveaux convertis. (Id.)
Les nouveaux venus.
Mais : *Des nouveau-nés.*

d) Dans certains cas, le premier adjectif, bien qu'employé adverbialement, s'accorde, suivant un ancien usage, comme l'adjectif (ou le participe) qui le suit :

Des roses fraîches cueillies. (Acad.)
Une fleur fraîche éclose. (Id.)
Fenêtres larges ouvertes, grandes ouvertes.
Ils arrivent bons premiers.
Ils tombent raides morts.
Les généraux premiers-nés de sa gloire. (Chateaubriand.)
Sa petite fille dernière née. (G. Duhamel.)

Remarque. — Dans *tout-puissant, tout* varie au féminin seulement.

Vos charmes tout-puissants. (Racine.) — *Des personnes toutes-puissantes.*

187. **L'adjectif pris adverbialement** après certains verbes, comme dans les expressions : *voler bas, sentir bon, coûter cher, voir clair, marcher droit, chanter faux, parler franc, viser juste,* etc., reste invariable :

Ces étoffes coûtent cher. — *Ces personnes voient clair.*

REMARQUES SUR L'ACCORD DE CERTAINS ADJECTIFS

188. **a) Demi,** placé devant le nom, est invariable et s'y joint par un trait d'union :

Une demi-lieue. — Deux demi-douzaines.

Placé après le nom, il s'accorde en genre seulement et s'y joint par
et :

Deux heures et **demie.**

Remarque. — *Semi,* devant un nom, est invariable et s'y joint par un trait d'union :
Les **semi-***voyelles.*

Demi et *demie* peuvent s'employer comme noms et varier :

Quatre **demis** *valent deux unités.* (Acad.)
Cette montre sonne les heures et les **demies.** (Id.)

b) Demi, semi, placés devant un adjectif, s'y joignent par un trait
d'union, et sont invariables comme adverbes :

La volatile malheureuse (...)
Demi-*morte et* **demi-***boiteuse,*
Droit au logis s'en retourna. (La Font.)
Des fêtes **semi-***doubles.*

À demi s'emploie de même, mais rejette le trait d'union :

La statue était **à demi** *voilée.* (Acad.)

À demi, placé devant un nom, veut le trait d'union : *à demi-mot, à demi-corps.*

c) Mi est invariable et se joint par un trait d'union au mot qu'il
précède :

La **mi-***carême.* — *Les yeux* **mi-***clos.*

189. **Feu,** signifiant « défunt », varie s'il est précédé de l'article défini
ou d'un adjectif possessif :

La **feue** *reine.* (Acad.) — *Ma* **feue** *mère.* (Id.)
Les **feus** *rois de Suède et de Danemark.* (Id.)

Dans les autres cas, il reste invariable :

Feu *la reine.* (Acad.) — **Feu** *Bélise, sa mère.* (Molière.)
Feu *mes oncles.*

190. **Fort** ne varie pas dans les expressions *se faire fort de, se porter fort
pour :*

Elle se fait **fort** *d'obtenir la signature de son mari.* (Acad.)
Elles se font **fort** *de réussir.* — *Elles se portent* **fort** *pour lui.*

191. **Franc de port** est invariable comme locution adverbiale, quand
on le rapporte au verbe :

Recevoir **franc de port** *une lettre et un paquet.* (Acad.)

Mais *franc* varie quand l'expression est rapportée au nom :

> *Recevoir une caisse* **franche** *de port.* (Acad.)

192. **Grand** ne varie pas dans certaines expressions anciennes où il se trouve devant un nom féminin, auquel il se joint par un trait d'union :

> *Des* **grand**-*mères, des* **grand**-*mamans, des* **grand**-*tantes, des* **grand**-*messes* [1].

> *Grand* est employé de même dans les expressions suivantes (dont la plupart d'ailleurs ne se disent pas au pluriel) : *grand-chambre, grand-chose, grand-croix, grand-faim, grand-garde, grand-peine, grand-peur, grand-pitié, grand-route, grand-rue, grand-salle, grand-soif.*

193. **Haut** s'emploie adverbialement dans *haut la main* :

> *J'en viendrai à bout* **haut** *la main.* (Acad.)

> *Haut* et *bas* s'emploient de même dans certaines exclamations elliptiques :

> **Haut** *les mains !* — **Haut** *les cœurs !* — **Bas** *les armes !*

194. **Nu** est invariable devant *tête, bras, jambes, pieds,* employés sans article ; il se joint à ces noms par un trait d'union :

> *Aller* **nu**-*tête,* **nu**-*bras,* **nu**-*jambes,* **nu**-*pieds.*

Il varie quand il est placé après le nom :

> *Aller la tête* **nue**, *les bras* **nus**, *les jambes* **nues**, *les pieds* **nus**.

> On écrit : *la* **nue**-*propriété, les* **nus**-*propriétaires.*

195. **Plein,** devant un nom précédé de l'article ou d'un déterminatif, est préposition et reste invariable :

> *J'avais des fleurs* **plein** *mes corbeilles.* (Hugo.)
> *Avoir de l'argent* **plein** *les poches.*

196. **Possible** est invariable après *le plus, le moins, le meilleur,* etc., s'il se rapporte au pronom impersonnel *il* sous-entendu :

> *Faites le moins d'erreurs* **possible** (= qu'il sera possible de faire).

Il est variable s'il se rapporte à un nom :

> *Vous pouvez tirer sur tous les gibiers* **possibles**. (Mérimée.)

---

1. Le Dictionnaire de l'Académie n'indique pas, au mot *grand*, le pluriel des noms de cette sorte, mais il écrit, au mot *introït* : ... *au commencement des grand-messes* — et au mot *arrière-grand-mère* : *Des arrière-grand-mères.*

| E. PLACE DE L'ADJECTIF ÉPITHÈTE |

197. 1° En principe, on place en dernier lieu les mots ou les groupes de mots les plus longs.

2° L'euphonie défend que l'adjectif forme avec le nom un concours de sons désagréable à l'oreille :

> *Un feu vif, un cœur sec* (et non : *un vif feu, un sec cœur*).

3° L'adjectif inséré entre l'article et le nom se trouve intimement uni à ce nom pour former un tout. Placé après le nom, l'adjectif joue plutôt le rôle d'attribut et exprime quelque chose d'accidentel ou une qualité qu'on veut mettre en relief.

4° La prose littéraire et la langue poétique changent souvent la place ordinaire de l'épithète pour produire des effets de style.

5° Dans certaines expressions, l'adjectif a une place fixe :

> *L'amour-propre. — Un cousin germain.*

198. Remarques particulières.

a) On place **avant** le nom :

1° En général, l'adjectif monosyllabique qualifiant un nom polysyllabique :

> *Un bel appartement.*

2° L'adjectif considéré comme épithète de nature :

> *La pâle mort.*

3° En général, l'adjectif ordinal :

> *Le vingtième siècle.*

4° Certains adjectifs qui s'unissent au nom en dépouillant leur valeur ordinaire pour prendre une signification figurée :

> *Un simple soldat, un méchant livre, un bon chef.*
> (Comparez : *Un soldat simple, un livre méchant, un chef bon.*)

b) On place **après** le nom :

1° En général, l'adjectif polysyllabique qualifiant un nom monosyllabique

> *Un vers harmonieux.*

2° Beaucoup d'adjectifs exprimant des qualités physiques, occasionnelles, accidentelles :

> *Un front haut.*

3° Les adjectifs indiquant la forme ou la couleur :

Une ligne courbe. — Un champ carré. — Le drapeau blanc.

4° Les adjectifs dérivés d'un nom propre et ceux qui marquent une catégorie religieuse, sociale, administrative, technique, etc. :

Une tragédie cornélienne. — Le peuple juif. — Les prérogatives royales.
L'électricité statique. — Le principe monarchique.

5° Les participes passés pris adjectivement et beaucoup d'adjectifs verbaux en *-ant :*

Un monarque redouté. — Des sables mouvants.

2. ADJECTIFS NUMÉRAUX

199. Les adjectifs **numéraux** sont *cardinaux* ou *ordinaux.*

a) Les adjectifs numéraux *cardinaux* (ou *noms de nombre*) sont ceux qui indiquent le nombre précis des êtres ou des objets désignés par le nom :

Deux *livres,* **vingt** *hommes.*

b) Les adjectifs numéraux *ordinaux* sont ceux qui indiquent l'ordre, le rang des êtres ou des objets dont on parle :

Le **cinquième** *jour. — Le* **vingtième** *siècle.*

Remarque. — Les adjectifs numéraux perdent quelquefois leur valeur précise et marquent un nombre ou un rang approximatifs, indéterminés :

J'ai **deux** *mots à vous dire. — On vous l'a dit* **cent** *fois.*
Être dans le **trente-sixième** *dessous.*

ADJECTIFS NUMÉRAUX CARDINAUX
---

200. Parmi les adjectifs numéraux cardinaux, les uns sont *simples : un, deux, trois, quatre, cinq, six, sept, huit, neuf, dix, onze, douze, treize, quatorze, quinze, seize, vingt, trente, quarante, cinquante, soixante, cent, mille*[1].

Les autres sont *composés,*
soit par addition : *dix-sept, soixante-dix, trente et un,* etc.,
soit par multiplication : *quatre-vingts, six cents,* etc.

Dans *quatre-vingt-dix,* il y a à la fois multiplication et addition.

---

1. *Septante* et *nonante* sont courants en Belgique et en Suisse romande. — *Huitante* est employé en Suisse romande, notamment dans les services officiels (armée, Télégraphes, Téléphones, etc.).

Remarques. — 1. *Et* ne se met que pour joindre *un* aux dizaines (sauf *quatre-vingt-un*) et dans *soixante et onze*. On dira donc : *cent un, cent deux, ... mille un, mille deux,* etc.

Toutefois on dit *cent et un, mille et un,* pour exprimer indéterminément un grand nombre : *À peine trouve-t-on quelques renseignements exacts dans les mille* **et** *une brochures écrites sur cet événement.* (Acad.)
Remarquez aussi : *Les Mille* **et** *une Nuits, Les Mille* **et** *un Jours* (titres de deux recueils **de** contes orientaux).

2. Dans les adjectifs numéraux composés, on met le **trait d'union** entre les éléments qui sont l'un et l'autre moindres que cent, sauf s'ils sont joints par *et :*

Trente huit mille six cent vingt-cinq. — Trente et un.

201. **Vingt** et **cent** prennent un *s* quand ils sont multipliés et qu'ils terminent l'adjectif numéral :

*Quatre-***vingts** *francs. — Nous étions cinq* **cents.**
(Mais : *Quatre-***vingt***-deux francs ; — six* **cent vingt** *hommes.*)

Remarques. — 1. *Vingt* et *cent*, mis pour *vingtième* et *centième*, ne varient pas :

*Page quatre-***vingt.** (Acad.) *— L'an huit* **cent.**

2. *Cent* employé pour *centaine* est un nom et varie au pluriel :

Trois **cents** *de fagots.*

202. **Mille,** adjectif numéral, est invariable :

Deux **mille** *francs. — Trois dizaines de* **mille.**

Dans la date des années de l'ère chrétienne, quand *mille* commence la date et est suivi d'un ou de plusieurs autres nombres, on met de préférence *mil :*

L'an **mil** *sept cent.* (Acad.)
(Mais : *Les terreurs de l'an* **mille** [1]. *— L'an deux* **mille.**
L'an **mille** *cinq cent avant J.-C.*)

Remarques. — 1. *Mille,* nom de mesure itinéraire [2], varie au pluriel :

Ce navire parcourt tant de **milles** *à l'heure.* (Acad.)

2. *Millier, million, milliard, milliasse, billion,* etc. sont des noms, qui varient au pluriel (ils n'empêchent pas l'accord de *vingt* et *cent*) :

Trois cents **millions** *d'hommes. — Quatre-vingts* **milliards** *de francs.*

---

1. Cependant on écrit aussi : « l'an *mil* » : *Aux approches de l'an mil.* (Taine.) *— Depuis l'an mil.* (P. Loti.)
2. *Mille,* mesure itinéraire, est une francisation de l'anglais *mile* [l'*i* se prononce *a-y*], forme qui se trouve parfois en français : *Le record du monde du* **mile.**

203. Les adjectifs cardinaux s'emploient souvent pour les adjectifs ordinaux dans l'indication du rang d'un souverain dans une dynastie, du quantième du mois, etc. :

Louis **quatorze**. — *Le quatre août*. — *Chapitre* **cinq**, *page* **dix**.

On dit : François **premier**, *le* **premier** *août*.

ADJECTIFS NUMÉRAUX ORDINAUX

204. Sauf *premier* et *second,* les adjectifs numéraux ordinaux se forment par l'addition du suffixe *-ième* aux adjectifs cardinaux correspondants : *deux***ième,** *trois***ième,** ... *vingt***ième,** *vingt et un***ième,** ... *cent***ième,** etc.

Avant d'ajouter *-ième*, on supprime l'*e* final dans *quatre, trente, quarante,* etc. ; on ajoute *u* à *cinq* ; on change *f* en *v* dans *neuf.*

Remarques. — 1. En dehors des adjectifs ordinaux composés, *second* et *deuxième* peuvent s'employer indifféremment :

Le **deuxième** *jour, le* **second** *jour du mois.*

2. *Unième* ne s'emploie que dans les adjectifs ordinaux composés :

Vingt et **unième,** *trente et* **unième,** *cent* **unième,** *etc.*

205. Aux adjectifs numéraux on rattache :

1° Les mots **multiplicatifs :** *simple, double, triple, quadruple, quintuple, sextuple, septuple, octuple, nonuple, décuple, centuple.*

2° Les noms des **fractions.** Sauf *demi, tiers* et *quart,* ils se confondent, quant à la forme, avec les adjectifs ordinaux :

Le **cinquième** *de la somme.* — *Les trois* **huitièmes** *du capital.*

3° Des dérivés en **-ain, -aine, -aire :** *Quatrain, sixain,* etc. ; *dizaine, douzaine, vingtaine,* etc. ; *quadragénaire, quinquagénaire, sexagénaire,* etc.

4° Des expressions **distributives :** *Un à un, deux à deux, chacun dix.*

3. ADJECTIFS POSSESSIFS

206. Les adjectifs **possessifs** sont ceux qui déterminent le nom en indiquant, en général, une idée d'appartenance :

Prenez **mon** *cahier, donnez-moi* **votre** *livre.*

Souvent l'adjectif dit « possessif » marque, non pas strictement l'appartenance, mais divers rapports : **Mon** *bon monsieur.* — *On s'élança à* **sa** *poursuite,* etc.

207. Les adjectifs possessifs sont :

	Un seul possesseur			Plusieurs possesseurs	
	Un seul objet		Plus. obj.	Un seul obj.	Plus. obj.
	Masc.	Fém.	2 genres	2 genres	2 genres
1re Personne	mon	ma	mes	notre	nos
2e Personne	ton	ta	tes	votre	vos
3e Personne	son	sa	ses	leur	leurs

Outre ces formes (qui sont *atones*) il y a les formes *toniques : mien, tien, sien, nôtre, vôtre, leur,* qui s'emploient, aux deux genres et aux deux nombres, comme épithètes ou comme attributs, surtout dans le style archaïque ou familier :

> *Il m'est mort un* **mien** *frère.* (La Font.)
> *Je suis* **vôtre.** (Hugo.)

Remarque. Devant un mot féminin commençant par une voyelle ou un *h* muet, on emploie *mon, ton, son,* au lieu de *ma, ta, sa :*

> **Mon** *erreur,* **ton** *habitude,* **son** *éclatante victoire.*

Emploi.

208. *Notre, nos, votre, vos* s'emploient au lieu de *mon, ma, mes, ton, ta, tes,* dans les phrases où l'on se sert du pluriel dit de majesté, de politesse ou de modestie :

> *Il y va, Seigneur, de* **votre** *vie.* (Racine.)
> *Tel est* **notre** *bon plaisir* [disait le roi].

209. L'adjectif possessif peut prendre une valeur expressive et marquer relativement à l'être ou à la chose dont il s'agit l'intérêt, l'affection, le mépris, la soumission, l'ironie de la personne qui parle :

> *Voilà* **mon** *loup par terre.* (La Font.)
> **Mon** *Polyeucte touche à son heure dernière.* (Corneille.)
> *Vous voilà encore avec* **vos** *projets !* — *Fermez* **votre** *porte !*
> *Oui,* **mon** *capitaine.*

210. En général, on remplace l'adjectif possessif par l'article défini quand le rapport de possession est assez nettement indiqué par le sens gé-

néral de la phrase, notamment devant les noms désignant des parties
du corps ou du vêtement, les facultés de l'âme :

> *Ferme **les** yeux, et tu verras.* (Joubert.)
> *Prendre quelqu'un par **la** manche.*
> *Il perd **la** mémoire. — Il a **la** fièvre.*

Mais on met le possessif quand il faut éviter l'équivoque, ou quand on parle
d'une chose habituelle, ou quand le nom est qualifié (non quand il est attribut) :

> *Donnez-moi **votre** bras* [dit le médecin] *— Il a **sa** névralgie.*
> *Un Saxon étendu, **sa** tête blonde hors de l'eau.* (A. Daudet.)

211.   **a)** Quand **chacun** ne correspond pas dans la phrase à un pluriel qui précède, on emploie *son, sa, ses,* pour marquer la possession :

> *Chacun a **son** défaut.* (La Fontaine.)

b) Quand il renvoie à un pluriel de la 1re ou de la 2e personne, on emploie
notre, nos, votre, vos :

> *Nous suivions chacun **notre** chemin.* (Lamartine.)
> *Vous vous retirerez (...)*
> *Chacun dans **vos** États.* (Hugo).
> *Vous aurez chacun **vos** peines.*

Quand il renvoie à un pluriel de la 3e personne, on emploie tantôt *son,
sa, ses,* tantôt *leur(s) ;* l'usage est hésitant :

> *Les caravansérails (...) jettent chacun **son** flot de lumière.* (P. Loti.)
> *Ces livres sont dérangés; mettez-les chacun à **sa** place.* (Acad.)
> *Tous les domestiques avaient fui chacun de **leur** côté.* (Voltaire.)
> *Ma mère et ma sœur déjeunaient chacune dans **leur** chambre.* (Chateaubriand.)

212.   **a)** Après un nom d'être inanimé, pour déterminer le nom de la chose
possédée, on emploie ou bien l'adjectif possessif ou bien, plus fréquemment,
l'article défini et le pronom *en,* si les deux noms ne se trouvent pas dans
la même proposition :

> *Quel était donc ce bonheur et en quoi consistait **sa** jouissance ?* (J.-J. Rousseau.)
> *J'aime beaucoup Paris et j'**en** admire les monuments.* (Acad.)

Les deux constructions se trouvent réunies dans les vers suivants :

> *Mes chers amis, quand je mourrai,*
> *Plantez un saule au cimetière.*
> *J'aime **son** feuillage éploré,*
> *La pâleur m'**en** est douce et chère,*
> *Et **son** ombre sera légère*
> *À la terre où je dormirai.* (Musset.)

b) Toutefois, c'est toujours l'adjectif possessif que l'on emploie quand le
nom de la chose est sujet d'un verbe d'action ou qu'il est précédé d'une
préposition :

> *Le soleil se leva ; **ses** rayons caressèrent la cime de la montagne.*
> *J'ai visité ce musée et j'ai admiré la richesse de **ses** collections.*

Accord.

213. **a)** *Leur, notre, votre,* ainsi que les noms qu'ils accompagnent, restent au **singulier :**

1° Devant les noms qui n'admettent pas le pluriel :

Vous préparez tous **votre** *avenir.*

2° Quand il n'y a qu'un seul objet possédé par l'ensemble des possesseurs :

Les Aduatiques se réfugièrent dans **leur** *citadelle.*

b) Ils prennent la forme du **pluriel :**

1° Devant les noms qui n'ont pas de singulier :

Nous avons ri à **leurs** *dépens.*

2° Quand la phrase implique l'idée de réciprocité, de comparaison ou d'addition :

Nous avons échangé **nos** *cartes.*
Après avoir lu Hugo et Lamartine, comparons **leurs** *génies.*
Unissons **nos** *voix.*

3° Quand il y a plusieurs objets possédés par chaque possesseur :

Les poules rassemblent **leurs** *poussins sous* **leurs** *ailes.*

c) Lorsque chacun des possesseurs ne possède qu'un seul objet, selon le point de vue de l'esprit, on emploie :

Le **singulier** si on envisage le type plutôt que la collection :

Les alouettes font **leur** *nid dans les blés.*

Le **pluriel** si on envisage la pluralité ou la variété du détail :

Les hirondelles ont fait **leurs** *nids tout le long de cette corniche.*
... Nous pendîmes
Nos *casques,* **nos** *hauberts et* **nos** *piques aux clous.* (Hugo.)

4. ADJECTIFS DÉMONSTRATIFS

214. Les adjectifs **démonstratifs** sont ceux qui marquent, en général, que l'on *montre* (réellement ou par figure) les êtres ou les objets désignés par les noms auxquels ils sont joints :

> Donnez-moi **ce** livre.
> Ne saurait-on ranger **ces** jougs et **ces** colliers ? (La Font.)

L'adjectif démonstratif s'emploie souvent avec une valeur atténuée, sans qu'il exprime précisément l'idée démonstrative :

> À **cet** effet. — Je l'ai vu **ce** matin. — L'homme, **cet** inconnu.

215. L'adjectif démonstratif se présente sous les formes suivantes :

	Masculin	Féminin
Singulier	ce, cet	cette
Pluriel	ces	

Remarques. — 1. Au masculin, on emploie la forme réduite *ce* devant un mot commençant par une consonne ou un *h* aspiré :

> **Ce** livre, ce *héros*.

Cet s'emploie devant un mot commençant par une voyelle ou un *h* muet :

> **Cet** arbre, **cet** honneur, **cet** autre livre.

2. L'adjectif démonstratif est souvent renforcé à l'aide des adverbes *ci, là*, qui se placent après le nom, auquel ils se joignent par un trait d'union :

> Ce *livre*-**ci** (démonstr. prochain) ; ces *gens*-**là** (démonstr. lointain).

5. ADJECTIFS RELATIFS - INTERROGATIFS - EXCLAMATIFS

216. **a)** Les adjectifs **relatifs** sont ceux qui se placent devant un nom pour indiquer que l'on met en relation avec ce même nom déjà exprimé (ou suggéré) précédemment la proposition qu'ils introduisent.
Ce sont :

Pour le **singulier** { Masc. : **lequel, duquel, auquel** ;
Fém. : **laquelle, de laquelle, à laquelle** ;

Pour le **pluriel** { Masc. : **lesquels, desquels, auxquels** ;
Fém. : **lesquelles, desquelles, auxquelles.**

Les adjectifs relatifs sont d'un emploi vieilli et ne sont guère d'usage que dans la langue juridique ou administrative :

Il versera deux cents francs, **laquelle** *somme lui sera remboursée dans un an.*

b) Les adjectifs **interrogatifs : quel, quelle, quels, quelles,** indiquent que l'être désigné par le nom fait l'objet d'une question relative à la qualité, à l'identité, au rang :

Mais cet enfant (...)
Quel *est-il ? De* **quel** *sang ? Et de* **quelle** *tribu ?* (Racine.)
Quelle *heure est-il ?*

c) Ces mêmes adjectifs **quel, quelle, quels, quelles,** sont **exclamatifs,** quand ils servent à exprimer l'admiration, l'étonnement, l'indignation :

Quelle *ville qu'Athènes !* **Quelles** *lois !* (La Bruyère.)
Quel *feu !*

6. ADJECTIFS INDÉFINIS

217. Les adjectifs **indéfinis** sont ceux qui se joignent au nom pour marquer, en général, une idée plus ou moins vague de quantité ou de qualité, ou une idée d'identité, de ressemblance, de différence :

Certain *renard gascon, d'autres disent normand,*
Mourant presque de faim, vit au haut d'une treille
Des raisins mûrs apparemment. (La Font.)
Plusieurs *personnes l'ont vu.*
Il faut lui redire souvent les **mêmes** *choses.*

218. Les adjectifs indéfinis sont :

aucun	divers	même	quel
autre	je ne sais quel [1]	nul	quelconque
certain	l'un et l'autre	pas un	quelque
chaque	n'importe quel	plus d'un	tel
différents	maint	plusieurs	tout

___
1. De même : *On ne sait quel, Dieu sait quel, nous ne savons quel,* etc. : *Les frais monteront* **à Dieu sait quelle** *somme !*

Remarques. — 1. Certains adverbes de quantité : *assez, beaucoup, bien, combien, peu, pas mal, tant, trop*, etc., construits avec *de* ou *des* et un nom, peuvent être comptés au nombre des adjectifs indéfinis [1] :

Beaucoup d'*honneurs*. — **Peu de** *gens*.

Il en est de même des expressions *nombre de, quantité de, force, la plupart*, et autres semblables :

Nombre de *gens,* **force** *gens ne connaissent pas leurs véritables intérêts.*

2. Certains adjectifs indéfinis marquent une détermination plus ou moins vague et expriment :

soit la **qualité** : *certain, je ne sais quel, n'importe quel, quelque, quel* (que), *quelconque ;*

soit la **quantité** : *aucun, chaque, différents, divers, l'un et l'autre, maint, nul, pas un, plus d'un, plusieurs, quelques, tout.*

D'autres (auxquels l'appellation d'*indéfinis* ne devrait pas s'appliquer) expriment l'**identité**, la **ressemblance**, la **différence** : *même, tel, autre.*

Emploi.

219. Aucun et **nul,** marquant la quantité zéro, ne s'emploient généralement qu'au singulier :

Aucun *juge par vous ne sera visité ?* (Molière.)
Nulle *paix pour l'impie.* (Racine.)

Ils s'emploient au pluriel, devant des noms qui n'ont pas de singulier ou qui prennent au pluriel un sens particulier :

Aucuns *frais,* **nulles** *funérailles.*
La république n'avait (...) **aucunes** *troupes régulières aguerries.* (Voltaire.)

Même en dehors de ces cas, ils se trouvent parfois au pluriel :

Aucunes *choses ne méritent de détourner notre route.* (A. Gide.)
L'on n'entendait plus **aucunes** *rumeurs.* (Villiers de l'Isle-Adam.)
Nulles *paroles n'égaleront jamais la douceur d'un tel langage.* (Musset.)

Aucun a signifié primitivement *quelque, quelqu'un.* Cette valeur positive, il l'a conservée dans certains cas :

Cet ouvrage est le meilleur qu'on ait fait dans **aucun** *pays sur ce sujet.* (Acad.)

---

1. Mais on peut aussi, dans des expressions telles que : *assez de gens, beaucoup de fautes, combien d'hommes*, etc., considérer *assez, beaucoup, combien*, etc. comme des adverbes nominaux suivis de leur complément ; cela est admissible surtout pour les adverbes qui tirent leur origine de la catégorie des noms : *beaucoup* (beau + coup), *trop* (du francique *throp*, entassement, qui a pris en latin médiéval *(troppus)* le sens de « troupeau »), et aussi pour des expressions encore assez nettement nominales comme *nombre de, quantité de, la plupart.*

Le plus souvent *aucun* est accompagné de la négation *ne* ; c'est pourquoi il **a pris**, par contagion, la valeur de *nul* :

Aucun *chemin de fleurs ne conduit à la gloire.* (La Font.)

220. **a) Quel que** s'écrit en deux mots quand il est suivi du verbe *être* ou d'un verbe similaire (parfois précédés de *devoir, pouvoir*), soit immédiatement, soit avec l'intermédiaire d'un pronom ; *quel* est alors attribut et s'accorde avec le sujet du verbe :

Quels *que soient les humains, il faut vivre avec eux.* (Gresset.)
Quelle *qu'en soit la difficulté, j'accomplirai cette tâche.*
Quelles *que doivent être les conséquences de ma décision, je ne veux pas manquer à l'honneur.*

Remarques. — 1. S'il y a des sujets synonymes, l'accord se fait avec le plus rapproché :

Quelle *que soit votre valeur, votre mérite, soyez modeste.*

2. S'il y a deux sujets joints par *ou*, l'accord se fait avec les deux sujets ou avec le plus rapproché seulement, selon que c'est l'idée de conjonction ou l'idée de disjonction qui domine :

Quels *que soient leur qualité ou leur mérite.* (Montherlant.)
Quel *que fût le poil de la bête ou la plume.* (Barbey d'Aurevilly.)

b) Quelque, dans l'expression *quelque ... que,* s'écrit en un mot :

1° Devant un nom, il est adjectif et variable :

Quelques *raisons que vous donniez, vous ne convaincrez personne.*

2° Devant un simple adjectif, il est adverbe et invariable :

Quelque *bonnes que soient vos raisons, vous ne convaincrez personne.*

3° Devant un adverbe, il est lui-même adverbe et invariable :

Quelque *habilement que vous raisonniez, vous ne convaincrez personne.*

4° Devant un adjectif suivi d'un nom, il est adverbe et invariable quand le nom est *attribut* (le verbe de la subordonnée est alors *être* ou un verbe similaire) :

Quelque *bonnes raisons que soient ces témoignages, vous ne convaincrez personne.*

Sinon, il est adjectif et variable :

Quelques *bonnes raisons que vous donniez, vous ne convaincrez personne.*

c) Quelque, en dehors de l'expression *quelque ... que,* est adjectif et variable quand il se rapporte à un nom :

> *J'ai reçu* **quelques** *amis.* — *Il reste* **quelque** *espoir.*

Il est adverbe et invariable quand, devant un nom de nombre, il signifie « environ », ou encore dans l'expression *quelque peu :*

> *Cependant Falcone marcha* **quelque** *deux cents pas dans le sentier.* (Mérimée.)
> *Il nageait* **quelque** *peu.* (La Font.)

221.   Chaque est exclusivement adjectif singulier :

> *À* **chaque** *jour suffit sa peine.*

Remarque. — La langue commerciale emploie fréquemment *chaque* au sens de *chacun : Ces fleurs coûtent douze francs* **chaque.** — Cet emploi, dans la langue littéraire, ne paraît pas correct. Dites : *Ces fleurs coûtent douze francs chacune,... chacune douze francs,... douze francs l'une,... douze francs (la) pièce.*

222.   a) Différents, divers, sont adjectifs indéfinis lorsque, placés devant le nom, ils marquent la pluralité de personnes, de choses qui ne sont pas les mêmes :

> *Sur* **différentes** *fleurs, l'abeille s'y repose.* (La Font.)
> *Il a parlé à* **diverses** *personnes.* (Acad.)

b) Certain est adjectif indéfini lorsqu'il est placé devant le nom ; il est parfois précédé de l'article *un(e)* au singulier, ou de la préposition *de,* sans article, au pluriel :

> **Certain** *renard gascon.* (La Font.)
> **Un certain** *rat.* (Id.)
> *La bête scélérate*
> *A de* **certains** *cordons se tenait par la patte.* (Id.)

223.   Tout peut être adjectif, pronom, nom ou adverbe.

A. Adjectif. — **a)** *Tout* est adjectif qualificatif quand il signifie « entier » ou « unique » :

> *Veiller* **toute** *la nuit.* — **Toute** *cette eau.*
> *Cet enfant est* **toute** *ma joie.*
> *Pour* **toute** *boisson, il prend de l'eau.*

Remarques. — 1. *Tout* est invariable devant un nom propre de personne désignant l'ensemble des œuvres de la personne nommée :

> *Il a lu* **tout** *Mme de Sévigné.*

2. *Tout* devant un nom propre de ville reste invariable, qu'il s'agisse des habitants ou qu'il s'agisse de la ville au sens matériel :

Tout *Rome remarquait qu'il semblait heureux.* (A. Maurois.)
Tout *Thèbes sait ce qu'elle a fait.* (J. Anouilh.) — *Dans* **tout** *Venise.*

Cependant, devant un nom de ville féminin pris au sens matériel, on met parfois le féminin *toute* :

Toute *Rome, par ses monuments, excite notre admiration.*

b) *Tout* est adjectif indéfini et fait *tous* au masculin pluriel :

1° Quand il signifie « les uns et les autres sans exception » :

Tous *les hommes sont mortels.*

2° Quand il signifie « chaque » :

Toute *puissance est faible à moins que d'être unie.* (La Font.)

3° Quand il précise un nom ou un pronom exprimé dans la même proposition (au masculin pluriel, l's se prononce) :

Ils ne mouraient pas **tous.** (La Font.)
Les journées se passèrent **toutes** *ainsi.* (Acad.) — *Nous* **tous.**

B. Pronom. — *Tout* est pronom indéfini et fait *tous* au masculin pluriel (*s* se prononce) lorsqu'il représente un ou plusieurs noms ou pronoms précédemment exprimés, ou encore lorsque, employé sans rapport avec aucun nom ou pronom exprimé, il signifie « toute chose, tout le monde, tous les hommes » :

Il fut fêté par ses concitoyens, **tous** *vinrent au-devant de lui.* (Acad.)
Tout *passe.*
Tous *sortaient plus éclairés d'avec lui.* (Bossuet.)

C. Nom. — *Tout* est nom quand il signifie « la chose entière » : il est alors précédé de l'article ou d'un déterminatif et s'écrit *touts* au pluriel :

Le **tout** *est plus grand qu'une de ses parties.*
Plusieurs **touts** *distincts les uns des autres.* (Acad.)

D. Adverbe. — *Tout* est adverbe et invariable quand il signifie « entièrement, tout à fait » ; il modifie alors un adjectif, une locution adjective, un participe, un adverbe :

La ville **tout** *entière.*
Les grands hommes ne meurent pas **tout** *entiers.* — *Ils sont* **tout** *seuls.*
Elles sont **tout** *en larmes,* **tout** *étonnées,* **tout** *hébétées.*
Allons **tout** *doucement.*

Tout est encore adverbe dans la locution *tout... que* signifiant « quelque... que »[1], et aussi devant un gérondif :

> **Tout** *habiles et* **tout** *vantés qu'ils sont, ils ne réussiront pas.*
> **Tout** *vieillards qu'ils soient, ils marchent vite.*
> **Tout** *en parlant ainsi, elle se mit à pleurer.*

N. B. — *Tout,* adverbe, varie en genre et en nombre devant un mot féminin commençant par une consonne ou un *h* aspiré :

> *La flamme est* **toute** *prête.* (Racine.)
> *Elles sont* **toutes** *confuses,* **toutes** *honteuses.*
> **Toutes** *raisonnables qu'elles sont, elles ont fort mal jugé.*
> **Toute** *femme qu'elle est, elle ne se laisse pas abattre.*

Remarques. — 1. *Tout* peut servir à renforcer un nom. Dans *être tout yeux, tout oreilles,* — *être tout feu, tout flamme,* et dans les expressions commerciales *tout laine, tout soie,* etc., il est invariable comme adverbe.

Dans les autres cas, on peut le considérer, soit comme un adverbe signifiant « entièrement » :

> *Un front* **tout** *innocence et des yeux* **tout** *azur.* (Hugo.)
> *Elle avait été à Venise* **tout** *force et* **tout** *orgueil.* (Ch. Maurras.)

soit comme un adjectif s'accordant avec le nom qui suit :

> *Cet homme était* **toute** *sagesse et* **toute** *prudence.* (Montherlant.)

2. *Tout* suivi de *autre* est adjectif et variable s'il se rapporte au nom qui suit *autre ;* il peut alors être rapproché immédiatement de ce nom :

> **Toute** *autre vue* (= *toute vue autre*) *eût été mesquine.* (J. Bainville.)

Il est adverbe et invariable s'il modifie *autre ;* il signifie alors « entièrement », et on ne peut le séparer de *autre :*

> *Les villes et les villages ont ici une* **tout** *autre apparence*
> (= *une apparence entièrement autre*). (Chateaubriand.)

3. Il importe parfois de consulter le sens pour reconnaître la valeur de *tout :*

> *Elles exprimaient* **toute** *leur joie* (= *leur joie entière*).
> *Elles exprimaient* **toutes** *leur joie* (= *toutes exprimaient leur joie*).
> *Demandez-moi* **toute** *autre chose* (= *toute chose autre que celle-là*).
> *Vous demandez* **tout** *autre chose* (= *tout à fait autre chose*).

224. **Même** peut être adjectif ou adverbe.

A. Il est **adjectif** indéfini et variable :

1° Lorsque, placé devant le nom, il marque l'identité, la ressemblance :

---

1. *Tout* est suivi, dans ce cas, d'un attribut, qui est, soit un adjectif, soit un **participe**, soit un nom faisant fonction d'adjectif.

Voici les **mêmes** *livres que les miens.*
Les **mêmes** *fautes ne méritent pas toujours les* **mêmes** *châtiments.*

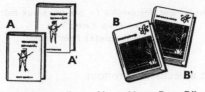

les **mêmes** *livres* (A = A' ;   B = B')

2° Lorsque, placé immédiatement après un nom ou un pronom qu'il souligne, il indique que l'on désigne exactement la personne ou la chose dont il s'agit, ou que la qualité exprimée par le nom est considérée dans toute sa plénitude :

Ce sont ces livres **mêmes** *que je cherchais.*
Les Romains ne vainquirent les Grecs que par les Grecs **mêmes.** (Acad.)
Dieu est la sagesse **même.** (Id.)

Ce sont ces livres **mêmes** *que je cherchais.*

Remarques. — 1. *Même,* placé après un pronom personnel, s'y joint par un trait d'union :

Nous-mêmes. — Eux-mêmes.

2. On écrit *nous-même, vous-même* (sans *s*), dans le cas du pluriel de politesse ou de majesté :

Nous-même, maire soussigné, avons constaté le fait.

B. *Même* est **adverbe** et invariable quand il marque l'extension ; il signifie alors « aussi, jusqu'à, de plus » :

Il lit les petits livres, les volumes ordinaires, les gros dictionnaires **même.**
Sa femme, ses enfants, ses amis **même** *se sont dévoués pour lui.* (Acad.)
Les gens de bien **même** *tombent dans les infidélités inévitables.* (Fléchier.)

Il lit . . . . les gros dictionnaires **même.**

Remarque. — Après un nom ou après un pronom démonstratif, *même* peut, dans bien des cas, être considéré comme adjectif ou comme adverbe selon le point de vue où l'on se place :

*Ces murs **même(s)** ont des oreilles* (= ces murs eux-mêmes..., ou bien :
ces murs aussi...).
*Ceux-là **même(s)** l'ont trahi.*

225. Tel peut être adjectif ou pronom.

A. Adjectif. — **a)** *Tel* est adjectif qualificatif quand il signifie « semblable » ou « si grand, si fort » :

*La pauvreté vaut mieux qu'une **telle** richesse.* (La Font.)
*Il ne faut pas manquer à de **telles** grâces.* (Bossuet.)

Remarques. — 1. *Tel* est souvent employé, sans *que*, dans la langue moderne, comme conjonction de comparaison ; il s'accorde alors tantôt avec le premier terme de la comparaison, tantôt avec le second ; l'usage hésite :

*Il bandait ses muscles, **tel** une bête qui va sauter.* (Saint-Exupéry.)
*Il filait, **telle** une ombre.* (G. Duhamel.)

2. *Tel*, suivi de *que*, peut annoncer une énumération développant un terme synthétique ; il s'accorde alors avec ce terme synthétique :

*Plusieurs langues, **telles** que le grec, le latin, l'allemand, etc., divisent
les noms en trois genres.* (Acad.)

b) *Tel*, placé devant le nom, est adjectif indéfini dans des phrases où l'on parle de personnes ou de choses qu'on ne veut ou ne peut désigner précisément :

*Il y a **tel** hôtel à Mons, où, le samedi, les gens des petites villes
voisines viennent exprès dîner, pour faire un repas délicat.* (Taine.)

B. Pronom. — *Tel* est pronom indéfini quand il désigne une personne indéterminée ; il ne s'emploie guère qu'au singulier :

***Tel** brille au second rang qui s'éclipse au premier.* (Voltaire.)

Remarque. — *Un tel* s'emploie au lieu d'un nom propre pour désigner une personne qu'on ne veut ou ne peut nommer plus précisément :

*En l'an 1600 ou en l'an 1500, **un tel**, de tel village, a bâti cette maison
pour y vivre avec **une telle** son épouse.* (P. Loti.)

CHAPITRE IV

LE PRONOM

226. Le **pronom** est un mot qui, en général, représente un nom, un adjectif, une idée, une proposition :

> *Prenez ces cent écus : gardez-***les*** avec soin.* (La Font.)
> **Ils** *ont fui, mes beaux jours.*
> *Brave, il l'est. — L'oisiveté est funeste, croyez-***le**.

Une **locution pronominale** est une réunion de mots équivalant à un pronom :
Il s'est adressé à **je ne sais qui.**

Remarques. — 1. Souvent le pronom ne représente aucun nom, aucun adjectif, aucune idée, aucune proposition déjà exprimés : il joue alors le rôle d'un nom indéterminé :

> **Tout** *est dit.* — **Rien** *ne l'effraie.* — **Cela** *va mieux.*

2. Le pronom peut servir, dans la conjugaison, simplement à indiquer la personne grammaticale :

> **Je** *lis,* **tu** *écoutes.*

3. Quand le pronom représente un nom, il est masculin ou féminin ; quand il représente autre chose qu'un nom ou quand il exprime une notion vague, il est *neutre* :

> *Vous comprenez, je* **le** *vois.*
> *Vous êtes fort aujourd'hui :* **le** *serez-vous encore demain ?*
> **Que** *dois-je faire ?* — *Vous* **le** *prenez de haut.* — **Il** *faut du courage.*

4. Il arrive que le pronom représentant un nom collectif singulier s'accorde en nombre non avec ce collectif, mais avec le nom pluriel qu'on a dans la pensée (il y a alors accord par *syllepse* [1]) :

> *Je ne saurais dire avec quel beau courage le peuple belge supporte cette*
> *situation angoissante.* **Ils** *sont terriblement gênés dans leur industrie et*
> *dans leur commerce.* (G. Duhamel.)

---

1. La **syllepse** consiste à régler l'accord d'un mot non avec le terme auquel il se rapporte selon les règles grammaticales, mais avec un autre terme que le *sens* éveille dans la pensée.

227. Pour qu'un nom puisse être représenté par un pronom, il faut, en principe, que ce nom soit *déterminé,* c'est-à-dire précédé d'un article ou d'un adjectif possessif, démonstratif, etc. :

> *On cherche les rieurs, et moi je* **les** *évite.* (La Font.)
> *Je vous ai donné ce conseil; suivez-***le.**

On ne dirait pas : *Vous avez tort et je ne* **l'***ai pas.* — *Il a agi par jalousie,* **qui** *est une passion détestable* [1].

228. On distingue six espèces de pronoms : les pronoms *personnels,* les *possessifs,* les *démonstratifs,* les *relatifs,* les *interrogatifs* et les *indéfinis.*

1. PRONOMS PERSONNELS

229. Les pronoms **personnels** désignent les êtres en marquant la personne grammaticale, donc en indiquant qu'il s'agit :
soit de l'être *qui parle* (1re personne) : **Je** *lis.* **Nous** *lisons.*
soit de l'être *à qui l'on parle* (2e personne) : **Tu** *lis.* **Vous** *lisez.*
soit de l'être *de qui l'on parle* (3e personne) : **Il** *lit.* **Ils** *lisent.*

Remarque. — C'est seulement à la 3e personne que le pronom personnel *représente, remplace* un nom déjà exprimé.

230. Les pronoms personnels sont :

			1re PERS.	2e PERS.	3e PERS.	Pr. réfl. 3e pers.
Sing.	Atones	Sujet	je	tu	il, elle	
		Obj. dir.	me	te	le, la	se
		Obj. ind. sans prép.	me	te	lui	se
	Toniques		moi	toi	lui, elle	soi
Plur.	Atones	Sujet	nous	vous	ils, elles	
		Obj. dir.	nous	vous	les	se
		Obj. ind. sans prép.	nous	vous	leur	se
	Toniques		nous	vous	eux, elles	soi

---

1. Autrefois le pronom pouvait représenter un nom indéterminé : *Si vous êtes si touchés de curiosité, exercez-*la *du moins en un sujet noble.* (La Bruyère.) — Cet usage se retrouve exceptionnellement dans la langue actuelle : *Par grand vent,* qui *agite nos tentes...* (P. Loti.)

Outre ces formes il y a **en** et **y,** qui sont pronoms personnels quand ils représentent un nom, une proposition, une idée.

Remarques. — 1. *Me, te, se* sont toujours, dans la prononciation, **atones,** c'est-à-dire dépourvus d'accent d'intensité ; ils précèdent un verbe (ou un pronom), sur lequel ils s'appuient intimement :

Qu'on **me** *pardonne. — Qui* **te** *l'a dit ?*
On **se** *voit d'un autre œil qu'on ne voit son prochain.* (La Font.)

Moi, toi, soi, eux sont toujours **toniques :**

*Crois-***moi.** *— C'est à* **toi** *que je parle, non à* **eux.**
Chacun pour **soi,** *dit l'égoïste.*

Les autres pronoms personnels sont toniques ou atones selon leur fonction et leur place par rapport au verbe :

On **nous** *parle* (atone). *— Parle-***nous** (tonique).

2. Les formes toniques peuvent être renforcées par l'adjonction de *même :* *Moi-même, toi-même,* etc.
Nous, vous peuvent être renforcés par *autres : Nous autres, vous autres.*

3. Dans les formes atones, *je, me, te, se, le, la,* la voyelle s'élide devant un verbe commençant par une voyelle ou un *h* muet, et devant *en, y :*

J'ouvre, il **m'***appelle, je l'honore, tu t'en vas, je l'y envoie.*

4. Le pronom personnel est dit **réfléchi** lorsqu'il sert à former les verbes pronominaux ; il reflète alors le sujet (tantôt il est complément d'objet : *je* **me** *blesse ; je* **me** *lave les mains ; ils* **se** *réconcilient ;* — tantôt il n'a aucune fonction logique : *je* **m'***évanouis. —* Voir § 287).
Le pronom réfléchi est :
pour la 1re personne : **me, nous** : *Je* **me** *blesse ; nous* **nous** *blessons.*
pour la 2e personne : **te, vous** : *Tu* **te** *blesses ; vous* **vous** *blessez.*
Il n'a de forme spéciale qu'à la 3e personne : **se, soi** :

Il **se** *blesse. — Chacun pense à* **soi.**

Emploi.

231. Les pronoms personnels peuvent remplir, dans la phrase, les mêmes fonctions que les noms. Ils peuvent être :

1° **Sujets :** *je, tu, il, elle, nous, vous, ils, elles* — et dans certains cas : *moi, toi, lui, eux.*

2° **Compléments d'objet directs :** *me* (après impérat. : *moi*), *te* (après impérat. : *toi*), *le, la, se, nous, vous, les.*

3° **Compléments d'objet indirects sans préposition :** *me, te, lui, se, nous, vous, leur.*

4° **Compléments précédés d'une préposition :** *moi, toi, lui, elle, soi, nous, vous, eux, elles.*

Ces dernières formes s'emploient aussi comme attributs et comme mots renforçant le sujet, le complément d'objet direct ou indirect.

Remarque. — On voit que le pronom personnel peut présenter des formes différentes selon sa fonction ; il a donc gardé une certaine déclinaison : il a un *cas sujet* (nominatif) et un *cas régime* [= cas du complément, qui comprend le cas du complément d'objet direct (accusatif), le cas du complément d'objet indirect (datif), le cas prépositionnel (ablatif)].

Pronom personnel sujet.

232. Le pronom personnel sujet est le plus souvent une forme atone : *je, tu, il, elle, nous, vous, ils, elles.*

Les formes toniques *moi, toi, lui, elle, nous, vous, eux, elles,* s'emploient comme sujets :

1° Quand le pronom sujet est suivi d'une apposition ou d'une proposition relative :

> **Lui,** *loup, gratis le guérirait.* (La Font.)
> **Moi,** *qui, grâce aux dieux, de courage me pique,*
> *En ai pris la fuite de peur.* (Id.)

2° Quand le pronom sujet s'oppose à un autre sujet ou le renforce :

> **Eux** *le sentaient vaguement ;* **lui,** *plus nettement.* (R. Bazin.)
> *Je le sais bien,* **moi.**

3° Dans les propositions où il y a ellipse du verbe :

> *Qui vient ?* — **Moi.**

4° Quand le pronom sujet est joint à un ou plusieurs autres sujets :

> *J'espère que ni* **moi** *ni mes enfants ne verrons ces temps-là.* (Vigny.)

5° Avec l'infinitif exclamatif ou interrogatif, avec l'infinitif de narration et avec le participe absolu (§ 392) :

> **Moi !** *le faire empereur ?* (Racine.)
> **Eux** *de recommencer la dispute à l'envi.* (La Font.)
> **Eux** *repus, tout s'endort.* (Id.)

6° Comme sujets réels et avec le gallicisme *c'est ... qui :*

> *Il n'y eut que* **lui** *de cet avis.*
> *C'est* **moi** *qui suis Guillot.* (La Font.)

233. Le pronom *il* s'emploie comme neutre sujet avec les verbes de forme impersonnelle et suivis du sujet réel :

Il neige. — Il est arrivé un malheur.

Pronom personnel complément.

234. Le pronom personnel complément est le plus souvent une forme atone : *me, te, se, le, la, lui, nous, vous, les, leur :*

On me voit, on lui nuit.

Les formes toniques *moi, toi, soi, lui, elle, nous, vous, eux, elles* s'emploient comme compléments :

1° Pour renforcer un complément :

On l'estime, lui.

2° Quand le pronom personnel complément est joint à un ou plusieurs autres compléments de même espèce que lui :

Il contemplait la foule sans distinguer ni moi ni personne.

3° Dans les propositions où il y a ellipse du sujet et du verbe :

Qui blâme-t-on ? — Toi.

4° Après un impératif affirmatif — sauf devant *en* et *y :*

Écoute-moi (Mais : *Donnez-m'en, menez-m'y.*)

5° Après une préposition :

Qui n'est pas avec moi est contre moi.
Gloire à toi, héros inconnu, qui as défendu la patrie et qui es
mort pour elle !

6° Après *ne ... que* et avec le gallicisme *c'est ... que :*

On n'admire que lui. — C'est toi que je cherche.

Remarques. — 1. Dans des phrases comme les suivantes, mettez bien, avec *à,* la forme tonique du pronom personnel complément :

Ces ruines (...) à moi signalées. (P. Loti.)
Les choses à lui destinées. (G. Duhamel.)

Gardez-vous de dire : *Ces ruines me signalées ; les choses lui destinées ; la lettre vous envoyée,* etc.

2. Pour le pronom personnel explétif *(goûtez-moi cela),* voir § 68, 3°.

235. *Le* s'emploie comme pronom neutre complément :

1° Pour représenter ou annoncer une idée, une proposition :

Tu te justifieras après, si tu le peux. (Corneille.)
Nous le jurons tous, tu vivras !

2° Dans certains gallicismes où il exprime une notion vague :

Vous le prenez bien haut. — Je vous le donne en cent, etc.

3° Facultativement dans les propositions comparatives après *autre,
plus, moins, mieux,* etc. :

Il est autre que je ne croyais, que je ne le croyais. (Acad.)

Place du pronom personnel complément d'objet.

236. a) Le pronom personnel complément d'objet d'un impératif sans négation
se place après le verbe :

Regarde-moi, obéissez-lui.

Avec un impératif négatif, il se place avant le verbe :

Ne me livrez pas, ne leur obéissez pas.

b) Si un impératif sans négation a deux pronoms compléments d'objet,
l'un direct, l'autre indirect, on place le complément d'objet direct le premier :

Dites-le-moi.

Toutefois, il arrive qu'on ait l'ordre inverse :

Rends-nous-les. (Hugo.)

Mais si l'impératif est négatif, le pronom complément d'objet indirect
se place le premier :

Ne me le répétez pas.

Toutefois *lui* et *leur* font exception :

Ne le lui dites pas, ne le leur dites pas.

237. a) Avec un mode autre que l'impératif, les formes atones compléments
d'objet *me, te, se, le, la, lui, nous, vous, les, leur* se placent avant le verbe
(avant l'auxiliaire dans les temps composés) :

Je te conduirai. — On leur nuit. — Tu lui as parlé.

b) Quand le verbe a deux compléments d'objet, l'un direct, l'autre indirect,
celui-ci se place le premier (sauf avec *lui* et *leur*) :

Tu me le dis. — Nous le lui dirons.

c) Les formes toniques compléments *moi, toi, soi, lui, elle, nous, vous, eux, elles* se placent généralement après le verbe :

Nous les blâmons, **eux.** *— On m'obéira, à* **moi.**

Elles précèdent parfois le verbe, par effet de style :

À **toi** *(...) je ne cèlerai rien.* (Corneille.)

d) Avec un infinitif complément d'un verbe principal, le pronom personnel complément de cet infinitif se place immédiatement avant ce dernier :

Je veux **le** *voir.*

Toutefois si l'infinitif est complément de *voir, entendre, sentir, laisser, faire, regarder, envoyer,* le pronom personnel complément de cet infinitif se place avant le verbe principal :

Ce paquet, je **le** *ferai prendre. — Ne* **le** *faites pas prendre.*
Cette maison, je **l'** *ai vu bâtir;*

à moins que le verbe principal ne soit à l'impératif sans négation :

*Faites-***le** *prendre.*

Pronom personnel attribut.

238. Les formes toniques *moi, toi, lui, elle, soi, nous, vous, eux, elles* s'emploient comme attributs après le verbe *être* (surtout avec le sujet *ce*) :

Mon meilleur ami, c'est **toi.**
Est-ce votre mère ? — Oui, c'est **elle.**
Pourquoi suis-je **moi** *?*

239. **a)** Pour représenter un *nom déterminé* (c.-à-d. précédé d'un article défini ou d'un adjectif possessif, démonstratif, etc.), on emploie comme pronom attribut un des pronoms *le, la, les,* accordé avec ce nom :

La reine, je **la** *suis.*
Êtes-vous les juges (mes juges, ces juges) ? — Nous **les** *sommes.*

b) Pour représenter un *adjectif* ou un *nom indéterminé* (c.-à-d. sans article ou précédé de l'article indéfini ou de l'article partitif), on emploie comme pronom attribut le neutre *le,* invariable :

Êtes-vous chrétienne ? — Je **le** *suis.*
Ils étaient juges, ils ne **le** *sont plus.*
Est-ce une servante ? — Elle **le** *fut.*

240. **Le,** neutre, peut représenter comme attribut un participe passif :

> *Sans vous, je serais haï et digne de l'être.* (Fénelon.)

Il peut aussi représenter, en le faisant sous-entendre au passif, un verbe qui précède, à l'actif : cet usage est condamné par Littré et par beaucoup de grammairiens, mais il est attesté par nombre de bons auteurs :

> *On ne peut bien déclamer que ce qui mérite de l'être.* (Voltaire.)
> *Ne vous laissez pas troubler (...). J'avoue que je l'ai été moi-même au début.* (A. Maurois.)

Pronom réfléchi. (Voir définition : § 230, Rem. 4.)

241. A la 1ʳᵉ personne, on emploie comme réfléchis les pronoms **me, nous** :

> *Je* **me** *blesse, nous* **nous** *blessons.*

A la 2ᵉ personne, **te, vous** :

> *Tu* **te** *blesses, vous* **vous** *blessez.*

A la 3ᵉ personne, le pronom réfléchi a deux formes spéciales :
une forme atone : **se** (toujours devant le verbe) ;
une forme tonique : **soi** (après le verbe) :

> *Il(s)* **se** *blesse(nt) ; chacun pense à* **soi.**

Remarque. — Au point de vue de sa valeur logique, le pronom de forme réfléchie a tantôt un sens réfléchi, tantôt un sens non réfléchi :

a) Au *sens réfléchi,* il indique, comme complément d'objet direct ou indirect, que l'action revient sur le sujet :

> *Je* **me** *blesse. — Tu* **te** *nuis.*

Au pluriel, il peut marquer un sens réciproque :

> *Nous* **nous** *querellons. — Ces deux hommes* **se** *disent des injures.*

b) Au *sens non réfléchi,* il ne marque aucunement que l'action revient sur le sujet ; il n'est pas alors analysable séparément et fait corps avec le verbe. Il s'emploie ainsi, soit comme pronom sans fonction logique :

> *Je* **m'**évanouis, je **me** meurs ;

soit comme pronom auxiliaire de conjugaison servant à faire exprimer au verbe l'idée du passif :

> *Le blé* **se** *vend bien.*

242. **Soi,** seul ou renforcé par *même,* ne se rapporte, en général, qu'à un sujet *indéterminé* et singulier :

> *Chacun travaille pour* **soi.** (Acad.)

Remarques. — 1. Avec un sujet *déterminé*, on emploie généralement *lui, elle(s)*, *eux* :

> *Racine avait contre* lui *toute la vieille génération.* (J. Lemaitre.)

Mais il ne serait pas incorrect de mettre *soi*, comme à l'époque classique :

> *Le feu s'était de* soi-*même éteint.* (Flaubert.)
> *Il a soudain peur de* soi-*même.* (G. Duhamel.)

En particulier on met *soi* pour éviter une équivoque et ordinairement aussi quand le sujet désigne un type :

> *Le frère de Paul me parle toujours de* soi. — *L'égoïste ne vit que pour* soi.

2. *Soi-disant* s'applique à des personnes ou à des choses :

> *De* soi-disant *docteurs.* (Acad.)
> *Ce* soi-disant *défaut.* (M. Barrès.)

Il peut se dire au sens adverbial de « censément » : *Vous m'avez consulté* soi-disant *au sujet de votre femme de chambre.* (M. Prévost.)

Pronoms en *et* y.

243.   En et **y** sont pronoms personnels quand, représentant, soit un nom de chose ou d'animal, soit une idée, ils équivalent, le premier à un complément construit avec *de*, le second à un complément construit avec *à* ou *dans :*

> *J'aime beaucoup Paris et j'*en *admire les monuments.* (Acad.)
> *Ce cheval est vicieux : défiez-vous-*en.
> *Vous chantiez ? j'*en *suis fort aise.* (La Font.)
> *Voici une lettre : vous* y *répondrez.*
> *Ce chien est caressant : je m'*y *suis attaché.*
> *On meurt comme on a vécu : pensez-*y *bien.*
> *Il a un jardin ; il* y *cultive toutes sortes de légumes.*

Remarques. — 1. Il est parfois difficile de décider si *en* (du lat. *inde*, de là) et *y* (du lat. *ibi*, là) sont adverbes de lieu ou pronoms personnels. On pourra observer, en particulier :

a) qu'ils sont pronoms personnels quand ils représentent un nom ou une proposition : *Viens-tu de la ville ? Oui, j'*en *viens.* — *Vous risquez gros : pensez-*y *bien.*

b) qu'ils sont adverbes de lieu lorsque, ne représentant ni un nom, ni une proposition, ils équivalent à « de là », « là » : *Sors-tu d'ici ? Oui, j'*en *sors.* — *N'allez pas là : il* y *fait trop chaud.*

2. *En* et *y* ont une valeur imprécise dans un grand nombre d'expressions, telles que : *s'en aller, en vouloir à quelqu'un, c'en est fait, il y va de l'honneur, il n'y paraît pas, n'y voir goutte, il s'y prend mal,* etc.

244.   En et **y** représentent parfois des noms de personnes :

> *C'est un véritable ami, je ne pourrai jamais oublier les services*
> *que j'*en *ai reçus.* (Acad.)
> *C'est un homme équivoque, ne vous* y *fiez pas.* (Id.)

2. PRONOMS POSSESSIFS

245. Les pronoms **possessifs** représentent le nom en ajoutant à l'idée de ce nom une idée de possession :

Cette maison est plus confortable que **la mienne.**

Le pronom dit « possessif » marque souvent, non la possession au sens strict, mais divers rapports :

Ma disgrâce entraînera **la tienne.**
Les funérailles de son père avaient été simples ; **les siennes** *furent solennelles.*

246. Les pronoms possessifs sont :

	Un seul objet		Plusieurs objets	
	Masculin	Féminin	Masculin	Féminin
Un seul possesseur	le mien	la mienne	les miens	les miennes
	le tien	la tienne	les tiens	les tiennes
	le sien	la sienne	les siens	les siennes
Plusieurs possesseurs	le nôtre	la nôtre	les nôtres	
	le vôtre	la vôtre	les vôtres	
	le leur	la leur	les leurs	

247. Le pronom possessif s'emploie parfois d'une manière absolue, sans représenter aucun nom exprimé :

1° Au masculin pluriel pour désigner les proches, les partisans :

Il est plein d'égards pour **les miens.** (Acad.)

2° Dans certaines locutions : *Y mettre* **du sien.** — *Faire* **des siennes.**

3. PRONOMS DÉMONSTRATIFS

248. Les pronoms **démonstratifs** désignent, sans les nommer, les êtres que l'on montre, ou dont on va parler, ou dont on vient de parler :

Prenez **ceci.** — **Cela** *étonne, un si grand édifice.*
Voilà deux beaux livres, mais je préfère **celui-ci** *à* **celui-là.**

Le pronom démonstratif n'implique pas toujours l'idée démonstrative : cette idée est effacée dans *celui, ceux, celle(s), ce* :

> **Ceux** (= les personnes, non *ces* personnes) *qui vivent, ce sont* **ceux** *qui luttent.* (Hugo.)

249. Les pronoms démonstratifs sont :

	SINGULIER			PLURIEL	
	Masculin	Féminin	Neutre	Masculin	Féminin
Formes simples	**celui**	**celle**	**ce**	**ceux**	**celles**
Formes composées	**celui-ci** **celui-là**	**celle-ci** **celle-là**	**ceci** **cela, ça**	**ceux-ci** **ceux-là**	**celles-ci** **celles-là**

Emploi.

Celui, celle(s), ceux.

250. *Celui, celle(s), ceux* demandent toujours après eux, soit un participe, soit un complément introduit par une préposition, soit une proposition relative :

> *Je joins à ma lettre* **celle** *écrite par le prince.* (Racine.)
> *Les amis de ce pays-là*
> *Valent bien, dit-on,* **ceux** *du nôtre.* (La Font.)
> **Ceux** *qui vivent, ce sont* **ceux** *qui luttent.* (Hugo.)

Remarque. — L'emploi après *celui, celle(s), ceux,* d'un participe ou d'un complément introduit par une préposition autre que *de* est autorisé par l'usage actuel :

> *Un autre empire que* **celui** *promis aux Latins.* (É. Henriot.)
> *Tauzin (...) compta les piles de blé,* **celles pour** *la vente et* **celles pour** *le four.* (J. de Pesquidoux.)

On trouve aussi (mais cela paraît peu correct) *celui, celle(s), ceux,* suivis d'un adjectif :

> *Le nombre des patients dépassait* **celui visible** *les soirs d'élection.* (P. Adam.)

Ce.

251. *Ce* s'emploie comme *sujet :*

1° Devant un pronom relatif :

> **Ce** *que l'on conçoit bien s'énonce clairement.* (Boileau.)

2° Devant le verbe *être* (parfois précédé de *devoir* ou de *pouvoir*) :

Ce *fut une grande joie.* — **Ce** *doit être un beau spectacle.*

252. *Ce*, devant le verbe *être*, peut reprendre un sujet :

Le premier des biens, **c'est** *la vertu.*
Que le bien doive être récompensé, **c'est** *une certitude.*

Il peut aussi annoncer un sujet, qui est :

soit un nom ou un pronom introduits par *que* :

C'est *un trésor que la santé.*

soit un infinitif introduit par *de* ou *que de* :

C'est *une folie (que) d'entreprendre cela.*

soit une proposition introduite par *que*, parfois par *comme, quand, lorsque, si* :

C'est *une honte qu'il ait fait cela.*
C'est *étonnant comme il grandit.*
C'est *rare quand il se trompe.*
Ce *fut miracle si cet imprudent ne se rompit pas le cou.*

Remarques. — 1. *C'est* forme avec *qui* ou *que* un gallicisme qui permet de mettre en relief n'importe quel élément de la pensée, sauf le verbe :

C'est *moi* **qui** *suis Guillot.* (La Font.)
C'est *l'erreur* **que** *je fuis.* (Boileau.)
Ce *n'est donc pas des hommes* **qu'**il *est ennemi.* (J.-J. Rousseau.)
C'est *demain* **que** *nous partirons.*

2. Si le complément mis en vedette au moyen de *c'est ... que* est précédé d'une préposition, on doit mettre en tête avec lui cette préposition :

C'est **à** *vous que je parle. C'est* **de** *lui que je parle.*

La tournure *C'est* **à** *vous* **à** *qui je parle* est archaïque.

253. *Ce* s'emploie comme **attribut** ou comme **complément** immédiatement devant un pronom relatif :

Cette affaire n'est pas **ce** *qui me préoccupe,* **ce** *à quoi je donne mes soins.*
Prenez **ce** *qui vous convient,* **ce** *dont vous avez besoin.*

Ce, non suivi d'un pronom relatif, est complément dans certains tours anciens : *ce dit-on, et ce, ce disant, ce faisant, pour ce faire, sur ce, de ce non content.*

Ceci, celui-ci, celle(s)-ci, ceux-ci, etc.

254. Les démonstratifs prochains *ceci, celui-ci, celle(s)-ci, ceux-ci* s'emploient en opposition avec les démonstratifs lointains *cela, celui-là, celle(s)-là, ceux-là,* pour distinguer nettement l'un de l'autre deux êtres ou objets, deux groupes d'êtres ou d'objets qu'on a devant soi :

> **Ceci** *est beau,* **cela** *est laid.* (Acad.)
> *Voici deux tableaux, préférez-vous* **celui-ci** *ou* **celui-là ?** (Id.)

255. **a)** Le plus souvent, quand il y a opposition, les démonstratifs prochains désignent l'être ou l'objet, les êtres ou les objets les plus rapprochés ou nommés en dernier lieu ; les démonstratifs lointains désignent l'être ou l'objet, les êtres ou les objets éloignés ou nommés en premier lieu :

> *Démocrite et Héraclite étaient de nature bien différente ;*
> **celui-ci** *pleurait toujours,* **celui-là** *riait sans cesse.* (Acad.)

b) S'il n'y a pas opposition, les démonstratifs prochains s'appliquent à ce qui va être dit, à l'être ou à l'objet, aux êtres ou aux objets, qu'on a devant soi, ou dont on parle, ou dont on va parler ; les démonstratifs lointains représentent ce qui a été dit, l'être ou l'objet, les êtres ou les objets dont on a parlé :

> *Dites* **ceci** *de ma part à votre ami : qu'il se tienne tranquille.* (Acad.)
> *Tout* **ceci** *n'annonce rien de bon.* (Littré.)
> *Il m'a demandé une devise ; je lui ai proposé* **celle-ci** *: « Repos ailleurs. »*
> *Que votre ami se tienne tranquille : dites-lui* **cela** *de ma part.* (Acad.)
> *On ne prend là-dessus que trop d'autres leçons sans*
> **celle-là.** (J.-J. Rousseau.)

Remarques. — 1. *Celui-là, ceux-là* s'emploient au lieu de *celui, ceux,* lorsque la relative qui les détermine est rejetée après la principale :

> **Ceux-là** *font bien qui font ce qu'ils doivent.* (La Bruyère.)

2. *Ça* est une forme réduite de *cela.* Au XVIIe siècle, il était de la langue populaire ; c'est au XIXe et au XXe siècle qu'il s'est impatronisé dans l'usage général, tout en restant cependant moins « distingué » que *cela :*

> *Je suis roi.* **Ça** *suffit.* (Hugo.)
> **Ça** *pourrait devenir dangereux pour elle.* (A. Maurois.)

3. *Cela, ça,* dans la langue familière, désignent parfois des personnes :

> *Ouvrons aux deux enfants. Nous les mêlerons tous.*
> **Cela** *nous grimpera le soir sur les genoux.* (Hugo.)

4. PRONOMS RELATIFS

256. Les pronoms **relatifs** servent à joindre à un nom ou à un pronom qu'ils représentent une proposition dite *relative,* qui explique ou détermine ce nom ou ce pronom :

> *Un loup survient à jeun* **qui** *cherchait aventure.* (La Font.)
> *Le premier pas, mon fils,* **que** *l'on fait dans le monde*
> *Est celui* **dont** *dépend le reste de nos jours.* (Voltaire.)

Le nom ou le pronom représenté par le pronom relatif s'appelle **antécédent.**

257. Les pronoms relatifs ont des formes simples et des formes composées :

FORMES SIMPLES	qui que	des deux genres et des deux nombres.
	quoi	: ordinairement neutre.
	dont où	des deux genres et des deux nombres.

FORMES COMPOSÉES	SINGULIER		PLURIEL	
	Masculin	Féminin	Masculin	Féminin
	lequel	laquelle	lesquels	lesquelles
	duquel	de laquelle	desquels	desquelles
	auquel	à laquelle	auxquels	auxquelles

N. B. — Outre les formes signalées dans ce tableau, il y a les pronoms relatifs composés **quiconque, qui que, quoi que, qui que ce soit qui, qui que ce soit que, quoi que ce soit qui, quoi que ce soit que,** qui sont des *relatifs indéfinis :*

> **Quiconque** *est loup agisse en loup.* (La Font.)
> **Qui que** *tu sois, ne t'enfle pas d'orgueil.*
> **Quoi que** *vous puissiez dire, vous ne le convaincrez pas.*
> *Sur* **quoi que ce soit qu'**on *l'interroge, il a réponse prête.* (A. Gide.)

Dans l'analyse des mots de la subordonnée, on peut considérer globalement chacun des relatifs composés *qui que, quoi que,* etc., mais strictement parlant, c'est le premier élément qui a une fonction particulière de sujet, d'attribut, etc.

Remarques. — 1. S'emploient sans antécédent : 1° *qui, que, quoi, où,* pris comme relatifs indéfinis ; 2° les relatifs indéfinis *quiconque, qui que, quoi que, qui que ce soit qui* (ou *que*), *quoi que ce soit qui* (ou *que*) :

Qui *veut peut.* — *Advienne* **que** *pourra.*
Il a de **quoi** *vivre.* — *Il n'a pas* **où** *reposer sa tête.*
Quiconque *ment se dégrade.*

2. Le pronom relatif est du même genre, du même nombre et de la même personne que son antécédent :

Vous **que** *j'ai secourus* (2ᵉ pers. masc. plur.).

3. Les formes composées *lequel, duquel,* etc. ne sont que des formes variées du même pronom *lequel,* composé de l'article défini et du pronom interrogatif *quel,* et qui peut se combiner avec *à* ou *de.*

Emploi.

258. **Qui** est sujet ou complément :

a) Comme *sujet,* il s'applique à des personnes ou à des choses :

L'homme **qui** *travaille évite l'ennui.*
L'arbre **qui** *ne porte pas de bons fruits sera coupé.*

Il s'emploie sans antécédent comme relatif indéfini, dans certains proverbes ou dans certaines expressions sentencieuses :

Qui *veut mourir ou vaincre est vaincu rarement.* (Corneille.)

De même dans *qui plus est, qui mieux est, qui pis est,* et après *voici, voilà* :

Il est compétent et, **qui** *mieux est, très honnête.* — *Voilà* **qui** *est fait.*

Remarque. — *Qui* répété s'emploie comme sujet au sens distributif de « celui-ci... celui-là, ceux-ci... ceux-là » :

L'auditoire gémit, en voyant dans l'enfer tout ouvert **qui** *son père et* **qui** *sa mère,* **qui** *sa grand-mère et* **qui** *sa sœur.* (A. Daudet.)

b) Comme *complément, qui* est précédé d'une préposition et s'applique à des personnes ou à des choses personnifiées, parfois aussi à des animaux :

L'homme à **qui** *je parle.*
Ceux de **qui** *je me plains, pour* **qui** *je travaille.*
Rochers à **qui** *je me plains.* (Acad.)
Un chien à **qui** *elle fait mille caresses.* (Id.)

Dans les phrases telles que les suivantes, *qui*, relatif indéfini, a sa fonction (sujet ou complément) dans la proposition relative, et cette proposition tout entière est complément du verbe principal ou d'un autre mot de la principale :

> *Aimez* **qui** *vous aime. — Il le raconte à* **qui** *veut l'entendre.*
> *Il gagne l'estime de* **qui** *le connaît bien.*

259. **Que,** relatif, s'applique à des personnes ou à des choses. Il peut être sujet, attribut ou complément.

a) Il est *sujet* dans quelques expressions figées ou dans les propositions infinitives (§ 461, 4°) :

> *Fais ce* **que** *bon te semblera. — Advienne* **que** *pourra.*
> *Coûte* **que** *coûte. — Vaille* **que** *vaille.*
> *Le train* **que** *j'entends siffler.*

Remarque. — Avec les verbes impersonnels, *que* introduisant la proposition relative est sujet réel :

> *Les chaleurs* **qu**'*il a fait ont été torrides.*

b) *Que,* neutre, peut être *attribut :*

> *Vous êtes aujourd'hui ce* **qu**'*autrefois je fus.* (Corneille.)
> *Malheureux* **que** *je suis !*

c) Le relatif *que* est le plus souvent *complément d'objet direct :*

> *L'esprit* **qu**'*on veut avoir gâte celui* **qu**'*on a.* (Gresset.)
> *Un ami est un frère* **que** *nous avons choisi.*

Il est *complément circonstanciel* quand il a la valeur de *où, dont, duquel, durant lequel,* etc. :

> *Et, rose, elle a vécu ce* **que** *vivent les roses.* (Malherbe.)
> *Du temps* **que** *j'étais écolier.* (Musset.)
> *L'hiver* **qu**'*il fit si froid.*

260. **Quiconque** ne se rapporte à aucun antécédent. Il signifie « celui, quel qu'il soit, qui » : il est donc de la 3ᵉ personne du masculin singulier et est normalement sujet :

> **Quiconque** *ne sait pas souffrir n'a pas un grand cœur.* (Fénelon.)
> *Et l'on crevait les yeux à* **quiconque** *passait.* (Hugo.)

Remarques. — 1. Lorsque *quiconque* a nettement rapport à une femme, il veut au féminin l'adjectif dont il commande l'accord :

> *Mesdames, quiconque de vous sera assez* **hardie** *pour médire de moi,*
> *je l'en ferai repentir.* (Acad.)

2. *Quiconque* employé au sens de « n'importe qui » (ou de « personne ») pénètre de plus en plus dans la littérature moderne :

> *Pourquoi ne les invite-t-il pas à souper, comme ferait* **quiconque** *à*
> *sa place ?* (Montherlant.)
> *Il est impossible à* **quiconque** *de se procurer quoi que ce soit*
> *touchant cet ouvrage.* (G. Duhamel.)

261. **Quoi que,** en deux mots, doit être distingué de la conjonction *quoique,* en un mot :

Quoi que signifie « quelque chose que » :

> **Quoi que** *vous fassiez, faites-le avec soin.*

Quoique signifie « bien que » :

> **Quoique** *vous fassiez de grands efforts, vous ne réussirez pas.*

262. **Quoi,** relatif, ne s'applique qu'à des choses. Il s'emploie uniquement comme complément et est presque toujours précédé d'une préposition ; il se rapporte généralement à un antécédent de sens vague (*ce, rien, chose,* etc.) ou à toute une proposition :

> *Il n'y a rien sur* **quoi** *l'on ait tant disputé.* (Acad.)
> *Vous avez cité Cicéron, en* **quoi** *vous vous êtes trompé.* (Id.)

Remarques. — 1. *Quoi* s'emploie parfois sans antécédent :

> *Il a de* **quoi** *vivre. — Voici de* **quoi** *il s'agit.*

2. La langue littéraire moderne, reprenant un vieil usage, emploie assez fréquemment *quoi* en relation avec un nom de sens précis, déterminé :

> *Une familiarité à* **quoi** *il n'a pas pris garde.* (H. Bordeaux.)

263. **Lequel** s'applique à des personnes ou à des choses et s'emploie comme sujet ou comme complément :

a) Comme *sujet,* il se rencontre dans la langue juridique ou administrative, et parfois aussi dans la langue courante quand il permet d'éviter l'équivoque :

> *On a entendu trois témoins,* **lesquels** *ont dit...* (Acad.)
> *Un homme s'est levé au milieu de l'assemblée,* **lequel** *a parlé*
> *d'une manière extravagante.* (Id.)

b) Comme *complément, lequel,* toujours précédé d'une préposition, renvoie le plus souvent à un nom de chose ou d'animal :

> *La patrie, pour* **laquelle** *chacun doit se sacrifier, exige ce*
> *nouveau sacrifice.* (Acad.)

264. **Dont** s'applique à des personnes ou à des choses ; comme complément du sujet, du verbe, de l'attribut ou du complément d'objet direct, il marque, comme ferait le relatif ordinaire introduit par *de,* la possession, la cause, la manière, la matière, etc. :

La nature, **dont** *nous ignorons les secrets.* (Acad.)
La maladie **dont** *il est mort.* (Id.)

Remarques. — 1. *Dont* ne peut, en principe, dépendre d'un complément introduit par une préposition. On ne dirait pas, d'ordinaire :

Un ami **dont** *on se console de la mort.*

2. *Dont* est parfois, complément à la fois du sujet et du complément d'objet direct (ou de l'attribut) :

Il plaignit les pauvres femmes **dont** *les époux gaspillent la fortune.* (Flaubert.)
Vous avez trop de raison pour un âge **dont** *l'ingénuité est à la fois le seul attrait et la seule excuse.* (E. Fromentin.)

3. C'est une règle traditionnelle qu'avec les verbes indiquant sortie ou extraction, on emploie comme conjonctif, pour marquer l'origine :

1° **d'où,** quand il s'agit de choses :

La ville **d'où** *il vient.*

2° **dont,** quand il s'agit de personnes, de descendance :

La famille **dont** *je descends.* (Acad.)

Cependant on met parfois *dont* dans des phrases où il s'agit de choses :

Le jardin **dont** *vous venez de sortir.* (E. Jaloux.)
Dans la chambre **dont** *Justin se retirait.* (G. Duhamel.)

Quand la phrase est interrogative ou qu'il n'y a pas d'antécédent exprimé, on met toujours *d'où :*

Cet orgueilleux, **d'où** *descend-il ?*
Rappelez-vous **d'où** *vous êtes issu.*

265. **Où,** relatif, ne peut s'appliquer qu'à des choses et est toujours complément circonstanciel de lieu ou de temps :

La ville **où** *vous habitez, d'où vous venez.*
Le temps **où** *nous sommes.*
Dans l'état **où** *vous êtes.*

Il s'emploie parfois sans antécédent :

Le Seigneur n'avait pas **où** *reposer sa tête.* (Massillon.)

5. PRONOMS INTERROGATIFS

266. Les pronoms **interrogatifs** servent à interroger sur la personne ou la chose dont ils expriment, ou représentent, ou annoncent l'idée :

> **Qui** *donc es-tu, morne et pâle visage (...) ?*
> **Que** *me veux-tu, triste oiseau de passage ?* (Musset.)
> *De ces deux chemins* **lequel** *devons-nous prendre ?*

267. Les formes des pronoms interrogatifs ne sont autres que celles des pronoms relatifs (*dont* et *où* étant exclus).

> *Où*, dans l'interrogation, est toujours adverbe : **Où** *allez-vous ?*

> **Remarque.** — On emploie très souvent comme formes d'insistance les périphrases formées par l'adjonction de *est-ce qui, est-ce que*, aux diverses formes du pronom interrogatif :

> > *Mais* **qui est-ce que** *tu entends par là ?* (Molière.)
> > *Ah !* **qu'est-ce que** *j'entends ?* (Racine.)

268. **Qui** interrogatif est ordinairement du masculin singulier. Il sert à interroger sur des personnes, tant dans l'interrogation indirecte que dans l'interrogation directe, et peut être sujet, attribut ou complément :

> **Qui** *vient ?* — **Qui** *es-tu ?* — **Qui** *cherches-tu ?* — **À qui**
> *parles-tu ?*
> *Je demande* **qui** *vient,* **qui** *tu es,* **qui** *tu cherches, à* **qui** *tu parles.*

269. **Que** interrogatif est du neutre singulier.

Dans l'interrogation directe, il s'emploie comme sujet (devant certains verbes impersonnels), comme attribut ou comme complément :

> **Que** *reste-t-il ?* — **Que** *deviendrai-je ?* — **Que** *ferai-je ?*
> **Que** *gagnez-vous par an ?* (La Font.)

Dans l'interrogation indirecte, il s'emploie comme attribut ou comme complément d'objet direct après *avoir, savoir, pouvoir*, pris négativement et suivis d'un infinitif :

> *Je ne sais* **que** *devenir.*
> *Je ne savais* **que** *répondre.* (Chateaubriand.)
> *Il ne pouvait* **que** *dire.* (La Font.)
> *Je n'ai* **que** *faire de vos dons.* (Molière.)

270. **Quoi** interrogatif est du neutre singulier.

Dans l'interrogation directe, il peut être sujet (phrases elliptiques) ou complément :

Quoi de plus beau ?
Il t'a dit quoi donc, mon fils ? (P. Loti.)
À quoi vous divertissez-vous ?

Dans l'interrogation indirecte, il est toujours complément :

Je ne sais quoi répondre. (P. Loti.)
Dites-moi de quoi il se plaint.

271. **Lequel** interrogatif varie en genre et en nombre ; il se dit des personnes et des choses et peut remplir toutes les fonctions, tant dans l'interrogation indirecte que dans l'interrogation directe :

De ton cœur ou de toi lequel est le poète ? (Musset.)
Lequel es-tu ? — Laquelle de ces étoffes choisissez-vous ?
Dites-moi laquelle vous plaît, laquelle vous choisissez,
sur laquelle vous fixez votre choix.

6. PRONOMS INDÉFINIS

272. Les pronoms **indéfinis** servent à désigner d'une manière vague, indéterminée, des personnes ou des choses dont l'idée est exprimée ou non, avant ou après eux :

Chacun est l'artisan de sa propre fortune.
Voici deux livres : l'un est agréable, l'autre est utile.

273. Les pronoms indéfinis sont :

1°			
autre chose	**quelque chose**	**je ne sais qui**	
grand-chose	**autrui**	**je ne sais quoi**	
peu de chose	**chacun(e)**	**quelqu'un(e)**	

2°		
on		
personne	anciens noms ayant pris un sens indéterminé ;	
rien		

3°			
aucun(e)	**l'un(e)**	**nul(le)**	**plusieurs**
d'aucun(e)s	**l'autre**	**pas un(e)**	**[un(e)] tel(le)**
certain(e)s	**l'un(e) et l'autre**	**plus d'un(e)**	**tout**

qui passent de la catégorie des *adjectifs* (ou articles) indéfinis dans celle des *pronoms* indéfinis quand ils ne sont pas joints à un nom.

Remarque. — Certains adverbes de quantité : *assez, beaucoup, combien, peu, trop,* etc., désignant une quantité indéterminée d'êtres ou d'objets, peuvent être mis au nombre des pronoms indéfinis :

> **Combien** *ont disparu !* (Hugo.)

De même certaines expressions, comme : *n'importe qui, n'importe quoi, tout le monde, un autre, le même,* peuvent avoir la valeur de pronoms indéfinis.

Emploi.

274. Aucun a signifié autrefois « quelque, quelqu'un ». Il a conservé une valeur positive dans certains emplois :

> *D'aucuns le blâmeront. — Je doute qu'aucun d'eux réussisse.*
> *Il travaille mieux qu'aucun de ses frères.*

Mais étant le plus souvent accompagné de la négation, *aucun* a pris, par contagion, la valeur négative de « pas un » :

> *De toutes vos raisons,* **aucune** *ne me convainc.*
> *A-t-il des ennuis ?* **Aucun.**

275. Nul se construit toujours avec une négation ; il est toujours au singulier et ne s'emploie que comme sujet.

Quand il ne renvoie à aucun nom (ou pronom) exprimé, il ne se dit que des personnes et ne peut être que masculin :

> **Nul** *n'est exempt de mourir.* (Acad.)

Quand il renvoie à un nom (ou pronom) exprimé, il se dit des personnes et des choses et s'emploie aux deux genres :

> *Plusieurs explorateurs sont allés dans ces régions ;* **nul** *n'en est revenu.*
> *Toutes les vertus sont aimables, mais* **nulle** *n'est plus aimable que la charité.*

276. Autrui ne se dit que des personnes et s'emploie comme complément prépositionnel, parfois aussi comme sujet ou comme objet direct :

> *Ne désirez pas le bien d'***autrui.**
> **Autrui** *nous est indifférent.* (M. Proust.)
> *Il ne faut jamais traiter* **autrui** *comme un objet.* (A. Maurois.)

277. On (du lat. *homo,* homme) est régulièrement de la 3e personne du masculin singulier et ne s'emploie que comme sujet :

> **On** *a souvent besoin d'un plus petit que soi.* (La Font.)

Remarques. — 1. *On* prend parfois un sens bien déterminé et se substitue à *je, tu, nous, vous, il(s), elle(s)*, en marquant la modestie, la discrétion, l'ironie, le mépris, etc. :

> *Un couplet qu'***on*** (= vous) s'en va chantant*
> *Efface-t-il la trace altière*
> *Du pied de nos chevaux marqué dans votre sang ?* (Musset.)
> *A-t-***on*** (= tu) été sage, mon enfant ?*

2. Quand les circonstances marquent précisément qu'on parle d'une femme, l'attribut de *on* se met au féminin par syllepse :

> *Eh bien, petite, est-on* **fâchée ?** (Maupassant.)

3. Il arrive que *on* soit suivi d'un attribut au pluriel :

> *On n'est pas* **des esclaves** *pour endurer de si mauvais traitements.* (Acad.)

4. Comme *on* était originairement un nom, il a gardé la faculté de prendre l'article *l'* lorsque l'euphonie le demande, principalement après *et, ou, où, que, si*, et parfois après *lorsque* (cet *l'* est regardé aujourd'hui comme simple *consonne euphonique*) :

> *Il faut que* **l'on** *consente.* (Acad.)
> *Guenille, si* **l'on** *veut, ma guenille m'est chère.* (Molière.)

278. Personne, originairement nom féminin, a pu servir ensuite de pronom indéfini masculin singulier. Il a gardé son sens positif dans certains emplois :

> *Y a-t-il* **personne** *d'assez hardi ?* (Acad.)
> *Je doute que* **personne** *y réussisse.* (Id.)

Mais *personne,* étant souvent accompagné d'une négation, a pris, par contagion, la valeur négative de « nul homme » :

> *Non, l'avenir n'est à* **personne.** (Hugo.)
> *Qui vient ? qui m'appelle ?* **Personne.** (Musset.)

Remarque. — Quand *personne* désigne évidemment une femme, on lui donne le genre féminin :

> *Personne n'est plus que moi votre* **servante,** *votre* **obligée.** (Littré.)

279. a) Quelqu'un, employé d'une façon absolue, ne se dit que des personnes et uniquement au masculin :

> **Quelqu'un** *est venu.*

Son pluriel *quelques-uns* marque l'indétermination quant au nombre et non plus quant à l'individu :

> **Quelques-uns** *l'affirment.*

b) *Quelqu'un,* en rapport avec *en* ou avec un mot pluriel ou collectif, se dit des personnes et des choses et s'emploie aux deux genres et aux deux nombres :

> *J'en connais* **quelques-uns** *à qui ceci conviendrait bien.*
> **Quelqu'une** *de vos compagnes.* (Littré.)
> *Il a fait de multiples découvertes, mais* **quelques-unes** *seulement*
> *sont connues ; il n'en a révélé que* **quelques-unes.**

280. **Rien** a signifié originairement « chose »[1]. Il a gardé une valeur positive dans certains emplois :

> *Y a-t-il* **rien** *de plus beau ? — Je désespère d'y* **rien** *comprendre.*
> *Si je vous cachais* **rien.** *— Il est parti sans* **rien** *dire.*

Mais étant le plus souvent accompagné d'une négation, *rien* a pris, par contagion, la valeur négative de « nulle chose » :

> *Qui ne risque* **rien** *n'a* **rien.**
> *Et comptez-vous pour* **rien** *Dieu qui combat pour nous ?* (Racine.)

281. **a)** *L'un(e)... l'autre, les un(e)s... les autres, l'un(e)... un(e) autre, les un(e)s... d'autres* servent à marquer l'opposition :

> *L'un* *n'a-t-il pas sa barque et* *l'autre sa charrue ?* (Hugo.)

b) *L'un l'autre, les uns les autres, l'un à l'autre, l'un de l'autre,* etc. marquent la réciprocité :

> *Il se faut* *l'un l'autre secourir.* (La Font.)
> *Comme deux rois amis on voyait deux soleils*
> *Venir au-devant* *l'un de l'autre.* (Hugo.)

---

1. *Rien,* du lat. *rem,* accusatif de *res,* chose.

CHAPITRE V

LE VERBE

282. Le **verbe** est un mot qui exprime, soit l'action faite ou subie par le sujet, soit l'existence ou l'état du sujet, soit l'union de l'attribut au sujet :

> *L'élève* **écrit.** — *Le chêne* **est abattu** *par le bûcheron.*
> *Que la lumière* **soit !**
> *L'homme* **est** *mortel.*

283. Une **locution verbale** est une réunion de mots qui exprime une idée unique et joue le rôle d'un verbe :

> *Avoir besoin, avoir peur, avoir raison, avoir envie, ajouter foi, donner lieu, faire défaut, prendre garde, savoir gré, tenir tête, avoir beau, se faire fort, faire savoir,* etc.

1. ESPÈCES DE VERBES

284. Verbe copule.

Le *verbe copule* est le verbe *être* joignant l'attribut au sujet (§ 58) :

$$\boxed{L'homme} - \boxed{\textbf{est}} - \boxed{mortel}$$

Certains verbes d'état ou d'action sont aussi verbes copules quand ils joignent l'attribut au sujet : à l'idée qu'ils expriment par eux-mêmes l'esprit associe alors l'idée du verbe *être* (§ 59) :

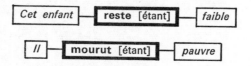

285. Verbes transitifs, verbes intransitifs.

Au point de vue de leur *objet,* les verbes se divisent en verbes *transitifs* et verbes *intransitifs.*

Dans l'une et dans l'autre catégorie se rencontrent les verbes *pro-nominaux* ; — dans la catégorie des intransitifs, on rencontre les verbes *impersonnels*.

286.   **a)** Les verbes *transitifs* sont ceux qui expriment une action *passant* (latin *transire,* passer) du sujet sur une personne ou sur une chose ; ils appellent un complément d'objet (sans lequel ils auraient un sens incomplet et resteraient comme en l'air).

Ils supposent donc une relation nécessaire entre :

> un être ou une chose qui fait l'action ;
> un être ou une chose qui la reçoit.

1° Ils sont transitifs **directs** quand leur complément d'objet est *direct* (c'est-à-dire sans préposition : § 48) :

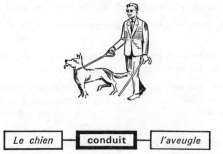

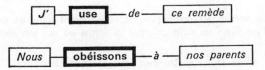

| Le chien | conduit | l'aveugle |

2° Ils sont transitifs **indirects** quand leur complément d'objet est *indirect* (c'est-à-dire introduit par une préposition : § 51) :

| J' | use | de | ce remède |
| Nous | obéissons | à | nos parents |

Remarque. — Certains verbes transitifs ont ou peuvent avoir à la fois deux compléments d'objet, l'un direct, l'autre indirect :

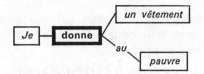

un vêtement
Je donne
au
pauvre

b) Les verbes **intransitifs** sont ceux qui expriment une action ne passant pas du sujet sur une personne ou sur une chose ; ils n'appellent pas de complément d'objet et suffisent avec leur sujet à exprimer l'idée complète de l'action :

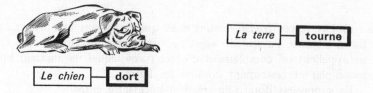

Remarque. — Pour déterminer, dans une phrase donnée, si un verbe est *transitif* ou *intransitif,* il faut considérer la structure réelle de la proposition : il n'y a pas lieu d'attribuer au verbe une *nature* transitive ou intransitive ; ce qu'il s'agit d'observer, c'est l'*emploi* transitif ou intransitif qui est fait de ce verbe. Ainsi :

a) Il arrive que l'objet de l'action soit si nettement indiqué par les circonstances qu'il devient inutile de l'exprimer : le verbe est alors *intransitif :*

Cet homme **boit.** — *Les juges* **ont prononcé.** — *Ce chien* **mord.**

b) Un même verbe peut parfois être transitif direct ou transitif indirect, mais généralement avec des sens plus ou moins différents :

Il **insulte** *les malheureux.*   *Il* **insulte** *à notre misère.*
Il **manque** *son but.*   *Il* **manque** *à sa parole.*
Il **use** *sa santé.*   *Il* **use** *de patience.*

c) Certains verbes transitifs peuvent devenir intransitifs et vice versa, mais généralement le sens change plus ou moins :

Je **ferme** *la porte.*   *La porte* **ferme** *mal.*
Tout **passe.**   *Je* **passe** *la frontière.*
Il **vit** *dans l'angoisse.*   *Il* **vit** *des jours d'angoisse.*

d) Quelques verbes intransitifs peuvent, en devenant transitifs, avoir pour complément d'objet direct un nom qui, par sa forme ou par son sens, rappelle leur radical :

Vivre *sa vie.* — **Dormez** *votre sommeil.* (Bossuet.)

287. Verbes pronominaux.

Les *verbes pronominaux* sont ceux qui sont accompagnés des pronoms *me, te, se, nous, vous,* désignant le même être ou objet, les mêmes êtres ou objets que le sujet :

Je me cache, tu t'habilles, il se tait.

Au point de vue du sens, les verbes pronominaux présentent différentes valeurs :

Sens réfléchi :	Sens réciproque :	Pron. sans fonc-	Sens passif :
Il s'aperçoit	*Les deux amis*	tion logique :	*Le clocher*
dans la glace	*s'aperçoivent*	*Le corbeau s'a-*	*s'aperçoit*
		perçoit de son	
		erreur	

1° Ils sont **réfléchis** lorsque l'action revient, se réfléchit sur le sujet ; le pronom est alors complément d'objet direct ou indirect :

Il s'aperçoit *dans la glace.* — **Il se blesse.** — *Tu* **te nuis.**

2° Ils sont **réciproques** lorsque deux ou plusieurs sujets agissent l'un sur l'autre ou les uns sur les autres :

Quand ces deux amis **s'aperçoivent,** *ils* **se sourient.**
Ils **se querellent,** *ils* **se battent,** *ils* **se réconcilient.**

Le sens réciproque est parfois indiqué par le préfixe *entre* :

Ils s'entraident. — *Ils s'entre-tuent.*

Souvent le sens réciproque est renforcé par une des expressions *l'un l'autre, l'un à l'autre, mutuellement, réciproquement, entre eux* :

Ils se louent **l'un l'autre.** — *Ils se nuisent* **l'un à l'autre.**
Ils se gênent **mutuellement.** — *Ils se rendent* **réciproquement**
de bons offices. — *Ils s'aident* **entre eux.**

3° Certains verbes pronominaux ont un **pronom sans fonction logique,** qui reflète simplement le sujet, sans jouer aucun rôle de complément d'objet direct ou indirect [1] :

s'en aller	*s'en retourner*	*s'en revenir*	*s'envoler*	*s'enfuir*
s'ensuivre	*s'endormir*	*se taire*	*se mourir*	*se rire de*
s'écrier	*se pâmer*	*se jouer de*	*se connaître à*	*se prévaloir de*
s'évanouir	*se douter de*	*s'emparer de*	*se moquer*	*se repentir*, etc.

Le corbeau **s'aperçoit** *de son erreur.* — *Tu* **te repens** *de ta faute.*
Le malade **s'évanouit.**

4° On emploie fréquemment la forme pronominale dans le *sens passif,* toujours sans indication d'agent [2] :

Le clocher **s'aperçoit** *de loin.* — *Le blé* **se vend** *bien.*

---

1. Ce pronom conjoint s'incorpore en quelque sorte au verbe à la manière d'un préfixe, sans toutefois se souder avec lui : il pourrait s'appeler *pronom censément préfixé.* On ne saurait l'analyser à part : il est un élément constitutif de la forme verbale.
2. Ici non plus le pronom conjoint ne s'analyse pas à part.

288. Verbes impersonnels.

Les verbes *impersonnels* sont ceux qui ne s'emploient qu'à la troisième personne du singulier ; ils ont pour sujet *apparent* le pronom neutre *il* (§ 44).

a) Les verbes impersonnels ***proprement dits*** expriment des phénomènes de la nature :

> *Il pleut, il tonne, il gèle, il neige, il grêle, il vente,* etc.

On y joint *falloir, y avoir* et aussi *faire* dans des expressions telles que : *Il fait froid, il fait du vent,* etc.

Remarque. — Certains de ces verbes s'emploient parfois figurément avec un sujet personnel :

> *Boulets, mitraille, obus, mêlés aux flocons blancs,*
> **Pleuvaient.** (Hugo.)
> *Des pétales* **neigent** *sur le tapis.* (A. Gide.)

b) Un grand nombre de verbes personnels peuvent être ***pris impersonnellement :***

> *Il* **est arrivé** *un malheur.* — *Il* **convient** *de partir.*

Remarques. — 1. Le verbe *être* se combine avec des adjectifs pour former de nombreuses locutions impersonnelles : *Il est possible, douteux, nécessaire, utile, bon, juste, heureux, faux, rare,* etc.

2. On peut employer comme *impersonnels* les verbes pronominaux de sens passif :

> *Il* **se vend** *beaucoup de blé dans cette région.*
> *Il* **se débite** *bien des sottises.*

2. FORMES DU VERBE

289. Dans une forme verbale, on distingue :

1° Le **radical,** généralement invariable, qui exprime l'idée fondamentale du verbe :

> **Chant***er, nous* **chant***ons,* **gém***ir.*

2° La **désinence** (ou **terminaison**), essentiellement variable, qui marque les modifications de personne, de nombre, de mode et de temps :

> *Je chant***e,** *nous chant***ons,** *que je chant***asse.**

290. Les formes du verbe varient non seulement d'après le *nombre* et d'après la *personne*, mais encore d'après la *voix*, d'après le *mode* et d'après le *temps*.

Nombres.

291. Le verbe varie en **nombre,** c'est-à-dire suivant que le sujet est au *singulier* ou au *pluriel :*

Je travaille, nous travaillons.

Personnes.

292. Le verbe varie aussi en **personne,** c'est-à-dire suivant que le sujet désigne :

1º la personne ou les personnes qui parlent (1re personne) :

Je travaille, nous travaillons.

2º la personne ou les personnes à qui l'on parle (2e personne) :

Tu travailles, vous travaillez.

3º la personne ou les personnes de qui l'on parle, la chose ou les choses dont on parle (3e personne) :

Il travaille, ils travaillent.

Voix.

293. On appelle **voix** les formes que prend le verbe pour exprimer le rôle du sujet dans l'action, le sens du déroulement de l'action. On distingue :

1º La voix *active,* indiquant que le sujet *fait* l'action ; celle-ci est considérée à partir de l'agent qui la déclenche :

Le chien **conduit** *l'aveugle.*

2° La voix *passive,* indiquant que le sujet *subit* l'action ; celle-ci est considérée à partir de l'être ou de l'objet qui l'éprouve.

L'aveugle **est conduit** *par le chien.*

N. B. — Des grammairiens distinguent en outre la voix *réfléchie* ou *pronominale,* indiquant que l'action, faite par le sujet, se réfléchit, revient sur lui : *Je me blesse ;* mais on n'a là qu'un cas particulier de la voix active.

Pour les différentes valeurs de la forme pronominale, voir le § 287.

Remarques. — 1. En principe, on peut tourner par le passif un verbe transitif ayant un complément d'objet direct : le complément d'objet direct du verbe actif devient le sujet du verbe passif, et le sujet du verbe actif devient le complément d'agent du verbe passif :

Le juge interroge l'accusé. L'accusé est interrogé par le juge.

Toutefois quand le sujet du verbe actif est *on,* ce pronom disparaît dans la phrase mise au passif, qui dès lors ne comporte pas de complément d'agent :

On interrogea l'accusé. L'accusé fut interrogé.

2. Les verbes intransitifs ne peuvent être mis au passif. Toutefois *obéir, désobéir, pardonner* font exception :

Vous **serez obéi.** (Racine.) — *Vous* **êtes pardonné.**

On notera aussi que certains verbes intransitifs peuvent avoir un passif impersonnel.

Il en **sera parlé.**

3. Les verbes pronominaux ne peuvent se mettre au passif :

Il se vante.

Modes.

294. Les **modes** sont les diverses manières de concevoir et de présenter l'action [1] exprimée par le verbe.

Ils sont *personnels* ou *impersonnels.*

---

1. Strictement parlant : *l'action, l'existence ou l'état.* Nous allégeons l'expression.

a) Modes personnels.

Il y a quatre modes **personnels,** qui admettent la distinction des personnes grammaticales :

1° L'*indicatif,* qui présente l'action comme réelle :

> Cet ouvrier **travaille.**

2° Le *conditionnel,* qui présente l'action comme éventuelle ou comme dépendant d'une condition :

> Cet ouvrier **travaillerait** jour et nuit !
> Je **travaillerais** si je le pouvais.

3° L'*impératif,* qui présente l'action sous la forme d'un ordre. d'une exhortation, d'une prière :

> **Travaillez.**

4° Le *subjonctif,* qui présente l'action comme simplement envisagée dans la pensée, avec un certain élan de l'âme (comme dans le désir, le souhait, la volonté, etc.) :

> Moi, que je **travaille** ! — Je veux que l'on **travaille.**

b) Modes impersonnels.

Il y a deux modes **impersonnels,** qui n'admettent pas la distinction des personnes grammaticales :

1° L'*infinitif,* forme nominale du verbe, exprimant simplement le nom de l'action :

> **Travailler.**

2° Le *participe,* forme adjective du verbe, exprimant l'action à la manière d'un adjectif :

> Un homme **travaillant** jour et nuit. — Une faute avouée.

Remarque. — Outre ces deux modes impersonnels on peut distinguer le **gérondif,** dont la forme est celle du participe présent, généralement précédé de *en.* Cette forme adverbiale du verbe exprime, par rapport à un verbe principal, une action simultanée et indiquant une circonstance :

> **En travaillant,** vous réussirez.

Temps.

295. Les **temps** sont les formes que prend le verbe pour indiquer à quel moment de la durée on situe l'action dans l'une des trois époques : *présent, passé, futur.*

Présent

---------- ——————————— Passé ——————→ ┆ ┌——Futur——————— --------→

On distingue les temps suivants :

A. *Par rapport au moment présent :*

a) Pendant :

    Présent : *Il* **chante** *en ce moment.*

b) Avant :

    Imparfait : *Il* **chantait** *quand je suis entré.*
    Passé simple : *Il* **chanta** *alors une romance.*
    Passé composé : *Il* **a chanté** *ce matin, hier.*

c) Après :

    Futur simple : *Il* **chantera** *demain.*

Après le moment présent, mais action terminée avant tel moment à venir :

    Futur antérieur : *Dès qu'il* **aura chanté**, *il partira.*

B. *Par rapport à tel moment du passé :*

a) Avant :

    Passé antérieur : *Dès qu'il* **eut chanté**, *il partit.*
    Plus-que-parfait : *Il* **avait chanté** *quand vous êtes entré.*

b) Après :

    Futur du passé : *Je croyais qu'il* **chanterait**.

Après tel moment du passé, mais action terminée avant tel moment à venir :

    Futur antérieur du passé : *Je croyais qu'il* **aurait chanté** *avant votre départ.*

Le *futur du passé* et le *futur antérieur du passé* présentent les formes du *mode* conditionnel, mais ces formes servent alors à situer un fait dans la durée : elles ont donc une valeur de *temps*.

N. B. — Pour des précisions sur le sens de chacun de ces temps, voir §§ 351 et suivants.

296. Les temps dans chaque mode.

1. L'*indicatif* possède dix temps : le présent, l'imparfait, le passé simple, le passé composé, le plus-que-parfait, le passé antérieur, le futur simple, le futur antérieur, le futur du passé (qui a les mêmes formes que le conditionnel présent) et le futur antérieur du passé (qui a les mêmes formes que le conditionnel passé).

2. Le *conditionnel* possède deux temps : le présent (dont les formes marquent aussi le futur) et le passé. Le plus-que-parfait du subjonctif *(j'eusse aimé)* a parfois le sens du conditionnel passé.

3. L'*impératif* possède deux temps : le présent (dont les formes marquent aussi le futur) et le passé.

4. Le *subjonctif* possède quatre temps : le présent (dont les formes marquent aussi le futur), l'imparfait, le passé et le plus-que-parfait.

5. L'*infinitif* possède trois temps : le présent (dont la forme peut marquer aussi le futur), le passé et le futur (rare : *devoir aimer*).

6. Le *participe* possède trois temps : le présent, le passé et le futur (rare : *devant aimer*).

297. Temps simples. Temps composés.

a) Les temps *simples* sont ceux dans lesquels le verbe ne présente, à chaque personne, qu'un seul mot. Ils se trouvent dans la conjugaison active et dans la conjugaison pronominale (dans la conjugaison passive, uniquement au participe passé employé seul) :

Je chante, je chantais, je me lève, etc.

b) Les temps *composés* sont ceux dans lesquels le participe passé (simple) est joint à différentes formes des verbes *avoir* ou *être :* ils se trouvent dans la conjugaison active, dans la conjugaison passive et dans la conjugaison pronominale (dans la conjugaison passive, à tous les temps, sauf le participe passé employé seul) :

J'ai chanté, que j'eusse chanté, je suis loué, j'avais été loué,
je suis venu.

Remarque. — Il y a des temps *surcomposés,* dans lesquels le participe passé (simple) est joint à un temps composé d'*avoir* (parfois d'*être*) :

Après que vous **avez eu parlé,** *il s'est retiré.* (Acad.)
*Quand j'***ai été parti.**

298. Aspects du verbe.

L'**aspect** du verbe est le caractère de l'action envisagée dans son développement, c'est-à-dire dans la durée et dans les parties de la durée où elle se déroule ; les aspects se marquent souvent par des locutions verbales formées d'un *auxiliaire d'aspect* et d'un infinitif (§ 300).

En représentant sur la ligne du temps :

par P l'instant présent ;
par une ligne ondulée le déroulement de l'action ;

et en enfermant entre deux grosses parenthèses ( ) le segment de la durée où se tient la pensée,
on peut figurer de la manière suivante les principaux aspects :

1º Aspect instantané (action instantanée) :

Un éclair **brille.**

2º Aspect duratif (action qui dure) :

Je **suis en train de bêcher.**

3º Aspect inchoatif ou ingressif (action qui commence) :

Il **s'endort.**

4º Aspect itératif (action qui se répète) :

Il **buvote** *son vin.*

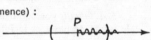
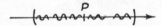
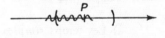
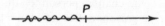

5º Aspect accompli (action achevée) :

Je **finis d'écrire.**

6º Aspect imperfectif (action non achevée) :

*J'*écrivais.

7º Proximité soit dans le passé, soit dans le futur :

Je **viens d'écrire ;** *je* **vais partir.**

N. B. — Il va de soi qu'un aspect donné peut se rencontrer à d'autres personnes, à d'autres temps et à d'autres modes que ceux qu'on observe dans les exemples donnés ci-dessus ; par exemple : *Nous étions en train de bêcher ; tu seras en train de bêcher ; qu'il soit en train de bêcher.*

3. VERBES AUXILIAIRES

299. Les verbes **auxiliaires** sont des verbes qui, dépouillant leur signification propre, servent à former les temps composés.

Les verbes auxiliaires par excellence sont *avoir* et *être :*

*J'*ai *chanté, il* avait *parlé, je* suis *venu, tu* étais *parti.*

Remarque. — Le verbe *être* n'est pas auxiliaire :

1° Quand il relie l'attribut au sujet :

L'homme **est** *mortel.*

2° Quand il signifie « exister, se trouver, aller, appartenir » ; dans ces divers sens, il peut avoir un complément :

Je pense, donc je **suis**. — *Mon père* **est** *au bureau.*
J'ai **été** *à Rome.* — *Cette maison* **est** *à moi.*

300. A côté des auxiliaires *avoir* et *être*, il faut mentionner quelques verbes qui sont auxiliaires lorsque, suivis d'un infinitif, ils servent à marquer certains aspects du développement de l'action (§ 298) ou à exprimer certaines nuances de mode :

Je **vais** *partir* (futur proche). — *Il* **vient de** *partir* (passé récent).
Un homme **vint à** *passer* (fait fortuit).
C'est lui qui **doit** *avoir commis ce crime* (fait probable), etc.

301. Se conjuguent avec **être** :

1° Tous les temps des verbes *passifs*[1] :

Je **suis** *blâmé.* — *Ils* **ont été** *reçus.*

2° Les temps composés de tous les verbes *pronominaux :*

*Il s'***est** *trompé.* — *Ils se* **sont** *évanouis.*

3° Les temps composés de quelques verbes *intransitifs* exprimant, pour la plupart, un mouvement ou un changement d'état :

aller	échoir	naître	rester	venir
arriver	éclore	partir	retourner	revenir
décéder	entrer	repartir	sortir	parvenir
devenir	mourir	rentrer	tomber	survenir

Je **suis** *arrivé hier.* — *Ces fleurs* **sont** *écloses cette nuit.* (Acad.)
Ils **sont** *tombés de haut.*

302. Se conjuguent avec **avoir** :

1° Les verbes *avoir* et *être :*

J'ai eu, j'ai été.

---

1. Strictement parlant, dans les formes passives, *être* n'est pas un auxiliaire, car il n'abandonne pas sa valeur ordinaire de verbe servant à joindre l'attribut au sujet ; d'autre part, il ne perd pas sa valeur temporelle. Comparez : *Je suis blâmé, je suis parti.* Dans la première phrase, *suis* joint *blâmé* au sujet et marque un présent : ce n'est pas un auxiliaire. — Dans la seconde, *suis* ne joint plus l'attribut au sujet et n'a plus sa valeur de présent : c'est un auxiliaire qui sert à marquer un passé.

2° Tous les verbes *transitifs* (directs ou indirects) :

> *Quiconque **a** beaucoup vu.*
> *Peut **avoir** beaucoup retenu.* (La Font.)
> *Ils **ont** obéi à leurs parents.*

3° La plupart des verbes *intransitifs :*

> *Il **a** parlé. — J'**ai** couru. — J'**ai** tremblé.*

4° Tous les verbes *impersonnels* proprement dits :

> *Il **a** plu, il **a** neigé.*

Remarque. — Avec les verbes pris impersonnellement (§ 288, *b*), on emploie le même auxiliaire que dans la conjugaison personnelle de ces verbes :

> *Il **est** arrivé un malheur. — Il **aurait** convenu de partir.*

303. C'est une règle traditionnelle que certains verbes intransitifs ou pris intransitivement se conjuguent avec *avoir* quand ils expriment l'action — et avec *être* quand ils expriment l'état résultant de l'action accomplie :

aborder	cesser	décroître	disparaître	monter
accourir	changer	dégénérer	embellir	paraître
accroître	croître	déménager	empirer	passer
apparaître	déborder	descendre	expirer	ressusciter
baisser	déchoir	diminuer	grandir	vieillir, etc.

> *La voiture **a** passé à six heures.*   *La voiture **est** passée depuis dix minutes.*
> *Depuis lors il **a** déchu de jour en jour.*   *Il y a longtemps qu'il **est** déchu de ce droit.*

N. B. — En fait, la plupart de ces verbes ne se conjuguent qu'avec *avoir* : *Il **a** changé, déchu, embelli, grandi, vieilli...* ; quand ils prennent *être*, c'est que le participe passé est employé comme un simple adjectif : *Il **est** changé, déchu, embelli, grandi, embelli...*

D'autre part, pour plusieurs de ces verbes *(descendre, monter, passer, ressusciter...)*, l'usage, sans distinguer l'action d'avec l'état, a fait prévaloir l'auxiliaire *être* : *Je **suis** passé, monté, descendu à six heures.*

4. LA CONJUGAISON

304. C'est une tradition de diviser les verbes en quatre classes ou **conjugaisons**, d'après les terminaisons **-er, -ir, -oir, -re,** de l'infinitif présent.

Parmi les verbes en *-ir*, les uns allongent leur radical par l'insertion de la syllabe *-iss-* :

au présent (plur.) de l'indicatif : *Nous fin-iss-ons,* etc.
à l'imparfait de l'indicatif : *Je fin-iss-ais,* etc.
au présent (plur.) de l'impératif : *Fin-iss-ons, fin-iss-ez.*
au présent du subjonctif : *Que je fin-iss-e,* etc.
au présent du participe : *Fin-iss-ant.*

Les autres verbes en *-ir* ne présentent pas cet allongement :

Nous sent-ons, je sent-ais, etc.

Ainsi, en dédoublant la conjugaison en *-ir,* on a cinq classes :

1re conjugaison :	Type : **aimer.**
2e conjugaison A :	Type : **finir.**
2e conjugaison B :	Type : **sentir.**
3e conjugaison :	Type : **recevoir.**
4e conjugaison :	Type : **rendre.**

305. Les verbes en *-er* constituent la vraie conjugaison régulière en français ; ce sont de beaucoup les plus nombreux : on en compte environ 4 000, c'est-à-dire à peu près les neuf dixièmes des verbes que possède le français.

Les verbes en *-ir* dont le participe présent est en *-issant* ne dépassent guère le nombre de 300.

Le reste comprend : une trentaine de verbes en *-ir* dont le participe présent n'est pas en *-issant* — une trentaine en *-oir* — et une centaine en *-re.*

Les verbes de création nouvelle sont formés sur la conjugaison en *-er : télé-phoner, radiographier, pasteuriser,* etc. ; rarement sur la conjugaison en *-ir (-issant) : amerrir, alunir ;* c'est pourquoi ces deux conjugaisons sont dites **vivantes.** — Quant à la conjugaison en *-ir* (sans *-iss-*), en *-oir* ou en *-re,* non seulement elle ne s'enrichit plus d'aucun verbe nouveau, mais elle s'appauvrit peu à peu ; c'est pourquoi elle est appelée conjugaison **morte**[1].

---

1. D'après cela, il paraîtrait logique de ne présenter comme tableaux de conjugaison (les tableaux des verbes *avoir* et *être* mis à part) que celui des verbes en *-er* (type : **aimer**) et celui des verbes en *-ir,* avec insertion de *-iss-* à certaines formes (type : **finir**).

Pour les autres verbes, dont beaucoup subissent des modifications de radical à certaines personnes, à certains temps, à certains modes, on pourrait admettre des groupements selon certaines particularités communes, mais cela ne présenterait, au point de vue pédagogique, qu'une utilité discutable. Le plus pratique serait encore, semble-t-il, de faire observer les similitudes existant, dans la conjugaison de ces verbes, entre certaines formes (§§ 321 et suiv.).

N. B. — C'est une vieille tradition que celle qui répartit les verbes en quatre conjugaisons (en *-er,* en *-ir,* en *-oir,* en *-re*), d'après la désinence de l'infinitif. Sans doute on peut préférer d'autres principes de classement. Mais, suivant l'opinion de certains, ils peuvent prêter, eux aussi, à bien des critiques et l'on voit les grammairiens hésiter entre plusieurs critères : la désinence de la première ou de la troisième personne de l'indicatif présent, le passé simple ou le participe passé passif, la fixité ou la modification du radical, etc. — Devant une telle complication, devant la confusion et le désaccord qui en résultent, plus d'un professeur préfère s'en tenir, pour des raisons de commodité pédagogique, à la division qui fut longtemps en honneur.

306.   Verbe AVOIR

Indicatif

Présent	*Passé composé*
J'ai	J'ai eu
Tu as	Tu as eu
Il a	Il a eu
Nous avons	Nous avons eu
Vous avez	Vous avez eu
Ils ont	Ils ont eu

Imparfait	*Plus-que-parfait*
J'avais	J'avais eu
Tu avais	Tu avais eu
Il avait	Il avait eu
Nous avions	Nous avions eu
Vous aviez	Vous aviez eu
Ils avaient	Ils avaient eu

Passé simple	*Passé antérieur*
J'eus	J'eus eu
Tu eus	Tu eus eu
Il eut	Il eut eu
Nous eûmes	Nous eûmes eu
Vous eûtes	Vous eûtes eu
Ils eurent	Ils eurent eu

Futur simple	*Futur antérieur*
J'aurai	J'aurai eu
Tu auras	Tu auras eu
Il aura	Il aura eu
Nous aurons	Nous aurons eu
Vous aurez	Vous aurez eu
Ils auront	Ils auront eu

Conditionnel

Présent [1]	*Passé* [2]
J'aurais	J'aurais eu
Tu aurais	Tu aurais eu
Il aurait	Il aurait eu
Nous aurions	Nous aurions eu
Vous auriez	Vous auriez eu
Ils auraient	Ils auraient eu

Impératif

Présent	*Passé* (rare)
Aie	Aie eu
Ayons	Ayons eu
Ayez	Ayez eu

Subjonctif

Présent	*Passé*
Que	Que
j'aie	j'aie eu
tu aies	tu aies eu
il ait	il ait eu
nous ayons	nous ayons eu
vous ayez	vous ayez eu
ils aient	ils aient eu

Imparfait	*Plus-que-parfait*
Que	Que
j'eusse	j'eusse eu
tu eusses	tu eusses eu
il eût	il eût eu
nous eussions	nous eussions eu
vous eussiez	vous eussiez eu
ils eussent	ils eussent eu

Infinitif

Présent	*Passé*
Avoir	Avoir eu

Participe

Présent	*Passé*
Ayant	Eu, eue
	Ayant eu

1. Ces formes sont aussi celles du *futur du passé* de l'indicatif.
2. Mêmes formes au *futur antérieur du passé* de l'indicatif. — Une 2e forme du conditionnel passé *J'eusse eu* n'est autre que celle du plus-que-parfait du subjonctif.

307. Verbe ÊTRE

Indicatif

Présent	Passé composé
Je suis	J'ai été
Tu es	Tu as été
Il est	Il a été
Nous sommes	Nous avons été
Vous êtes	Vous avez été
Ils sont	Ils ont été

Imparfait	Plus-que-parfait
J'étais	J'avais été
Tu étais	Tu avais été
Il était	Il avait été
Nous étions	Nous avions été
Vous étiez	Vous aviez été
Ils étaient	Ils avaient été

Passé simple	Passé antérieur
Je fus	J'eus été
Tu fus	Tu eus été
Il fut	Il eut été
Nous fûmes	Nous eûmes été
Vous fûtes	Vous eûtes été
Ils furent	Ils eurent été

Futur simple	Futur antérieur
Je serai	J'aurai été
Tu seras	Tu auras été
Il sera	Il aura été
Nous serons	Nous aurons été
Vous serez	Vous aurez été
Ils seront	Ils auront été

Conditionnel

Présent [1]	Passé [2]
Je serais	J'aurais été
Tu serais	Tu aurais été
Il serait	Il aurait été
Nous serions	Nous aurions été
Vous seriez	Vous auriez été
Ils seraient	Ils auraient été

Impératif

Présent	Passé (rare)
Sois	Aie été
Soyons	Ayons été
Soyez	Ayez été

Subjonctif

Présent	Passé
Que	Que
je sois	j'aie été
tu sois	tu aies été
il soit	il ait été
nous soyons	nous ayons été
vous soyez	vous ayez été
ils soient	ils aient été

Imparfait	Plus-que-parfait
Que	Que
je fusse	j'eusse été
tu fusses	tu eusses été
il fût	il eût été
nous fussions	nous eussions été
vous fussiez	vous eussiez été
ils fussent	ils eussent été

Infinitif

Présent	Passé
Être	Avoir été

Participe

Présen t	Passé
Étant	Été
	Ayant été

1. Ces formes sont aussi celles du *futur du passé* de l'indicatif.
2. Mêmes formes au *futur antérieur du passé* de l'indicatif. — Une 2ᵉ forme du conditionnel passé *J'eusse été* n'est autre que celle du plus-que-parfait du subjonctif.

308.

CONJUGAISON ACTIVE
Verbes en *-er* : Type : AIMER

Indicatif

Présent	*Passé composé*
J'aime	J'ai aimé
Tu aimes	Tu as aimé
Il aime	Il a aimé
Nous aimons	Nous avons aimé
Vous aimez	Vous avez aimé
Ils aiment	Ils ont aimé

Imparfait	*Plus-que-parfait*
J'aimais	J'avais aimé
Tu aimais	Tu avais aimé
Il aimait	Il avait aimé
Nous aimions	Nous avions aimé
Vous aimiez	Vous aviez aimé
Ils aimaient	Ils avaient aimé

Passé simple	*Passé antérieur*
J'aimai	J'eus aimé
Tu aimas	Tu eus aimé
Il aima	Il eut aimé
Nous aimâmes	Nous eûmes aimé
Vous aimâtes	Vous eûtes aimé
Ils aimèrent	Ils eurent aimé

Futur simple	*Futur antérieur*
J'aimerai	J'aurai aimé
Tu aimeras	Tu auras aimé
Il aimera	Il aura aimé
Nous aimerons	Nous aurons aimé
Vous aimerez	Vous aurez aimé
Ils aimeront	Ils auront aimé

Conditionnel

Présent [1]	*Passé* [2]
J'aimerais	J'aurais aimé
Tu aimerais	Tu aurais aimé
Il aimerait	Il aurait aimé
Nous aimerions	Nous aurions aimé
Vous aimeriez	Vous auriez aimé
Ils aimeraient	Ils auraient aimé

Impératif

Présent	*Passé*
Aime	Aie aimé
Aimons	Ayons aimé
Aimez	Ayez aimé

Subjonctif

Présent	*Passé*
Que	Que
j'aime	j'aie aimé
tu aimes	tu aies aimé
il aime	il ait aimé
nous aimions	nous ayons aimé
vous aimiez	vous ayez aimé
ils aiment	ils aient aimé

Imparfait	*Plus-que-parfait*
Que	Que
j'aimasse	j'eusse aimé
tu aimasses	tu eusses aimé
il aimât	il eût aimé
nous aimassions	nous eussions aimé
vous aimassiez	vous eussiez aimé
ils aimassent	ils eussent aimé

Infinitif

Présent	*Passé*
Aimer	Avoir aimé

Participe

Présent	*Passé*
Aimant	Aimé, -ée
	Ayant aimé

1. Ces formes sont aussi celles du *futur du passé* de l'indicatif.

2. Mêmes formes au *futur antérieur du passé* de l'indicatif. — Une 2e forme du conditionnel passé *J'eusse aimé* n'est autre que celle du plus-que-parfait du subjonctif.

309.
Verbes en -*ir*
(avec participe présent en -issant) : Type : FINIR

Indicatif

Présent	Passé composé
Je finis	J'ai fini
Tu finis	Tu as fini
Il finit	Il a fini
Nous fin-**iss**-ons	Nous avons fini
Vous fin-**iss**-ez	Vous avez fini
Ils fin-**iss**-ent	Ils ont fini

Imparfait	Plus-que-parfait
Je fin-**iss**-ais	J'avais fini
Tu fin-**iss**-ais	Tu avais fini
Il fin-**iss**-ait	Il avait fini
Nous fin-**iss**-ions	Nous avions fini
Vous fin-**iss**-iez	Vous aviez fini
Ils fin-**iss**-aient	Ils avaient fini

Passé simple	Passé antérieur
Je finis	J'eus fini
Tu finis	Tu eus fini
Il finit	Il eut fini
Nous finîmes	Nous eûmes fini
Vous finîtes	Vous eûtes fini
Ils finirent	Ils eurent fini

Futur simple	Futur antérieur
Je finirai	J'aurai fini
Tu finiras	Tu auras fini
Il finira	Il aura fini
Nous finirons	Nous aurons fini
Vous finirez	Vous aurez fini
Ils finiront	Ils auront fini

Conditionnel

Présent [1]	Passé [2]
Je finirais	J'aurais fini
Tu finirais	Tu aurais fini
Il finirait	Il aurait fini
Nous finirions	Nous aurions fini
Vous finiriez	Vous auriez fini
Ils finiraient	Ils auraient fini

Impératif

Présent	Passé
Finis	Aie fini
Fin-**iss**-ons	Ayons fini
Fin-**iss**-ez	Ayez fini

Subjonctif

Présent	Passé
Que	Que
je fin-**iss**-e	j'aie fini
tu fin-**iss**-es	tu aies fini
il fin-**iss**-e	il ait fini
nous fin-**iss**-ions	nous ayons fini
vous fin-**iss**-iez	vous ayez fini
ils fin-**iss**-ent	ils aient fini

Imparfait	Plus-que-parfait
Que	Que
je finisse	j'eusse fini
tu finisses	tu eusses fini
il finît	il eût fini
nous finissions	nous eussions fini
vous finissiez	vous eussiez fini
ils finissent	ils eussent fini

Infinitif

Présent	Passé
Finir	Avoir fini

Participe

Présent	Passé
Fin-**iss**-ant	Fini, -ie
	Ayant fini

1. Ces formes sont aussi celles du *futur du passé* de l'indicatif.
2. Mêmes formes au *futur antérieur du passé* de l'indicatif. — Une 2ᵉ forme du conditionnel passé *J'eusse fini* n'est autre que celle du plus-que-parfait du subjonctif.

310.   **Verbes en -*ir***
(dont le participe prés. n'est pas en -*issant*) : Type : SENTIR

Indicatif

Présent	*Passé composé*
Je sens	J'ai senti
Tu sens	Tu as senti
Il sent	Il a senti
Nous sentons	Nous avons senti
Vous sentez	Vous avez senti
Ils sentent	Ils ont senti

Imparfait	*Plus-que-parfait*
Je sentais	J'avais senti
Tu sentais	Tu avais senti
Il sentait	Il avait senti
Nous sentions	Nous avions senti
Vous sentiez	Vous aviez senti
Ils sentaient	Ils avaient senti

Passé simple	*Passé antérieur*
Je sentis	J'eus sentis
Tu sentis	Tu eus senti
Il sentit	Il eut senti
Nous sentîmes	Nous eûmes senti
Vous sentîtes	Vous eûtes senti
Ils sentirent	Ils eurent senti

Futur simple	*Futur antérieur*
Je sentirai	J'aurai senti
Tu sentiras	Tu auras senti
Il sentira	Il aura senti
Nous sentirons	Nous aurons senti
Vous sentirez	Vous aurez senti
Ils sentiront	Ils auront senti

Conditionnel

Présent [1]	*Passé* [2]
Je sentirais	J'aurais senti
Tu sentirais	Tu aurais senti
Il sentirait	Il aurait senti
Nous sentirions	Nous aurions senti
Vous sentiriez	Vous auriez senti
Ils sentiraient	Ils auraient senti

Impératif

Présent	*Passé*
Sens	Aie senti
Sentons	Ayons senti
Sentez	Ayez senti

Subjonctif

Présent	*Passé*
Que	Que
je sente	j'aie senti
tu sentes	tu aies senti
il sente	il ait senti
nous sentions	nous ayons senti
vous sentiez	vous ayez senti
ils sentent	ils aient senti

Imparfait	*Plus-que-parfait*
Que	Que
je sentisse	j'eusse senti
tu sentisses	tu eusses senti
il sentît	il eût senti
nous sentissions	nous eussions senti
vous sentissiez	vous eussiez senti
ils sentissent	ils eussent senti

Infinitif

Présent	*Passé*
Sentir	Avoir senti

Participe

Présent	*Passé*
Sentant	Senti, -ie
	Ayant senti

1. Ces formes sont aussi celles du *futur du passé* de l'indicatif.

2. Mêmes formes au *futur antérieur du passé* de l'indicatif. — Une 2ᵉ forme du conditionnel passé *J'eusse senti* n'est autre que celle du plus-que-parfait du subjonctif.

311. **Verbes en -oir : Type : RECEVOIR**

Indicatif

Présent	Passé composé
Je reçois	J'ai reçu
Tu reçois	Tu as reçu
Il reçoit	Il a reçu
Nous recevons	Nous avons reçu
Vous recevez	Vous avez reçu
Ils reçoivent	Ils ont reçu

Imparfait	Plus-que-parfait
Je recevais	J'avais reçu
Tu recevais	Tu avais reçu
Il recevait	Il avait reçu
Nous recevions	Nous avions reçu
Vous receviez	Vous aviez reçu
Ils recevaient	Ils avaient reçu

Passé simple	Passé antérieur
Je reçus	J'eus reçu
Tu reçus	Tu eus reçu
Il reçut	Il eut reçu
Nous reçûmes	Nous eûmes reçu
Vous reçûtes	Vous eûtes reçu
Ils reçurent	Ils eurent reçu

Futur simple	Futur antérieur
Je recevrai	J'aurai reçu
Tu recevras	Tu auras reçu
Il recevra	Il aura reçu
Nous recevrons	Nous aurons reçu
Vous recevrez	Vous aurez reçu
Ils recevront	Ils auront reçu

Conditionnel

Présent [1]	Passé [2]
Je recevrais	J'aurais reçu
Tu recevrais	Tu aurais reçu
Il recevrait	Il aurait reçu
Nous recevrions	Nous aurions reçu
Vous recevriez	Vous auriez reçu
Ils recevraient	Ils auraient reçu

Impératif

Présent	Passé
Reçois	Aie reçu
Recevons	Ayons reçu
Recevez	Ayez reçu

Subjonctif

Présent	Passé
Que	Que
je reçoive	j'aie reçu
tu reçoives	tu aies reçu
il reçoive	il ait reçu
nous recevions	nous ayons reçu
vous receviez	vous ayez reçu
ils reçoivent	ils aient reçu

Imparfait	Plus-que-parfait
Que	Que
je reçusse	j'eusse reçu
tu reçusses	tu eusses reçu
il reçût	il eût reçu
nous reçussions	nous eussions reçu
vous reçussiez	vous eussiez reçu
ils reçussent	ils eussent reçu

Infinitif

Présent	Passé
Recevoir	Avoir reçu

Participe

Présent	Passé
Recevant	Reçu, -ue
	Ayant reçu

1. Ces formes sont aussi celles du *futur du passé* de l'indicatif.

2. Mêmes formes au *futur antérieur du passé* de l'indicatif. — Une 2ᵉ forme du conditionnel passé *J'eusse reçu* n'est autre que celle du plus-que-parfait du subjonctif

312.   **Verbes en** *-re* **: Type : RENDRE**

Indicatif

Présent	*Passé composé*
Je rends	J'ai rendu
Tu rends	Tu as rendu
Il rend	Il a rendu
Nous rendons	Nous avons rendu
Vous rendez	Vous avez rendu
Ils rendent	Ils ont rendu

Imparfait	*Plus-que-parfait*
Je rendais	J'avais rendu
Tu rendais	Tu avais rendu
Il rendait	Il avait rendu
Nous rendions	Nous avions rendu
Vous rendiez	Vous aviez rendu
Ils rendaient	Ils avaient rendu

Passé simple	*Passé antérieur*
Je rendis	J'eus rendu
Tu rendis	Tu eus rendu
Il rendit	Il eut rendu
Nous rendîmes	Nous eûmes rendu
Vous rendîtes	Vous eûtes rendu
Ils rendirent	Ils eurent rendu

Futur simple	*Futur antérieur*
Je rendrai	J'aurai rendu
Tu rendras	Tu auras rendu
Il rendra	Il aura rendu
Nous rendrons	Nous aurons rendu
Vous rendrez	Vous aurez rendu
Ils rendront	Ils auront rendu

Conditionnel

Présent [1]	*Passé* [2]
Je rendrais	J'aurais rendu
Tu rendrais	Tu aurais rendu
Il rendrait	Il aurait rendu
Nous rendrions	Nous aurions rendu
Vous rendriez	Vous auriez rendu
Ils rendraient	Ils auraient rendu

Impératif

Présent	*Passé*
Rends	Aie rendu
Rendons	Ayons rendu
Rendez	Ayez rendu

Subjonctif

Présent	*Passé*
Que	Que
je rende	j'aie rendu
tu rendes	tu aies rendu
il rende	il ait rendu
nous rendions	nous ayons rendu
vous rendiez	vous ayez rendu
ils rendent	ils aient rendu

Imparfait	*Plus-que-parfait*
Que	Que
je rendisse	j'eusse rendu
tu rendisses	tu eusses rendu
il rendît	il eût rendu
nous rendissions	nous eussions rendu
vous rendissiez	vous eussiez rendu
ils rendissent	ils eussent rendu

Infinitif

Présent	*Passé*
Rendre	Avoir rendu

Participe

Présent	*Passé*
Rendant	Rendu, -ue
	Ayant rendu

1. Ces formes sont aussi celles du *futur du passé* de l'indicatif.
2. Mêmes formes au *futur antérieur du passé* de l'indicatif. — Une 2ᵉ forme du conditionnel passé *J'eusse rendu* n'est autre que celle du plus-que-parfait du subjonctif.

313. CONJUGAISON DES VERBES INTRANSITIFS QUI PRENNENT L'AUXILIAIRE *ÊTRE*

N. B. — Les verbes dont il s'agit ici comprennent :

1° quelques verbes intransitifs exprimant pour la plupart un mouvement ou un changement d'état (§ 301, 3°) ;

2° certains verbes intransitifs exprimant l'état résultant de l'action accomplie (voir des précisions : § 303).

VERBE TYPE : TOMBER

TEMPS SIMPLES	TEMPS COMPOSÉS

Indicatif

Présent :	Je tombe	*Passé composé :*	Je suis tombé
Imparfait :	Je tombais	*Plus-que-parfait :*	J'étais tombé
Passé simple :	Je tombai	*Passé antérieur :*	Je fus tombé
Futur simple :	Je tomberai	*Futur antérieur :*	Je serai tombé

Conditionnel

Présent [1] *:*	Je tomberais	*Passé* [2] *:*	Je serais tombé

Impératif

Présent :	Tombe	*Passé :*	Sois tombé

Subjonctif

Présent :	Que je tombe	*Passé :*	Que je sois tombé
Imparfait :	Que je tombasse	*Plus-que-p. :*	Que je fusse tombé

Infinitif

Présent :	Tomber	*Passé :*	Être tombé
		Futur (rare) :	Devoir tomber

Participe

Présent :	Tombant	*Passé :* Tombé, -ée. Étant tombé	
		Futur (rare) :	Devant tomber

1. Ces formes sont aussi celles du *futur du passé de l'indicatif.*
2. Mêmes formes au *futur antérieur du passé.* — Une seconde forme du conditionnel passé *Je fusse tombé* n'est autre que celle du plus-que-parfait du subjonctif.

Remarques orthographiques
sur les finales de chaque personne aux temps simples.

314.   La **1ʳᵉ personne du singulier** se termine :

1° Par **-e** à l'indicatif présent de tous les verbes en *-er* et des verbes *assaillir, couvrir* (et ses composés), *cueillir* (et ses composés), *défaillir, offrir, ouvrir* (et ses composés), *souffrir, tressaillir ;* — ainsi qu'aux temps simples du subjonctif de tous les verbes (sauf *que je sois*) :

Je marche, j'ouvre, que je cède, que je vinsse.

2° Par **-s** à l'indicatif présent et au passé simple de tous les verbes autres que les verbes en *-er*, ainsi qu'à l'imparfait de l'indicatif et au conditionnel de tous les verbes :

Je finis, je reçois, je rends ; je dormis, je reçus, je sentis ;
je pensais, je disais, je chanterais, je croirais.

Remarque. — Dans *je peux, je vaux* (et composés), *je veux*, on a un *x*.

3° Par **-ai** dans *j'ai*, ainsi qu'au futur simple de tous les verbes et au passé simple de tous les verbes en *-er :*

J'aimerai, je prendrai, j'aimai.

315.   La **2ᵉ personne du singulier** se termine par **-s :**

Tu chantes, tu fus, tu lirais.

Excepté : Dans *tu peux, tu vaux* (et composés), *tu veux*, où l'on a un *x*, et à l'impératif des verbes en *-er* (sauf *aller*) et des verbes *assaillir, couvrir* (et ses composés), *cueillir* (et ses composés), *défaillir, offrir, ouvrir* (et ses composés), *souffrir, tressaillir, savoir, vouloir*, où l'on a un *e :*

Plante, couvre, sache.

Remarque. — La 2ᵉ personne du singulier de l'impératif de tous les verbes en *-er* et des verbes *assaillir, couvrir*, etc., prend un *s* final devant les pronoms *en, y*, non suivis d'un infinitif :

Plantes-en, penses-y, vas-y. (Remarquez le trait d'union.)

Mais devant les pronoms *en, y*, suivis d'un infinitif et devant la préposition *en*, on n'a ni *s* final ni trait d'union :

Ose en dire du bien. — Va y mettre ordre.
Va en savoir des nouvelles. (Acad.)
Laisse y porter remède. — Parle en maître.

Dans *va-t'en, retourne-t'en*, etc., on remarquera l'apostrophe : le *t*, en effet, n'est pas une consonne euphonique, comme dans *aime-t-il* (§ 345, Rem. 3), c'est le pronom *te* dont l'*e* est élidé (comparez : *allez-vous-en*). Vu l'apostrophe, on se dispense de mettre le second trait d'union.

316. La 3ᵉ **personne du singulier** se termine par **-t :**

Il finit, il part, il venait, il ferait.

Excepté : 1° Dans *il a, il va, il vainc, il convainc.*

2° A l'indicatif présent des verbes en *-er* (sauf *aller*) et des verbes *assaillir, couvrir,* etc. (§ 314, 1°) :

Il envoie, il couvre, il offre.

3° Au subjonctif présent de tous les verbes (sauf *qu'il ait, qu'il soit*) :

Qu'il plante, qu'il tienne, qu'il reçoive, qu'il rende.

4° Au futur simple de tous les verbes :

Il chantera, il finira, il rendra.

5° Au passé simple de tous les verbes en *-er :*

Il chanta, il alla.

6° A l'indicatif présent des verbes en *-dre* (sauf *-indre, -soudre*) :

Il rend, il fond, il mord (Mais : *Il plaint, il résout,* etc.).

317. La 1ʳᵉ **personne du pluriel** se termine par **-ons :**

Nous plantons, nous suivrons, nous rendrions ;

sauf au passé simple de tous les verbes et à l'indicatif présent du verbe *être,* où la finale est **-mes :**

Nous eûmes, nous plantâmes, nous sommes.

318. La 2ᵉ **personne du pluriel** se termine par **-ez :**

Vous avez, vous chantez, vous lisiez, que vous veniez ;

sauf au passé simple de tous les verbes et à l'indicatif présent de *être, dire, redire, faire* (et composés), où la finale est **-tes :**

Vous êtes, vous dites, vous faites.

319. La 3ᵉ **personne du pluriel** se termine par **-ent :**

Ils chantent, ils finissaient, ils suivraient ;

sauf au futur simple de tous les verbes et à l'indicatif présent de *avoir, être, faire, aller,* où la finale est **-ont :**

Ils planteront, ils recevront, ils ont, ils sont, ils font, ils vont.

Finales des temps.

320. En général, les finales des temps sont semblables dans la conjugaison des verbes en *-er* et dans celle des autres verbes ; elles ne diffèrent qu'au singulier de l'indicatif présent, du passé simple et de l'impératif présent, comme le fait voir le tableau suivant :

		SINGULIER			PLURIEL		
		1re p.	2e p.	3e p.	1re p	2e p.	3e p.
INDICATIF							
présent	vb. en *-er :*	e	es	e	ons	ez	ent
	autres vb. :	s	s	t (ou *d*)	ons	ez	ent
imparfait :	tous les vb. :	ais	ais	ait	ions	iez	aient
passé s.	vb. en *-er :*	ai	as	a	âmes	âtes	èrent
	autres vb.	is	is	it	îmes	îtes	irent
		us	us	ut	ûmes	ûtes	urent
futur s.	tous les vb. :	rai	ras	ra	rons	rez	ront
CONDITIONNEL							
présent	: tous les vb. :	rais	rais	rait	rions	riez	raient
IMPÉRATIF							
présent	vb. en *-er :*	—	e	—	ons	ez	—
	autres vb. :	—	s	—	ons	ez	—
SUBJONCTIF							
présent	: tous les vb. :	e	es	e	ions	iez	ent
imparfait	vb. en *-er :*	asse	asses	ât	assions	assiez	assent
	autres vb.	isse	isses	ît	issions	issiez	issent
		usse	usses	ût	ussions	ussiez	ussent
INFINITIF							
présent	:		er,	ir,	oir,	re	
PARTICIPE							
prés. (et gér.) :	tous les vb. :			ant			
pass.	vb. en *-er :*			é			
	autres vb. :			i, u, s, t			

Similitudes entre certaines formes verbales.

321. Il y a entre certaines formes verbales des similitudes bonnes à remarquer, dans l'étude du mécanisme de la conjugaison.

322. A la 2ᵉ personne du singulier de l'*indicatif présent* et de l'*impératif présent*, on a des formes semblables. Toutefois, dans les verbes en *-er* et dans certains verbes en *-ir* (*assaillir, couvrir, cueillir*, etc. : § 314, 1°), la 2ᵉ personne du singulier a un *s* final à l'indicatif présent, et elle n'en a pas à l'impératif présent (à moins que ce ne soit devant les pronoms *en, y*, non suivis d'un infinitif : § 315, Rem.) :

> *Tu finis. Finis. — Tu reçois. Reçois. — Tu rends. Rends.*
> Mais : *Tu aimes. Aime.*

323. A la 1ʳᵉ et à la 2ᵉ personne du pluriel de l'*indicatif présent* et de l'*impératif présent*, on a des formes semblables ; excepté *avoir* et *être* (qui empruntent au subjonctif présent les deux personnes du pluriel de leur impératif présent), *savoir* et *vouloir* :

> *Nous aimons. Aimons. — Vous aimez. Aimez.*
> (Mais : *Que nous ayons. Ayons. — Que vous ayez. Ayez.*
> *Que nous soyons. Soyons. — Que vous soyez. Soyez.*)
> *Sachons, sachez. — Veuillons, veuillez* (voir p. 181).

324. Le pluriel de l'*indicatif présent*, de l'*impératif présent*, du *subjonctif présent*, ainsi que l'*indicatif imparfait* et le *participe présent* ont le même radical (il n'y a que quelques exceptions : *faire, savoir, vouloir, pouvoir...*) :

> *Nous* **recevons**. **Recevons**. *Que nous* **recev**ions. *Nous* **recev**ions. **Recevant**.
> *Nous* **plaignons**. **Plaignons**. *Que nous* **plaignions**. *Nous* **plaignions**.
> **Plaignant**.

325. La 1ʳᵉ personne du singulier du *subjonctif imparfait* présente la forme de la 2ᵉ personne du singulier du *passé simple* augmentée de *-se :*

> *Tu aimas. Que j'aimas-se. — Tu pris. Que je pris-se.*
> *Tu reçus. Que je reçus-se. — Tu vins. Que je vins-se.*

326. Dans le *futur simple* et dans le *conditionnel présent*, généralement on retrouve la forme de l'*infinitif*, à laquelle se sont ajoutées les désinences *-ai, -as, -a, -ons, -ez, -ont*, pour le futur simple, — et *-ais, -ais, -ait, -ions, -iez, -aient*, pour le conditionnel présent :

> *J'aimer-ai, tu aimer-as...*   *J'aimer-ais, tu aimer-ais...*
> *Je finir-ai, tu finir-as...*   *Je finir-ais, tu finir-ais...*

Remarques. — 1. Dans les verbes autres que les verbes en *-er*, on observe de fréquentes altérations du radical : *Ten-ir, je tiendr-ai, je tiendr-ais. — Sav-oir, je saur-ai, je saur-ais. — Pouv-oir, je pourr-ai, je pourr-ais.*

2. Dans les verbes en *-re*, l'*e* final de l'infinitif a disparu devant les désinences *-ai, as,...* ou *-ais, -ais... : Rendre, je rendr-ai, je rendr-ais.*

3. Les désinences du futur simple et du conditionnel présent ne sont autres que les formes du présent ou de l'imparfait de l'indicatif du verbe *avoir (avons, avez, avais, avait, avions, aviez, avaient* ont été réduits à *ons, ez, ais, ait, ions, iez, aient) ;* ainsi *j'aimerai, j'aimerais*, étaient, à l'origine : *aimer ai* (c.-à-d. j'ai à aimer), *aimer ais* (c.-à-d. j'avais à aimer).

REMARQUES SUR LA CONJUGAISON DE CERTAINS VERBES

Verbes en -er.

327. Les verbes en **-cer** prennent une cédille sous le *c* devant *a* et *o*, afin de conserver au *c* la même prononciation qu'à l'infinitif :

Nous avançons, je plaçais, il acquiesça.

328. Les verbes en **-ger** prennent un *e* après le *g* devant *a* et *o*, afin de conserver au *g* la même prononciation qu'à l'infinitif :

Je partageais, songeant, nous mangeons.

329. a) Les verbes qui ont un **e muet** à l'avant-dernière syllabe de l'infinitif changent cet *e* muet en *e* ouvert (**è**) devant une syllabe muette :

Semer, je sème, je sèmerai.

b) Le plus grand nombre des verbes en **-eler** et en **-eter** redoublent la consonne *l* ou *t* devant un *e* muet :

Becqueter, je becquette. (Acad.) — *Bourreler, je bourrelle.* (Id.)
Caqueter, je caquette. (Id.) — *Colleter, je collette.* (Id.)
Épousseter, j'époussette. (Id.) — *Étiqueter, j'étiquette.* (Id.)
Harceler, je harcelle. (Id.) — *Souffleter, je soufflette.* (Littré.)
Voleter, je volette. (Id.)

Au lieu de redoubler *l* ou *t,* les verbes suivants, selon l'Académie, changent *e* en *è* devant une syllabe muette :

acheter	receler	démanteler	congeler	marteler
racheter	ciseler	écarteler	dégeler	modeler
celer	corseter	fureter	regeler	peler
déceler	crocheter	geler	haleter	

J'achète. Il cisèle. Tu furètes. Nous crochèterons. Il halète.

330. Les verbes qui ont un **e fermé** (écrit é) à l'avant-dernière syllabe de l'infinitif changent cet *é* en *è* devant une syllabe muette *finale.* (Au futur et au conditionnel, ils gardent donc, dans l'écriture, l'*é* avec accent aigu, mais cet *é* se prononce ouvert) :

Altérer, j'altère, j'altérerai. — Révéler, je révèle, je révélerais.

Remarque. — Les verbes en **-éer** conservent l'*é* dans toute leur conjugaison :

Créer, je crée, je créerai.

331. Les verbes en **-yer** changent l'*y* en *i* devant un *e* muet :

Employer, j'emploie, j'emploierai.

Les verbes en **-ayer** *peuvent* conserver l'*y* dans toute leur conjugaison :

> *Payer, je paye* (pron. : *pèy'*) ou *je paie* (pron. : *pè*).

Remarque. — Les verbes en **-eyer** conservent toujours l'*y* : *Je grasseye.*

332. Dans les verbes qui se terminent au participe présent par **-iant, -yant, -llant** (*l* mouillés), **-gnant,** — sauf *avoir* — on a, aux deux premières personnes du pluriel de l'indicatif imparfait et du subjonctif présent un **i** après l'*i*, ou après l'*y*, ou après l'*l* mouillé, ou après l'*n* mouillé du radical :

Crier, cri-ant.	*Nous criions, vous criiez, que nous criions, que vous criiez.*
Rire, ri-ant.	*Nous riions, vous riiez, que nous riions, que vous riiez.*
Envoyer, envoy-ant.	*Nous envoyions, vous envoyiez, que nous envoyions, que vous envoyiez.*
Travailler, travaill-ant.	*Nous travaillions, vous travailliez, que nous travaillions, que vous travailliez.*
Régner, régn-ant.	*Nous régnions, vous régniez, que nous régnions, que vous régniez.*

Verbes en *-ir.*

333. Bénir a deux participes passés :

a) *Bénit, bénite* se dit de certaines *choses* consacrées par une bénédiction rituelle, mais. s'emploie uniquement comme *adjectif* (épithète ou attribut) :

> *De l'eau* **bénite.** — *Du pain* **bénit.** — *Un chapelet* **bénit.**
> *Je veux qu'une branche* **bénite** *orne ma chambre.* (Fr. Jammes.)

b) *Béni, bénie* s'emploie :

1° Dans tous les cas où le mot n'indique pas une bénédiction rituelle :

> *O mère ! votre image* **bénie** *ne s'effacera pas de mon cœur.*
> *Un peuple* **béni** *de Dieu.* (Acad.)
> *Ce roi est* **béni** *par son peuple.* (Littré.)

2° Même dans les cas où il s'agit d'une bénédiction rituelle, chaque fois que le mot est appliqué à des *personnes* et chaque fois qu'il est pris, non pas comme adjectif, mais comme *verbe*[1] :

---

1. Dans des cas où il s'agit d'une bénédiction rituelle, on trouve parfois, il est vrai, *bénit* employé comme *verbe*, mais seulement au sens passif : *Les drapeaux ont été* **bénits.** (Acad.)

Une abbesse **bénie.**
Le prêtre a **béni** *les cierges.* — *Le mariage a été* **béni.**
Un chapelet **béni** *par le pape.* (M. Barrès.)
Prends cette médaille. Elle a été **bénie** *par le pape.* (A. France.)

334. **Fleurir,** au sens propre, fait à l'imparfait de l'indicatif *fleurissais,* et au participe présent ou adjectif verbal *fleurissant :*

Les pommiers **fleurissaient.**
Voyez ces cerisiers **fleurissant** *dans le verger.*
Un pré plein d'herbe et **fleurissant.** (La Font.)

Dans le sens figuré de « prospérer », il fait souvent *florissait* à l'imparfait de l'indicatif, et presque toujours *florissant* au participe présent ; l'adjectif verbal est toujours *florissant :*

Les sciences et les beaux-arts **fleurissaient** *ou* **florissaient**
sous le règne de ce prince. (Acad.)
Dans le cours d'un règne **florissant.** (Racine.)
Cette paix ne **florissant** *jamais...*

335. **Haïr** perd le tréma au singulier de l'indicatif présent et de l'impératif présent :

Je hais, tu hais, il hait. Hais.

Au passé simple et à l'imparfait du subjonctif, à cause du tréma, on écrit sans accent circonflexe : *nous haïmes, vous haïtes, qu'il haït* (formes d'ailleurs à peu près inusitées).

Verbes en *-oir* et en *-re.*

336. Les participes passés **dû, redû, mû, crû** (de *croître*), **recrû** (de *recroître*) ont l'accent circonflexe au masculin singulier seulement :

*L'honneur d*û. — *Mû par l'intérêt.* — *La rivière a cr*û.
Mais : *La somme d*ue. — *Ils sont m*us *par l'intérêt.* — *La rivière est cr*ue. (Acad.)

Remarque. — On écrit sans circonflexe : *accru, décru, ému, indu, promu, recru* (au sens de « très fatigué, harassé »).

337. Les verbes en **-indre** et en **-soudre** ne gardent le *d* que devant un *r*, c'est-à-dire au futur simple et au conditionnel présent (donc en particulier, pas de *d* au singulier du présent de l'indicatif ou de l'impératif) :

Peindre, je peins, tu peins, il peint ; peins ; — je peindrai ; je peindrais.
Résoudre, je résous, tu résous, il résout ; résous ; — je résoudrai ; je résoudrais.

Dans les verbes en *-indre*, les consonnes *-nd-* se changent en *-gn-* (c'est-à-dire *n* mouillé) devant une voyelle :

Peindre, nous peignons, je peignais, peignant, etc.

338. **Battre, mettre** et leurs composés ne gardent qu'un *t* au singulier du présent de l'indicatif et de l'impératif :

Mettre, je mets, tu mets, il met ; mets.

339. Au singulier du présent de l'indicatif et de l'impératif, la consonne finale du radical de l'indicatif se maintient :

1° dans les verbes en **-dre** (autres que les verbes en *-indre* et en *-soudre*) :

Prendre, je prends, tu prends, il prend ; prends.
Répondre, je réponds, tu réponds, il répond ; réponds.
Répandre, je répands, tu répands, il répand ; répands.
Mordre, je mords, tu mords, il mord ; mords.
Moudre, je mouds, tu mouds, il moud ; mouds.

2° dans **vaincre, rompre** et dans les composés de ces verbes :

Vaincre, je vaincs, tu vaincs, il vainc ; vaincs.
Rompre, je romps, tu romps, il rompt ; romps.

340. Les verbes en **-aître** et en **-oître** ont l'accent circonflexe sur l'*i* du radical chaque fois que cette voyelle est suivie d'un *t* :

Il paraît, je paraîtrai, tu paraîtras, etc.
Il accroît, j'accroîtrai, etc.

(Mais sans accent circonflexe : *Je parais, tu parais,* etc. ; *j'accrois, tu accrois,* etc. ; *je décrois, tu décrois,* etc.)

Remarque. — *Croître* a l'accent circonflexe non seulement quand *i* est suivi d'un *t*, mais chaque fois qu'une confusion serait possible avec une forme correspondante de *croire* (excepté *crus, crue, crues :* § 336) :

Je croîs, tu croîs, il croît en sagesse.
Je crûs, tu crûs, il crût, nous crûmes, vous crûtes, ils crûrent en science.

(Mais sans accent circonflexe : *Les ruisseaux sont crus, la rivière est crue, les rivières sont crues.*)

On écrit au passé simple : *J'accrus, tu accrus, il accrut, nous accrûmes, vous accrûtes, ils accrurent.* — De même : *Je décrus, tu décrus,* etc. ; *je recrus, tu recrus,* etc. — Et au participe passé : *accru, décru* (§ 336, Rem.).

341. En général, dans les verbes en **-ire** (sauf *rire, sourire* et *écrire*), le pluriel du présent de l'indicatif, l'imparfait de l'indicatif, le présent du subjonctif, le passé simple, l'imparfait du subjonctif, ont un *s* sonore entre le radical et la terminaison :

Conduire, condui-s-ant, nous condui-s-ons, je condui-s-ais,
que je condui-s-e, je condui-s-is, que je condui-s-isse.

Rire, sourire ne prennent aucune consonne entre le radical et la désinence :

Ri-ant, nous ri-ons, que nous ri-ions, etc.

Écrire et ses composés ont un *v* entre le radical et la désinence aux temps indiqués ci-dessus :

Nous écri-v-ons, que je décri-v-e, il souscri-v-ait.

CONJUGAISON PASSIVE

342. Pour conjuguer un verbe au passif, on fait suivre du participe passé simple de ce verbe tous les temps du verbe *être*.

	VERBE TYPE : **ÊTRE AIMÉ**		
	Indicatif		
Présent :	Je suis aimé	*Passé composé :*	J'ai été aimé
Imparfait :	J'étais aimé	*Plus-que-parf. :*	J'avais été aimé
Passé simple :	Je fus aimé	*Passé antérieur :*	J'eus été aimé
Futur simple :	Je serai aimé	*Futur antérieur :*	J'aurai été aimé
	Conditionnel		
Présent [1] :	Je serais aimé	*Passé* [2] :	J'aurais été aimé
	Impératif		
Présent :	Sois aimé		
	Subjonctif		
Présent :	Que je sois aimé	*Passé :*	Que j'aie été aimé
Imparfait :	Que je fusse aimé	*Plus-que-p. :*	Que j'eusse été aimé
	Infinitif		
Présent :	Être aimé	*Passé :*	Avoir été aimé
		Futur (rare) :	Devoir être aimé
	Participe		
Présent :	Étant aimé	*Passé :*	Aimé, -e. Ayant été aimé
		Futur (rare) :	Devant être aimé

1. Ces formes sont aussi celles du *futur du passé de l'indicatif.*
2. Mêmes formes au *futur antérieur du passé.* — Une seconde forme du cond. passé *J'eusse été aimé* n'est autre que celle du plus-que-parfait du subjonctif.

343. ## CONJUGAISON PRONOMINALE

VERBE TYPE : **SE REPENTIR**	

Indicatif

Présent :	Je me repens	*Passé comp. :*	Je me suis repenti
Imparfait :	Je me repentais	*Plus-que-p. :*	Je m'étais repenti
Passé simple :	Je me repentis	*Passé antérieur :*	Je me fus repenti
Futur simple :	Je me repentirai	*Futur antérieur :*	Je me serai repenti

Conditionnel

Présent [1] :	Je me repentirais	*Passé* [2] :	Je me serais repenti

Impératif

Présent :	Repens-toi

Subjonctif

Présent :	Que je me repente	*Passé :*	Que je me sois repenti
Imparfait :	Que je me repentisse	*Plus-q.-p. :*	Que je me fusse repenti

Infinitif

Présent :	Se repentir	*Passé :*	S'être repenti
		Futur (rare) :	Devoir se repentir

Participe

Présent :	Se repentant	*Passé :*	Repenti, -e. S'étant repenti
		Futur (rare) :	Devant se repentir

1. Ces formes sont aussi celles du *futur du passé de l'indicatif.*
2. Mêmes formes au *futur antérieur du passé.* — Une seconde forme du conditionnel passé *Je me fusse repenti* n'est autre que celle du plus-que-parfait du subjonctif.

Remarques. — 1. Pour les différentes valeurs des verbes pronominaux, voir § 287.

2. Les verbes pronominaux prennent toujours, aux temps composés, l'auxiliaire *être* (§ 301, 2°) :

Je me **suis** trompé. — Ils se **sont** battus. — Elle s'**est** évanouie.

3. Le pronom représentant le sujet du verbe pronominal se place avant le verbe ; aux temps composés, il se place avant l'auxiliaire. Ce pronom est atone.

A l'impératif, ce pronom se place après le verbe : *Souviens-toi*. *Repentons-nous*. Il est alors tonique (sauf s'il perd son accent tonique au profit d'un monosyllabe faisant corps avec la forme verbale : *Souviens-toi bien. Repentons-nous donc !*).

344. ### CONJUGAISON IMPERSONNELLE

VERBE TYPE : NEIGER	

Indicatif

Présent :	Il neige	*Passé composé :*	Il a neigé
Imparfait :	Il neigeait	*Plus-que-parfait :*	Il avait neigé
Passé simple :	Il neigea	*Passé antérieur :*	Il eut neigé
Futur simple :	Il neigera	*Futur antérieur :*	Il aura neigé

Conditionnel

Présent [1] *:*	Il neigerait	*Passé* [2] *:*	Il aurait neigé

Subjonctif

Présent :	Qu'il neige	*Passé :*	Qu'il ait neigé
Imparfait :	Qu'il neigeât	*Plus-que-parf. :*	Qu'il eût neigé

Infinitif

Présent :	Neiger	*Passé :*	Avoir neigé

Participe

Présent [3] *:*	Neigeant	*Passé :*	Neigé. Ayant neigé

1. Ces formes sont aussi celles du *futur du passé de l'indicatif.*
2. Ces formes sont aussi celles du *futur antérieur du passé.* — Une seconde forme du conditionnel passé *Il eût neigé* n'est autre que celle du plus-que-parfait du subjonctif.
3. Usité seulement lorsque le verbe impersonnel est pris figurément. (Voir § 288, *a*, Rem.)

CONJUGAISON INTERROGATIVE

345. Seuls le mode *indicatif* et le mode *conditionnel* peuvent prendre la forme interrogative.

Remarques. — 1. Devant le pronom sujet en inversion, à la 1ʳᵉ personne du singulier, l'*e* devient *é* (prononcé *è*) :

Aimé-je ? Cueillé-je ? Puissé-je.

2. On n'admet pas, en général, l'inversion du sujet *je* à la 1re personne du singulier de l'indicatif présent, dans la conjugaison interrogative des verbes autres que les verbes en *-er*, sauf pour quelques verbes très usités :

> *Ai-je ? Dis-je ? Dois-je ? Fais-je ? Puis-je ? Suis-je ?*
> *Sais-je ? Vais-je ? Vois-je ? Veux-je ?*

Au lieu de *cours-je ? mens-je ?* etc., on dira : *Est-ce que je cours ?* etc.

3. Devant les sujets *il, elle, on,* en inversion, lorsque le verbe se termine par *e* ou *a,* on intercale la consonne euphonique[1] *t* (entre traits d'union) :

> *Chante-t-il ? Ira-t-elle ? Viendra-t-on ?*

346. VERBE AIMER CONJUGUÉ INTERROGATIVEMENT

Indicatif :

Présent :	Aimé-je ? aimes-tu, ... ou :	Est-ce que j'aime ?
Imparfait :	Aimais-je ?	Est-ce que j'aimais ?
Passé simple :	Aimai-je ?	Est-ce que j'aimai ?
Futur simple :	Aimerai-je ?	Est-ce que j'aimerai ?
Passé composé :	Ai-je aimé ?	Est-ce que j'ai aimé ?
Plus-que-parf. :	Avais-je aimé ?	Est-ce que j'avais aimé ?
Passé antér. :	Eus-je aimé ?	Est-ce que j'eus aimé ?
Futur antér. :	Aurai-je aimé ?	Est-ce que j'aurai aimé ?

Conditionnel :

Présent :	Aimerais-je ?	ou : Est-ce que j'aimerais ?
Passé :	Aurais-je aimé ?	Est-ce que j'aurais
	Eussé-je aimé ?	aimé (... j'eusse aimé) ?

CONJUGAISON DES VERBES IRRÉGULIERS ET DES VERBES DÉFECTIFS

347. Verbes irréguliers. — On appelle verbes *irréguliers :*

1° Ceux qui, tout en gardant le même radical à tous les temps, présentent à certaines formes des particularités de terminaisons, par exemple :

> *Cueill-ir.* Ind. pr. : *Je cueill-e* (comme *j'aim-e*).

---

1. « Euphonique », du moins selon le sentiment de l'usager ordinaire. — La grammaire historique enseigne que ce *t* est dû à l'analogie avec des formes telles que *dit-il, sort-il, aimait-il.*

2° Ceux dont le radical ne reste pas le même à tous les temps, par exemple : *tenir* :

a) Radic. **tien-** :   Indic. pr. :   *je tiens, tu tiens, il tient, ils tiennent.*
                   Impér. pr. :   *tiens.*
                   Subj. pr. :   *que je tienne, que tu tiennes, qu'il tienne, qu'ils tiennent.*

b) Radic. **ten-** :   Indic. pr. :   *nous tenons, vous tenez.*
                   Imparf. :   *je tenais, tu tenais,* etc.
                   Impér. pr. :   *tenons, tenez.*
                   Subj. pr. :   *que nous tenions, que vous teniez.*
                   Part. pr. :   *tenant.*
                   Part. pas. :   *tenu.*

c) Radic. **tiend-** :   Fut. s. :   *je tiendrai, tu tiendras,* etc.
                   Cond. pr. :   *je tiendrais, tu tiendrais,* etc.

d) Radic. **tin-** :   Passé s. :   *je tins, tu tins,* etc.
                   Subj. imparf. :   *que je tinsse, que tu tinsses,* etc.

348. Verbes défectifs. — On appelle verbes *défectifs* ceux qui ne sont pas usités à certains temps ou à certaines personnes ; par exemple :

Absoudre n'a ni passé simple ni subjonctif imparfait.

S'ensuivre n'est usité qu'à l'infinitif et aux troisièmes personnes de chaque temps.

Gésir ne s'emploie plus qu'au présent et à l'imparfait de l'indicatif et au participe présent.

349.
LISTE ALPHABÉTIQUE DES VERBES IRRÉGULIERS ET DES VERBES DÉFECTIFS

N. B. — On se dispense d'indiquer ici le *conditionnel :* chaque fois que le futur simple existe, le conditionnel existe aussi.

Abattre. – Comme *battre.*

Absoudre. – Ind. pr. : *J'absous, tu absous, il absout, nous absolvons, vous absolvez, ils absolvent.* – Imparf. : *J'absolvais.* – Passé s. (manque). – Fut. : *J'absoudrai.* – Impér. : *Absous, absolvons, absolvez.* – Subj. pr. : *Que j'absolve.* – Subjonct. imparf. (manque). – Part. pr. : *Absolvant.* – Part. pas. : *Absous, absoute.*

Abstenir (s'). – Comme *tenir,* mais les temps comp. prennent *être.*

Abstraire. – Comme *traire.*

Accourir. – Comme *courir.*

Accroire. – N'est usité qu'à l'Infin., précédé du verbe *faire : Il m'en fait accroire.*

Accroître. – Ind. pr. : *J'accrois, tu accrois, il accroît, nous accroissons, vous accroissez, ils accroissent.* – Imparf. : *J'accroissais.* – Passé s. : *J'accrus, tu accrus, il accrut, nous accrûmes, vous accrûtes, ils accrurent.* – Fut. : *J'accroîtrai.* – Impér. : *Accrois,* *accroissons, accroissez.* – Subj. pr. : *Que j'accroisse.* – Subj. imp. : *Que j'accrusse.* – Part. pr. : *Accroissant.* – Part. pas. : *Accru, accrue* (§ 340, Rem.). – Aux temps composés, il prend *avoir* ou *être* selon la nuance de la pensée (§ 303).

Accueillir. – Comme *cueillir.*

Acquérir. – Ind. pr. : *J'acquiers, tu acquiers, il acquiert, nous acquérons, vous acquérez, ils acquièrent.* – Imparf. : *J'acquérais.* – Passé s. : *J'acquis.* – Fut. : *J'acquerrai.* – Impér. : *Acquiers, acquérons, acquérez.* – Subj. pr. : *Que j'acquière, que tu acquières, qu'il acquière, que nous acquérions, que vous acquériez, qu'ils acquièrent.* – Subj. imp. : *Que j'acquisse.* – Part. pr. : *Acquérant.* – Part. pas. : *Acquis, acquise.*

Adjoindre. – Comme *craindre.*

Admettre. – Comme *mettre.*

Advenir. – Comme *tenir*, mais n'est usité qu'à l'Infinitif et aux troisièmes personnes, et prend *être* aux temps composés. – *Advenant* s'emploie dans les contrats, etc. au sens de « s'il arrive ».

Aller. – Ind. pr. : *Je vais, tu vas, il va, nous allons, vous allez, ils vont.* – Imparf. : *J'allais.* – Passé s. : *J'allai.* – Fut. : *J'irai.* – Impér. : *Va* (pour *vas-y*, voir § 315, Rem.), *allons, allez.* – Subj. pr. : *Que j'aille, que tu ailles, qu'il aille, que nous allions, que vous alliez, qu'ils aillent.* – Subj. imp. : *Que j'allasse.* – Part. pr. : *Allant.* – Part. pas. : *Allé, allée.* – Les temps composés prennent *être.*

S'en aller. – Comme *aller* : *Je m'en vais*, etc. – Remarquez : Impér. : *Va-t-en, allons-nous-en, allez-vous-en.* – Aux temps comp., l'auxil. *être* se place entre *en* et *allé* : *Je m'en suis allé*, etc.

Apercevoir. – Comme *recevoir.*

Apparaître. – Comme *paraître.*

Apparoir (= être évident, être manifeste). Terme de palais usité seument à l'Infin., et impersonnellement, à la 3ᵉ pers. de l'Ind. pr. : *Il a fait apparoir de son bon droit.* – *Ainsi qu'il appert de tel acte.*

Appartenir. – Comme *tenir.*

Appendre. – Comme *rendre.*

Apprendre. – Comme *prendre.*

Assaillir. – Ind. pr. : *J'assaille, tu assailles, il assaille, nous assaillons, vous assaillez, ils assaillent.* – Imparf. : *J'assaillais, nous assaillions.* – Passé s. : *J'assaillis.* – Fut. : *J'assaillirai.* – Impér. : *Assaille, assaillons, assaillez.* – Subj. pr. : *Que j'assaille, que nous assaillions, que vous assailliez, qu'ils assaillent.* – Subj. imp. : *Que j'assaillisse.* – Part. pr. : *Assaillant.* – Part. pas. : *Assailli, assaillie.*

Asseoir. – Ind. pr. : *J'assieds, tu assieds, il assied, nous asseyons, vous asseyez, ils asseyent* (ou : *J'assois, tu assois, il assoit, nous assoyons, vous assoyez, ils assoient*). – Imparf. : *J'asseyais, nous asseyions* (ou : *J'assoyais, nous assoyions*). – Passé s. : *J'assis.* – Fut. : *J'assiérai* (ou : *J'assoirai*). – Impér. : *Assieds, asseyons, asseyez* (ou : *Assois, assoyons, assoyez*). – Subj. pr. : *Que j'asseye, que nous asseyions, qu'ils asseyent* (ou : *Que j'assoie, que nous assoyions, qu'ils assoient*). – Subj. imp. : *Que j'assisse.* – Part. pr. : *Asseyant* (ou : *Assoyant*). – Part. pas. : *Assis, assise.*

Astreindre. – Comme *craindre.*

Atteindre. – Comme *craindre.*

Attendre. – Comme *rendre.*

Attraire. – Comme *traire*, mais ne s'emploie plus guère qu'à l'Infin.

Battre. – Ind. pr. : *Je bats, tu bats, il bat, nous battons, vous battez, ils battent.* – Imparf. : *Je battais.* – Passé s. : *Je battis.* – Fut. : *Je battrai.* – Impér. : *Bats, battons, battez.* – Subj. pr. : *Que je batte.* – Subj. imp. : *Que je battisse.* – Part. pr. : *Battant.* – Part. pas. : *Battu, battue.*

Boire. – Ind. pr. : *Je bois, tu bois, il boit, nous buvons, vous buvez, ils boivent.* – Imparf. : *Je buvais.* – Passé

s. : *Je bus.* – Fut. : *Je boirai.* – Impér. : *Bois, buvons, buvez.* – Subj. pr. : *Que je boive, que tu boives, qu'il boive, que nous buvions, que vous buviez, qu'ils boivent.* – Subj. imp. : *Que je busse.* – Part. pr. : *Buvant.* – Part. pas. : *Bu, bue.*

Bouillir. – Ind. pr. : *Je bous, tu bous, il bout, nous bouillons, vous bouillez, ils bouillent.* – Imparf. : *Je bouillais, nous bouillions.* – Passé s. : *Je bouillis.* – Fut. : *Je bouillirai.* – Impér. : *Bous, bouillons, bouillez.* – Subj. pr. : *Que je bouille, que nous bouillions, que vous bouilliez, qu'ils bouillent.* – Subj. imp. : *Que je bouillisse.* – Part. pr. : *Bouillant.* – Part. pas. : *Bouilli, bouillie.*

Braire. – Ne s'emploie guère qu'à l'Infin. et aux troisièmes personnes du prés. de l'Indic., du Fut. et du Condit. : *Il brait, ils braient.* – *Il braira, ils brairont.* – *Il brairait, ils brairaient.* – Les formes suivantes sont rares : Imparf. : *Il brayait, ils brayaient.* – Part. pr. : *Brayant.* – Part. pas. : *Brait* (dans les temps composés : *Il a brait,* etc.) (sans fém.).

Bruire. – N'est guère usité qu'à l'Infin., à la 3ᵉ p. du sg. de l'Ind. pr. : *Il bruit* – aux 3ᵉˢ pers. de l'Imparf. : *Il bruissait, ils bruissaient* (*il bruyait, ils bruyaient* sont archaïques) – et au Part. pr. : *Bruissant* (*bruyant* ne s'emploie plus que comme adjectif).

Ceindre. – Comme *craindre.*

Chaloir (= importer). – Ne s'emploie plus qu'impersonnellement, dans les expressions : *Il ne m'en chaut, il ne m'en chaut guère, peu me chaut.*

Choir. – Ne s'emploie plus qu'en poésie ou par badinage, à l'Infin., – au Fut. : *Je cherrai* – et au Part. pas. : *Chu, chue.*

Circoncire. – Comme *suffire*, mais le Part. pas. est en *-s :* *Circoncis, circoncise.*

Circonscrire. – Comme *écrire.*

Circonvenir. – Comme *tenir.*

Clore. – N'est usité qu'à l'Infin. et aux formes suivantes : Ind. pr. : *Je clos, tu clos, il clôt,* (rare : *ils closent*). – Fut. (rare) : *Je clorai, tu cloras,* etc. – Impér. : *Clos.* – Subj. pr. (rare) : *Que je close,* etc. – Part. pas. : *Clos, close.*

Combattre. – Comme *battre.*

Commettre. – Comme *mettre.*

Comparaître. – Comme *connaître.*

Comparoir. – Terme de procédure usité seulement à l'Infin. (mot archaïque, remplacé par *comparaître*). – *Comparant* s'emploie comme adjectif ou comme nom.

Complaire. – Comme *plaire.*

Comprendre. – Comme *prendre.*

Compromettre. – Comme *mettre.*

Concevoir. – Comme *recevoir.*

Conclure. – Ind. pr. : *Je conclus, tu conclus, il conclut, nous concluons, vous concluez, ils concluent.* – Imparf. : *Je concluais, nous concluions.* – Passé s. : *Je conclus.* – Fut. : *Je conclurai.* – Impér. : *Conclus, concluons, concluez.* – Subj. pr. : *Que je conclue, que nous concluions.* – Subj. imp. : *Que je conclusse.* – Part. pr. : *Concluant.* – Part. pas. : *Conclu, conclue.*

Concourir. – Comme *courir.*

Condescendre. – Comme *rendre.*

Conduire. – Ind. pr. : *Je conduis, tu conduis, il conduit, nous conduisons, vous conduisez, ils conduisent.* – Imparf. : *Je conduisais.* – Passé s. : *Je conduisis.* – Fut. : *Je conduirai.* – Impér. : *Conduis, conduisons, conduisez.* – Subj. pr. : *Que je conduise.* – Subj. imp. : *Que je conduisisse.* – Part. pr. : *Conduisant.* – Part. pas. : *Conduit, conduite.*

Confire. – Comme *suffire*, sauf le Part. pas. : *Confit, confite.*

Confondre. – Comme *rendre.*

Conjoindre. – Comme *craindre.*

Connaître. – Ind. pr. : *Je connais, tu connais, il connaît, nous connaissons, vous connaissez, ils connaissent.* – Imparf. : *Je connaissais.* – Passé s. :

Je connus. – Fut. : *Je connaîtrai.* – Imp. : *Connais, connaissons, connaissez.* – Subj. pr. : *Que je connaisse.* – Subj. imp. : *Que je connusse.* – Part. pr. : *Connaissant.* – Part. pas. : *Connu, connue.*

Conquérir. – Comme *acquérir.*

Consentir. – Comme *mentir.*

Construire. – Comme *conduire.*

Contenir. – Comme *tenir.*

Contraindre. – Comme *craindre.*

Contredire. – Comme *dire,* sauf à la 2ᵉ p. du plur. de l'Ind. pr. et de l'Impér., où l'on a : *contredisez.*

Contrefaire. – Comme *faire.*

Contrevenir. – Comme *tenir.*

Convaincre. – Comme *vaincre.*

Convenir. – Comme *tenir.* – Dans le sens de « être approprié à, plaire, être à propos », il se conjugue avec *avoir* aux temps composés. Dans le sens de « tomber d'accord, faire un accord », il se conjugue avec *être.*

Correspondre. – Comme *rendre.*

Corrompre. – Comme *rompre.*

Coudre. – Ind. pr. : *Je couds, tu couds, il coud, nous cousons, vous cousez, ils cousent.* – Imparf. : *Je cousais.* – Passé s. : *Je cousis.* – Fut. : *Je coudrai.* – Impér. : *Couds, cousons, cousez.* – Subj. pr. : *Que je couse.* – Subj. imp. : *Que je cousisse.* – Part. pr. : *Cousant.* – Part. pas. : *Cousu, cousue.*

Courir. – Ind. pr. : *Je cours, tu cours, il court, nous courons, vous courez, ils courent.* – Imparf. : *Je courais.* – Passé s. : *Je courus.* – Fut. : *Je courrai.* – Impér. : *Cours, courons, courez.* – Subj. pr. : *Que je coure, que tu coures, qu'il coure, que nous courions, que vous couriez, qu'ils courent.* – Subj. imp. : *Que je courusse.* – Part. pr. : *Courant.* – Part. pas. : *Couru, courue.*

Couvrir. – Ind. pr. : *Je couvre, tu couvres, il couvre, nous couvrons, vous couvrez, ils couvrent.* – Imparf. : *Je couvrais.* – Passé s. : *Je couvris.* – Fut. : *Je couvrirai.* – Impér. : *Couvre, couvrons, couvrez.* – Subj. pr. : *Que je couvre.* – Subj. imp. : *Que je couvrisse.* – Part. pr. : *Couvrant.* – Part. pas. : *Couvert, couverte.*

Craindre. – Ind. pr. : *Je crains, tu crains, il craint, nous craignons, vous craignez, ils craignent.* – Imparf. : *Je craignais, nous craignions.* – Passé s. : *Je craignis.* – Fut. : *Je craindrai.* – Impér. : *Crains, craignons, craignez.* – Subj. pr. : *Que je craigne, que nous craignions.* – Subj. imp. : *Que je craignisse.* – Part. pr. : *Craignant.* – Part. pas. : *Craint, crainte.*

Croire. – Ind. pr. : *Je crois, tu crois, il croit, nous croyons, vous croyez, ils croient.* – Imparf. : *Je croyais, nous croyions.* – Passé s. : *Je crus.* – Fut. : *Je croirai.* – Impér. : *Crois, croyons, croyez.* – Subj. pr. : *Que je croie, que tu croies, qu'il croie, que nous croyions, que vous croyiez, qu'ils croient.* – Subj. imp. : *Que je crusse.* – Part. pr. : *Croyant.* – Part. pas. : *Cru, crue.*

Croître. – Ind. pr. : *Je croîs, tu croîs, il croît, nous croissons, vous croissez, ils croissent.* – Imparf. : *Je croissais.* – Passé s. : *Je crûs, tu crûs, il crût, nous crûmes, vous crûtes, ils crûrent.* – Fut. : *Je croîtrai.* – Impér. : *Croîs, croissons, croissez.* – Subj. pr. : *Que je croisse.* – Subj. imp. : *Que je crusse* (on ne voit pas pourquoi l'Académie écrit cette forme sans accent circonflexe). – Part. pr. : *Croissant.* – Part. pas. : *Crû* (plur. : *crus* : §§ 336 et 340, Rem.), *crue* (plur. : *crues*). – Aux temps composés, il prend tantôt *avoir,* tantôt *être* (§ 303).

Cueillir. – Ind. pr. : *Je cueille, tu cueilles, il cueille, nous cueillons, vous cueillez, ils cueillent.* – Imparf. : *Je cueillais, nous cueillions.* – Passé s. : *Je cueillis.* – Fut. : *Je cueillerai.* – Impér. : *Cueille, cueillons, cueillez.* – Subj. pr. : *Que je cueille, que nous cueillions.* – Subj. imp. : *Que je cueil-*

lisse. – Part. pr. : *Cueillant.* – Part. pas. : *Cueilli, cueillie.*

Cuire. – Comme *conduire.*

Débattre. – Comme *battre.*

Décevoir. – Comme *recevoir.*

Déchoir. – Ind. pr. : *Je déchois, tu déchois, il déchoit* (archaïque : *il déchet*), *nous déchoyons, vous déchoyez, ils déchoient.* – Imparf. : (inusité). – Passé s. : *Je déchus.* – Fut. : *Je déchoirai* (archaïq. : *je décherrai*). – Impér. : (inusité). – Subj. pr. : *Que je déchoie, que nous déchoyions, que vous déchoyiez, qu'ils déchoient.* – Subj. imp. : *Que je déchusse.* – Part. pr. : (inusité). – Part. pas. : *Déchu, déchue.* – Aux temps composés, il prend *avoir* ou *être* selon la nuance de la pensée (§ 303).

Déclore. – Selon l'Académie, ne s'emploie qu'à l'Infin. – Selon Littré, *déclore* n'a que les temps et les personnes qui suivent : Ind. pr. : *Je déclos, tu déclos, il déclôt* (sans plur.). – Fut. : *Je déclorai.* – Condit. : *Je déclorais.* – Subj. pr. : *Que je déclose, que tu décloses, qu'il déclose, que nous déclosions, que vous déclosiez, qu'ils déclosent.* – Infin. : *Déclore.* – Part, pas. : *Déclos, déclose.*

Découdre. – Comme *coudre.*

Découvrir. – Comme *couvrir.*

Décrire. – Comme *écrire.*

Décroître. – Comme *accroître.* – Aux temps composés, il se conjugue avec *avoir* ou avec *être* selon la nuance de la pensée (§ 303).

Dédire (se). – Comme *dire*, sauf à la 2ᵉ pers. de l'Ind. pr. et de l'Impér. : *Vous vous dédisez, dédisez-vous.* – Aux temps composés, il se conjugue avec *être.*

Déduire. – Comme *conduire.*

Défaillir. – Comme *assaillir.* – Selon l'Académie, *défaillir* n'est plus guère usité qu'au plur. du Prés. de l'Ind., à l'Imparf., au Passé s., au Passé comp., à l'Infin. et au Part. pr.

Défaire. – Comme *faire.*

Défendre. – Comme *rendre.*

Démentir. – Comme *mentir*, mais il a un Part. pas. féminin : *démentie.*

Démettre. – Comme *mettre.*

Démordre. – Comme *rendre.*

Départir. – Comme *mentir*, mais son Part. pas. : *Départi* a un féminin : *départie.*

Dépeindre. – Comme *craindre.*

Dépendre. – Comme *rendre.*

Déplaire. – Comme *plaire.*

Désapprendre. – Comme *prendre.*

Descendre. – Comme *rendre.* – Aux temps composés, il prend *avoir* ou *être* selon la nuance de la pensée (§ 303).

Desservir. – Comme *servir.*

Déteindre. – Comme *craindre.*

Détendre. – Comme *rendre.*

Détenir. – Comme *tenir.*

Détordre. – Comme *rendre.*

Détruire. – Comme *conduire.*

Devenir. – Comme *tenir*, mais aux temps composés, il se conjugue avec *être.*

Dévêtir. – Comme *vêtir.*

Devoir. – Ind. pr. : *Je dois, tu dois, il doit, nous devons, vous devez, ils doivent.* – Imparf. : *Je devais.* – Passé s. : *Je dus.* – Fut. : *Je devrai.* – Impér. (très peu usité) : *Dois, devons, devez.* – Subj. pr. : *Que je doive, que nous devions.* – Subj. imp. : *Que je dusse.* – Part. pr. : *Devant.* – Part. pas. : *Dû* (plur. : *dus* : § 336), *due* (plur. : *dues*).

Dire. – Ind. pr. : *Je dis, tu dis, il dit, nous disons, vous dites, ils disent.* – Imparf. : *Je disais.* – Passé s. : *Je dis.* – Fut. : *Je dirai.* – Impér. : *Dis, disons, dites.* – Subj. pr. : *Que je dise.* – Subj. imp. : *Que je disse.* – Part. pr. : *Disant.* – Part. pas. : *Dit, dite.*

Disconvenir. – Comme *tenir.* – Aux temps composés, dans le sens de « ne pas convenir d'une chose », il prend *être* : *Il n'est pas disconvenu de cette* *vérité.* Dans le sens de « ne pas convenir à », il prend *avoir : Cette mesure a disconvenu à beaucoup de gens.*

Discourir. – Comme *courir.*

Disjoindre. – Comme *craindre.*

Disparaître. – Comme *connaître.*

Dissoudre. – Comme *absoudre.*

Distendre. – Comme *rendre.*

Distraire. – Comme *traire.*

Dormir. – Ind. pr. : *Je dors, tu dors, il dort, nous dormons, vous dormez, ils dorment.* – Imparf. : *Je dormais.* – Passé s. : *Je dormis.* – Fut. : *Je dormirai.* – Impér. : *Dors, dormons, dormez.* – Subj. pr. : *Que je dorme.* – Subj. imp. : *Que je dormisse.* – Part. pr. : *Dormant.* – Part. pas. : *Dormi* [le fém. *dormie* est rare : *Trois nuits mal dormies* (Musset)].

Ébattre (s'). – Comme *battre.* Les temps composés prennent *être.*

Échoir. – Usité seulement à l'Infin. et aux formes suivantes : Ind. pr. : *Il échoit* (*il échet* est archaïque), *ils échoient.* – Passé s. : *Il échut.* – Fut. : *Il échoira, ils échoiront* (*il écherra, ils écherront :* formes archaïques). – Condit. : *Il échoirait, ils échoiraient* (*il écherrait, ils écherraient :* formes archaïques). – Part. pr. : *Échéant.* – Part. pas. : *Échu, échue.* – Les temps composés se conjuguent avec *être.*

Éclore. – N'est guère usité, dit l'Académie, qu'à l'Infin. et aux 3es pers. de quelques temps : *Il éclot* (on ne voit pas pourquoi l'Académie écrit cette forme sans accent circonflexe), *ils éclosent. Il est éclos. Il éclora. Il éclorait. Qu'il éclose. Éclos.* – Selon Littré, *éclore* a les temps suivants : Ind. pr. : *J'éclos, tu éclos, il éclôt, nous éclosons, vous éclosez, ils éclosent.* – Imparf. : *J'éclosais.* – Fut. : *J'éclorai.* – Condit. : *J'éclorais.* – Subj. pr. : *Que j'éclose.* – Part. pas. : *Éclos, éclose.* – Les temps composés prennent *être.*

Éconduire. – Comme *conduire.*

Écrire. – Ind. pr. : *J'écris, tu écris, il écrit, nous écrivons, vous écrivez, ils écrivent.* – Imparf. : *J'écrivais.* – Passé s. : *J'écrivis.* – Fut. : *J'écrirai.* – Impér. : *Écris, écrivons, écrivez.* – Subj. pr. : *Que j'écrive.* – Subj. imp. : *Que j'écrivisse.* – Part. pr. : *Écrivant.* – Part. pas. : *Écrit, écrite.*

Élire. – Comme *lire.*

Emboire. – Comme *boire.*

Émettre. – Comme *mettre.*

Émouvoir. – Comme *mouvoir,* mais le Part. pas. : *Ému* s'écrit sans circonflexe (§ 336, Rem.).

Empreindre. – Comme *craindre.*

Enceindre. – Comme *craindre.*

Enclore. – Ind. pr. : *J'enclos, tu enclos, il enclot* (on ne voit pas pourquoi l'Académie écrit cette forme sans circonflexe), *nous enclosons, vous enclosez, ils enclosent.* – Imparf. (rare) : *J'enclosais.* – Passé s. (manque). – Fut. : *J'enclorai.* – Impér. : *Enclos.* – Subj. pr. : *Que j'enclose.* – Subj. imp. : (manque). – Part. pr. (rare) : *Enclosant.* – Part. pas. : *Enclos, enclose.*

Encourir. – Comme *courir.*

Endormir. – Comme *dormir.*

Enduire. – Comme *conduire.*

Enfreindre. – Comme *craindre.*

Enfuir (s'). – Comme *fuir.* – Aux temps composés, il prend *être.*

Enjoindre. – Comme *craindre.*

Enquérir (s'). – Comme *acquérir.* – Aux temps composés, il prend *être.*

Ensuivre (s'). – Comme *suivre,* mais n'est usité qu'à l'Infin. et aux 3es pers. de chaque temps. – Aux temps composés, il se conjugue avec *être.*

Entendre. – Comme *rendre.*

Entremettre (s'). – Comme *mettre.* – Aux temps composés, il se conjugue avec *être.*

Entreprendre. – Comme *prendre.*

Entretenir. – Comme *tenir.*

Entrevoir. – Comme *voir.*

Entrouvrir. – Comme *couvrir.*

Envoyer. – Ind. pr. : *J'envoie, tu envoies, il envoie, nous envoyons, vous envoyez, ils envoient.* – Imparfait :

J'envoyais, nous envoyions. – Passé s. : *J'envoyai.* – Fut. : *J'enverrai.* – Impér. : *Envoie, envoyons, envoyez.* – Subj. pr. : *Que j'envoie, que nous envoyions.* – Subj. imp. : *Que j'envoyasse.* – Part. pr. : *Envoyant.* – Part. pas. : *Envoyé, envoyée.*

Épandre. – Comme *rendre*.

Éprendre (s'). – Comme *prendre.* – Aux temps composés, il se conjugue avec *être*.

Équivaloir. – Comme *valoir*, mais le Part. pas. : *Équivalu* n'a pas de féminin.

Éteindre. – Comme *craindre*.

Étendre. – Comme *rendre*.

Étreindre. – Comme *craindre*.

Exclure. – Comme *conclure*.

Extraire. – Comme *traire*.

Faillir. – N'est plus guère usité qu'à l'Infin., au Passé s., au Fut., au Condit. et aux temps composés. – Ind. pr. (archaïque) : *Je faux, tu faux, il faut, nous faillons, vous faillez, ils faillent.* – Imparf. (archaïque) : *Je faillais, nous faillions.* – Passé s. : *Je faillis.* – Fut. : *Je faillirai* (archaïque : *Je faudrai*). – Subj. pr. (archaïque) : *Que je faille, que nous faillions.* – Subj. imp. (archaïque) : *Que je faillisse.* – Part. pr. (archaïque) : *Faillant.* – Part. pas. : *Failli, faillie.* – Dans le sens de « faire faillite », *faillir* se conjugue sur *finir*.

Faire. – Ind. pr. : *Je fais, tu fais, il fait, nous faisons, vous faites, ils font.* – Imparf. : *Je faisais.* – Passé s. : *Je fis.* – Fut. : *Je ferai.* – Impér. : *Fais, faisons, faites.* – Subj. pr. : *Que je fasse.* – Subj. imp. : *Que je fisse.* – Part. pr. : *Faisant.* – Part. pas. : *Fait, faite.*

Falloir. – Verbe impersonnel. Ind. pr. : *Il faut.* – Imparf. : *Il fallait.* – Passé s. : *Il fallut.* – Fut. : *Il faudra.* – Subj. pr. : *Qu'il faille.* – Subj. imp. : *Qu'il fallût.* – Part. pr. : *Fallant* (rare). – Part. pas. : *Fallu* (sans fém.).

Feindre. – Comme *craindre*.

Fendre. – Comme *rendre*.

Férir (= frapper). – N'est plus usité qu'à l'Infin. dans l'expression *sans coup férir*, et au Part. pas. : *Féru, férue*, qui s'emploie comme adjectif et signifie, au propre : « qui est blessé, frappé de qq. ch. » et au figuré : « qui est épris de ».

Fleurir. – Au sens propre, se conjugue régulièrement sur *finir*. – Au sens figuré de « prospérer », fait souvent *florissait* à l'Imparf. de l'ind. et presque toujours *florissant* au Part. pr. L'adj. verbal est toujours *florissant* (§ 334).

Fondre. – Comme *rendre*.

Forfaire. – N'est guère usité qu'à l'Infin. et aux temps composés : *J'ai forfait à l'honneur*, etc.

Frire. – N'est guère usité qu'à l'Infin., au sing. de l'Ind. pr. : *Je fris, tu fris, il frit ;* – au Part. pas. : *Frit, frite ;* – et aux temps composés : *J'ai frit, j'avais frit*, etc. – Rares : Fut. : *Je frirai.* – Condit. : *Je frirais.* – Impér. sg. : *Fris.* – On supplée les autres formes au moyen des temps du verbe *faire* et de l'infinitif *frire : Nous faisons frire*, etc.

Fuir. – Ind. pr. : *Je fuis, tu fuis, il fuit, nous fuyons, vous fuyez, ils fuient.* – Imparf. : *Je fuyais, nous fuyions.* – Passé s. : *Je fuis.* – Fut. : *Je fuirai.* – Impér. : *Fuis, fuyons, fuyez.* – Subj. pr. : *Que je fuie, que tu fuies, qu'il fuie, que nous fuyions, que vous fuyiez, qu'ils fuient.* – Subj. imp. (rare) : *Que je fuisse.* – Part. pr. : *Fuyant.* – Part. pas. : *Fui, fuie.*

Geindre. — Comme *craindre*.

Gésir (= être couché). – Ne s'emploie plus qu'à l'Ind. pr. : *Je gis, tu gis, il gît (ci-gît), nous gisons, vous gisez, ils gisent ;* – à l'Imparf. : *Je gisais*, etc. ; – au Part. pr. : *Gisant.*

Haïr. – Ind. pr. : *Je hais, tu hais, il hait, nous haïssons, vous haïssez, ils* *haïssent.* – Imparf. : *Je haïssais.* – Passé s. (rare) : *Je haïs, nous haïmes, vous haïtes, ils haïrent.* – Futur : *Je haïrai.* – Impér. : *Hais, haïssons, haïssez.* – Subj. pr. : *Que je haïsse.* – Subj. imp. (rare) : *Que je haïsse, que tu haïsses, qu'il haït.* – Part. pr. : *Haïssant.* – Part. pas. : *Haï, haïe.*

Imboire. – Verbe archaïque, qui s'est conjugué comme *boire*, mais dont il ne subsiste plus que le Part. pas. : *Imbu, imbue,* qui s'emploie surtout comme adjectif.

Inclure. – N'est guère usité qu'au Part. pas. : *Inclus, incluse,* qui est le plus souvent précédé de *ci.*

Induire. – Comme *conduire.*

Inscrire. – Comme *écrire.*

Induire. – Comme *conduire.*

Inscrire. – Comme *écrire.*

Instruire. – Comme *conduire.*

Interdire. – Comme *dire,* sauf à la 2ᵉ p. du plur. de l'Ind. pr. et de l'Impér., où l'on a : *interdisez.*

Intervenir. – Comme *tenir.* – Il prend l'auxiliaire *être.*

Introduire. – Comme *conduire.*

Issir (= sortir). – Ne subsiste plus qu'au Part. pas. : *Issu, issue,* qui s'emploie seul ou avec *être : Un prince issu du sang des rois.* – *Il est issu d'une famille noble.*

Joindre. – Comme *craindre.*

Lire. – Ind. pr. : *Je lis, tu lis, il lit, nous lisons, vous lisez, ils lisent.* – Imparf. : *Je lisais.* – Passé s. : *Je lus.* – Fut. : *Je lirai.* – Impér. : *Lis, lisons, lisez.* – Subj. pr. : *Que je lise.* – Subj. imp. : *Que je lusse.* – Part. pr. : *Lisant.* – Part. pas. : *Lu, lue.*

Luire. – Ind. pr. : *Je luis, tu luis, il luit, nous luisons, vous luisez, ils luisent.* – Imparf. : *Je luisais.* – Pas. s. (peu usité) : *Je luisis.* – Fut. : *Je luirai.* – Impér. : *Luis, luisons, luisez.* – Subj. pr. : *Que je luise.* – Subj.

imp. (peu usité) : *Que je luisisse.* – Part. pr. : *Luisant.* – Part. pas. : *Lui* (sans féminin).

Maintenir. – Comme *tenir.*

Maudire. – Ind. pr. : *Je maudis, tu maudis, il maudit, nous maudissons, vous maudissez, ils maudissent.* – Imparf. : *Je maudissais.* – Passé s. : *Je maudis.* – Fut. : *Je maudirai.* – Impér. : *Maudis, maudissons, maudissez.* – Subj. pr. : *Que je maudisse.* – Subj. imp. : *Que je maudisse.* – Part. pr. : *Maudissant.* – Part. pas. : *Maudit, maudite.*

Méconnaître. – Comme *connaître.*

Médire. – Comme *dire,* sauf à la 2ᵉ p. du plur. de l'Ind. pr. et de l'Impér., où l'on a : *médisez.* Le Part. pas. *médit* n'a pas de fém.

Mentir. – Ind. pr. : *Je mens, tu mens, il ment, nous mentons, vous mentez, ils mentent.* – Imparf. : *Je mentais.* – Passé s. : *Je mentis.* – Fut. : *Je mentirai.* – Impér. : *Mens, mentons, mentez.* – Subj. pr. : *Que je mente.* – Subj. imp. : *Que je mentisse.* – Part. pr. : *Mentant.* – Part. pas. : *Menti* (sans fém.).

Méprendre (se). – Comme *prendre.* – Aux temps composés, il se conjugue avec *être.*

Messeoir n'est plus en usage à l'Infin. ; il s'emploie dans les mêmes temps que *seoir* (= convenir).

Mettre. – Ind. pr. : *Je mets, tu mets, il met, nous mettons, vous mettez, ils mettent.* – Imparf. : *Je mettais.* – Passé s. : *Je mis.* – Fut. : *Je mettrai.* – Impér. : *Mets, mettons, mettez.* – Subj. pr. : *Que je mette.* – Subj. imp. : *Que je misse.* – Part. pr. : *Mettant.* – Part. pas. : *Mis, mise.*

Mordre. – Comme *rendre.*

Morfondre (se). – Comme *rendre.* Aux temps composés, il se conjugue avec *être.*

Moudre. – Ind. pr. : *Je mouds, tu mouds, il moud, nous moulons, vous moulez, ils moulent.* – Imparf. : *Je* *moulais.* – Passé s. : *Je moulus.* – Fut. : *Je moudrai.* – Impér. : *Mouds, moulons, moulez.* – Subj. pr. : *Que je moule.* – Subj. imp. : *Que je moulusse.* – Part. pr. : *Moulant.* – Part. pas. : *Moulu, moulue.*

Mourir. – Ind. pr. : *Je meurs, tu meurs, il meurt, nous mourons, vous mourez, ils meurent.* – Imparf. : *Je mourais.* – Passé s. : *Je mourus.* – Fut. : *Je mourrai.* – Impér. : *Meurs, mourons, mourez.* – Subj. pr. : *Que je meure, que tu meures, qu'il meure, que nous mourions, que vous mouriez, qu'ils meurent.* – Subj imp. : *Que je mourusse.* – Part. pr. : *Mourant.* – Part. pas. : *Mort, morte.* – Aux temps composés, il se conjugue avec *être.*

Mouvoir. – Ind. pr. : *Je meus, tu meus, il meut, nous mouvons, vous mouvez, ils meuvent.* – Imparf. : *Je mouvais.* – Passé s. (rare) : *Je mus.* – Fut. : *Je mouvrai.* – Impér. : *Meus, mouvons, mouvez.* – Subj. pr. : *Que je meuve.* – Subj. imp. (rare) : *Que je musse.* – Part. pr. : *Mouvant.* – Part. pas. : *Mû* (plur. : *mus* : § 336), *mue* (plur. : *mues*).

Naître. – Ind. pr. : *Je nais, tu nais, il naît, nous naissons, vous naissez, ils naissent.* – Imparf. : *Je naissais.* – Passé s. : *Je naquis.* – Fut. : *Je naîtrai.* – Impér. : *Nais, naissons, naissez.* – Subj. pr. : *Que je naisse.* – Subj. imp. : *Que je naquisse.* – Part. pr. : *Naissant.* – Part. pas. : *Né, née.* – Aux temps composés, il se conjugue avec *être.*

Nuire. – Comme *conduire*, mais le Part. pas. : *Nui* s'écrit sans *t* et n'a pas de féminin.

Obtenir. – Comme *tenir.*

Occire (= tuer). – Ne s'emploie plus que par badinage à l'Infin., au Part. pas. : *Occis, occise* – et aux temps composés.

Offrir. – Comme *couvrir.*

Oindre. – Comme *craindre*, mais ne s'emploie plus guère qu'à l'Infin. et au Part. pas. : *Oint, ointe.*

Omettre. – Comme *mettre.*

Ouïr. – N'est plus guère usité qu'à l'Infinitif et au Part. pas. : *Ouï, ouïe*, surtout dans : *J'ai ouï dire.*

Ouvrir. – Comme *couvrir.*

Paître. – Ind. pr. : *Je pais, tu pais, il paît, nous paissons, vous paissez, ils paissent.* – Imparf. : *Je paissais.* – Passé s. (manque). – Fut. : *Je paîtrai.* – Impér. : *Pais, paissons, paissez.* – Subj. pr. : *Que je paisse.* – Subj. imp. (manque). – Part. pr. : *Paissant.* – Part. pas. (manque).

Paraître. – Comme *connaître.*

Parcourir. – Comme *courir.*

Parfaire. – Comme *faire.*

Partir. – Comme *mentir*, mais son Part. pas. : *Parti* a un féminin : *partie.* – Aux temps composés, *partir* se conjugue avec l'auxiliaire *être.*

Partir, employé anciennement au sens de « partager », ne s'emploie plus que dans l'expression *avoir maille à partir avec qqn (maille* : petite pièce de monnaie qui valait la moitié du denier). – Le Part. pas. : *Parti*, en termes de blason, se dit soit de l'écu divisé perpendiculairement en parties égales, soit d'une aigle à deux têtes.

Parvenir. – Comme *tenir*, mais les temps composés se conjuguent avec *être.*

Peindre. – Comme *craindre.*

Pendre. – Comme *rendre.*

Percevoir. – Comme *recevoir.*

Perdre. – Comme *rendre.*

Permettre. – Comme *mettre.*

Plaindre. – Comme *craindre.*

Plaire. – Ind. pr. : *Je plais, tu plais, il plaît, nous plaisons, vous plaisez, ils plaisent.* – Imparf. : *Je plaisais.* – Passé s. : *Je plus.* – Fut. : *Je plairai.* – Impér. : *Plais, plaisons, plaisez.* – Subj. pr. : *Que je plaise.* – Subj. imp. : *Que je plusse.* – Part. pr. : *Plaisant.* – Part. pas. : *Plu* (sans fém.).

Pleuvoir. – Verbe impersonnel (voir pourtant § 288, *a*, Rem.). – Ind. pr. : *Il pleut.* – Imparf. : *Il pleuvait.* – Passé s. : *Il plut.* – Fut. : *Il pleuvra.* – Subj. pr. : *Qu'il pleuve.* – Subj. imp. : *Qu'il plût.* – Part. pr. : *Pleuvant.* – Part. pas. : *Plu* (sans fém.).

Poindre. – Dans le sens de « commencer à paraître », se conjugue comme *craindre*, mais ne s'emploie plus guère qu'à l'Infin. et à la 3ᵉ p. du sing. de l'Ind. pr. et du Fut. : *Le jour point, poindra.* – Au sens de « piquer », il ne s'emploie plus guère que dans la locution proverbiale : *Oignez vilain, il vous poindra ; poignez vilain, il vous oindra.*

Pondre. – Comme *rendre*.

Pourfendre. – Comme *rendre*.

Poursuivre. – Comme *suivre*.

Pourvoir. – Comme *voir*, sauf au Passé s. : *Je pourvus ;* – au Fut. : *Je pourvoirai ;* – au Condit. : *Je pourvoirais ;* – et au Subj. imp. : *Que je pourvusse.*

Pouvoir. – Ind. prés. : *Je peux* (ou *je puis*), *tu peux, il peut, nous pouvons, vous pouvez, ils peuvent.* – Imparf. : *Je pouvais.* – Passé s. : *Je pus.* – Fut. : *Je pourrai.* – Impér. (manque). – Subj. pr. : *Que je puisse.* – Subj. imp. : *Que je pusse.* – Part. pr. : *Pouvant.* – Part. pas. : *Pu* (sans fém.).

Prédire. – Comme *dire*, sauf à la 2ᵉ p. du plur. de l'Ind. pr. et de l'Impér., où l'on a : *prédisez.*

Prendre. – Ind. pr. : *Je prends, tu prends, il prend, nous prenons, vous prenez, ils prennent.* – Imparf. : *Je prenais.* – Passé s. : *Je pris.* – Fut. : *Je prendrai.* – Impér. : *Prends, prenons, prenez.* – Subj. pr. : *Que je prenne, que tu prennes, qu'il prenne, que nous prenions, que vous preniez, qu'ils prennent.* – Subj. imp. : *Que je prisse.* – Part. pr. : *Prenant.* – Part. pas. : *Pris, prise.*

Prescrire. – Comme *écrire*.

Pressentir. – Comme *sentir*.

Prétendre. – Comme *rendre*.

Prévaloir. – Comme *valoir*, sauf au Subj. pr. : *Que je prévale, que tu prévales, qu'il prévale, que nous prévalions, que vous prévaliez, qu'ils prévalent.* – Le Part. pas. : *Prévalu* n'a pas de féminin.

Prévenir. – Comme *tenir*.

Prévoir. – Comme *voir*, sauf au Fut. : *Je prévoirai ;* – et au Condit. : *Je prévoirais.*

Produire. – Comme *conduire*.

Promettre. – Comme *mettre*.

Promouvoir. – Ne s'emploie qu'à l'Infin., au Part. pr. : *Promouvant* et aux temps composés. – Le Part. pas. : *Promu* s'écrit sans accent circonflexe (§ 336, Rem.).

Proscrire. – Comme *écrire*.

Provenir. – Comme *tenir*, mais aux temps composés, il se conjugue avec *être.*

Quérir (ou *querir*). – Ne s'emploie plus qu'à l'Infin. après *aller, venir, envoyer.*

Rabattre. – Comme *battre*.

Rapprendre. – Comme *prendre*.

Rasseoir. – Comme *asseoir*.

Ravoir. – N'est guère usité qu'à l'Infin. Le Fut. et le Condit. : *Je raurai, je raurais*, appartiennent à la langue familière.

Réapparaître. – Comme *connaître*.

Rebattre. – Comme *battre*.

Recevoir. – Voir § 311.

Reclure. – N'est usité qu'à l'Infin. et au Part. pas. : *Reclus, recluse.*

Reconduire. – Comme *conduire*.

Reconnaître. – Comme *connaître*.

Reconquérir. – Comme *acquérir*.

Reconstruire. – Comme *conduire*.

Recoudre. – Comme *coudre*.

Recourir. – Comme *courir*.

Recouvrir. – Comme *couvrir*.

Récrire. – Comme *écrire*.

Recroître. – Comme *accroître*. – Pour le Part. pas. : *Recrû* (plur. : *recrus*), *recrue*, voir § 336. – Aux temps composés, *recroître* prend *avoir* ou *être* selon la nuance de la pensée (§ 303).

Recueillir. – Comme *cueillir*.

Recuire. – Comme *conduire*.

Redescendre. – Comme *rendre*. – Aux temps composés, il prend *avoir* ou *être* selon la nuance de la pensée (§ 303).

Redevenir. – Comme *tenir*, mais les temps composés se conjuguent avec *être*.

Redevoir. – Comme *devoir*.

Redire. – Comme *dire*.

Réduire. – Comme *conduire*.

Réélire. – Comme *lire*.

Refaire. – Comme *faire*.

Refendre. – Comme *rendre*.

Refondre. – Comme *rendre*.

Rejoindre. – Comme *craindre*.

Relire. – Comme *lire*.

Reluire. – Comme *luire*.

Remettre. – Comme *mettre*.

Remordre. – Comme *rendre*.

Renaître. – Comme *naître*, mais n'a pas de Part. pas. : il ne peut donc avoir de temps composés.

Rendormir. – Comme *dormir*, mais le féminin du Part. pas. est courant : *Rendormi, rendormie.* – Aux temps composés, *se rendormir* se conjugue avec *être*.

Rendre. – Voir § 312.

Rentraire. – Comme *traire*.

Renvoyer. – Comme *envoyer*.

Repaître. – Comme *paître*, mais il a un Passé s. : *Je repus ;* – un Subj. imp. : *Que je repusse ;* – et un Part. pas. : *Repu, repue.*

Répandre. – Comme *rendre*.

Reparaître. – Comme *connaître*.

Repartir (= partir de nouveau). – Comme *partir*. (Les temps composés prennent *être*.)

Repartir (= répondre). – Comme *partir*, mais les temps composés prennent *avoir*. – Ne pas confondre avec *répartir* (= partager), qui se conjugue régulièrement sur *finir*.

Repeindre. – Comme *craindre*.

Rependre. – Comme *rendre*.

Repentir (se). – Voir § 343.

Répondre. – Comme *rendre*.

Reprendre. – Comme *prendre*.

Reproduire. – Comme *conduire*.

Requérir. – Comme *acquérir*.

Résoudre. – Ind. pr. : *Je résous, tu résous, il résout, nous résolvons, vous résolvez, ils résolvent.* – Imparf. : *Je résolvais.* – Passé s. : *Je résolus.* – Fut. : *Je résoudrai.* – Impér. : *Résous, résolvons, résolvez.* – Subj. pr. : *Que je résolve.* – Subj. imp. : *Que je résolusse.* – Part. pr. : *Résolvant.* – Part. pas. : *Résolu, résolue.* (Une autre forme du Part. pas. : *Résous*, signifiant *changé*, est rarement employée ; son féminin *résoute* est même à peu près inusité.)

Ressentir. – Comme *mentir*, mais son Part. pas. : *Ressenti* a un féminin : *ressentie*.

Resservir. – Comme *servir*.

Ressortir (= sortir d'un lieu où l'on vient d'entrer, former relief, résulter). – Comme *mentir*, mais les temps composés prennent *être*. – Ne pas confondre avec *ressortir* (= être du ressort de), qui se conjugue régulièrement sur *finir* : *Ces affaires ressortissent, ressortissaient à tel tribunal.*

Ressouvenir (se). – Comme *tenir*, mais les temps composés prennent *être*.

Restreindre. – Comme *craindre*.

Résulter. – N'est usité qu'à l'Infin. et à la 3ᵉ p. des autres temps. – Aux temps composés, il se conjugue avec *avoir* quand on veut marquer l'action : *Du mal en a résulté ;* – avec *être* quand on veut marquer l'état : *Il en est résulté du mal* (§ 303).

Reteindre. – Comme *craindre*.

Retendre. – Comme *rendre*.

Retenir. – Comme *tenir*.

Retordre. – Comme *rendre*.

Retraduire. – Comme *conduire*.

Retraire. – Comme *traire.*

Revaloir. – Comme *valoir.*

Revendre. – Comme *rendre.*

Revenir. – Comme *tenir,* mais les temps composés prennent *être.*

Revêtir. – Comme *vêtir.*

Revivre. – Comme *vivre.*

Revoir. – Comme *voir.*

Rire. – Ind. pr. : *Je ris, tu ris, il rit, nous rions, vous riez, ils rient.* – Imparf. : *Je riais, nous riions.* – Passé s. : *Je ris, nous rîmes, vous rîtes, ils rirent.* – Fut. : *Je rirai.* – Impér. : *Ris, rions, riez.* – Subj. pr. : *Que je rie, que nous riions.* – Subj. imp. (rare) : *Que je risse.* – Part. pr. : *Riant.* – Part. pas. : *Ri* (sans fém.).

Rompre. – Ind. pr. : *Je romps, tu romps, il rompt, nous rompons, vous rompez, ils rompent.* – Imparf. : *Je rompais.* – Passé s. : *Je rompis.* – Fut. : *Je romprai.* – Impér. : *Romps, rompons, rompez.* – Subj. pr. : *Que je rompe.* – Subj. imp. : *Que je rompisse.* – Part. pr. : *Rompant.* – Part. pas. : *Rompu, rompue.*

Rouvrir. – Comme *couvrir.*

Saillir (= jaillir). – Ne s'emploie guère qu'à l'Infin. et aux 3es personnes : Ind. pr. : *Il saillit, ils saillissent.* – Imparf. : *Il saillissait, ils saillissaient.* – Passé s. : *Il saillit, ils saillirent.* – Fut. : *Il saillira, ils sailliront.* – Impér. (manque). – Subj. pr. : *Qu'il saillisse, qu'ils saillissent.* – Subj. imp. : *Qu'il saillît, qu'ils saillissent.* – Part. pr. : *Saillissant.* – Part. pas. : *Sailli, saillie.*

Saillir (= être en saillie). – Ne s'emploie qu'aux 3es personnes : Ind. pr. : *Il saille, ils saillent.* – Imparf. : *Il saillait, ils saillaient.* – Passé s. : *Il saillit, ils saillirent.* – Fut. : *Il saillera, ils sailleront.* – Impér. (manque). – Subj. pr. : *Qu'il saille, qu'ils saillent.* – Subj. imp. : *Qu'il saillît, qu'ils saillissent.* – Part. pr. : *Saillant.* – Part. pas. : *Sailli, saillie.*

Satisfaire. – Comme *faire.*

Savoir. – Ind. pr. : *Je sais, tu sais, il sait, nous savons, vous savez, ils savent.* – Imparf. : *Je savais.* – Passé s. : *Je sus.* – Fut. : *Je saurai.* – Impér. : *Sache, sachons, sachez.* – Subj. pr. : *Que je sache.* – Subj. imp. : *Que je susse.* – Part. pr. : *Sachant.* – Part. pas. : *Su, sue.*

Secourir. – Comme *courir.*

Séduire. – Comme *conduire.*

Sentir. – Comme *mentir,* mais son Part. pas. : *Senti* a un féminin : *sentie.*

Seoir (= convenir). – N'est usité qu'au Part. pr. et aux 3es pers. ; il n'a pas de temps composés. Ind. pr. : *Il sied, ils siéent.* – Imparf. : *Il seyait, ils seyaient.* – Passé s. (manque). – Fut. : *Il siéra, ils siéront.* – Condit. : *Il siérait, ils siéraient.* – Impér. (manque). – Subj. pr. (rare) : *Qu'il siée, qu'ils siéent.* – Subj. imp. (manque). – Part. pr. : *Seyant.* (*Séant* s'emploie comme adjectif : *Il n'est pas séant de faire cela.*)

Seoir (= être assis, siéger). – Ne s'emploie plus guère qu'au Part. pr. : *Séant ;* – et au Part. pas. : *Sis, sise.* – Pas de temps composés. – *Se seoir* (= s'asseoir) n'est plus employé qu'en poésie et dans le langage familier, dans ces formes de l'Impér. : *Sieds-toi, seyez-vous.*

Servir. – Ind. pr. : *Je sers, tu sers, il sert, nous servons, vous servez, ils servent.* – Imparf. : *Je servais.* – Passé s. : *Je servis.* – Fut. : *Je servirai.* – Impér. : *Sers, servons, servez.* – Subj. pr. : *Que je serve.* – Subj. imp. : *Que je servisse.* – Part. pr. : *Servant.* – Part. pas. : *Servi, servie.*

Sortir. – Comme *mentir,* mais son Part. pas. : *Sorti* a un fémin. : *sortie.* – Aux temps composés, *sortir,* transitif, se conjugue avec *avoir* : *J'ai sorti la voiture.* Dans le sens intransitif, il se conjugue avec *être.* – *Sortir,* terme de droit signifiant « produire », se conjugue comme *finir,* mais ne s'emploie qu'aux 3es personnes : Ind.

pr. : *La sentence sortit son effet, les sentences sortissent leur effet*, etc. – Aux temps composés, ce verbe se conjugue avec *avoir*.

Souffrir. – Comme *couvrir*.

Soumettre. – Comme *mettre*.

Sourdre. – N'est plus guère usité qu'à l'Infin. et aux 3es pers. de l'Ind. pr. : *Il sourd, ils sourdent.* – Les formes suivantes sont archaïques : Imparf. : *Il sourdait.* – Passé s. : *Il sourdit.* – Fut. : *Il sourdra.* – Condit. : *Il sourdrait.* – Subj. pr. : *Qu'il sourde.* – Subj. imp. : *Qu'il sourdît.* – Part. pr. : *Sourdant.*

Sourire. – Comme *rire*.

Souscrire. – Comme *écrire*.

Soustraire. – Comme *traire*.

Soutenir. – Comme *tenir*.

Souvenir (se ~). – Comme *tenir*. Aux temps composés, il se conjugue avec *être*.

Subvenir. – Comme *tenir*.

Suffire. – Ind. pr. : *Je suffis, tu suffis, il suffit, nous suffisons, vous suffisez, ils suffisent.* – Imparf. : *Je suffisais.* – Passé s. : *Je suffis.* – Fut. : *Je suffirai.* – Impér. : *Suffis, suffisons, suffisez.* – Subj. pr. : *Que je suffise.* – Subj. imp. : *Que je suffisse.* – Part. pr. : *Suffisant.* – Part. pas. : *Suffi* (sans fémin.).

Suivre. – Ind. pr. : *Je suis, tu suis, il suit, nous suivons, vous suivez, ils suivent.* – Imparf. : *Je suivais.* – Passé s. : *Je suivis.* – Fut. : *Je suivrai.* – Impér. : *Suis, suivons, suivez.* – Subj. pr. : *Que je suive.* – Subj. imp. : *Que je suivisse.* – Part. pr. : *Suivant.* – Part. pas. : *Suivi, suivie.*

Surfaire. – Comme *faire*.

Surprendre. – Comme *prendre*.

Surseoir. – Ind. pr. : *Je sursois, tu sursois, il sursoit, nous sursoyons, vous sursoyez, ils sursoient.* – Imparf. : *Je sursoyais, nous sursoyions.* – Passé s. : *Je sursis.* – Fut. : *Je surseoirai.* – Condit. : *Je surseoirais.* – Impér. : *Sursois, sursoyons, sursoyez.*

– Subj. pr. : *Que je sursoie, que nous sursoyions.* – Subj. imp. : *Que je sursisse.* – Part. pr. : *Sursoyant.* – Part. pas. : *Sursis, sursise.*

Survenir. – Comme *tenir*. – Aux temps composés, il se conjugue avec *être*.

Survivre. – Comme *vivre*.

Suspendre. – Comme *rendre*.

Taire. – Ind. pr. : *Je tais, tu tais, il tait, nous taisons, vous taisez, ils taisent.* – Imparf. : *Je taisais.* – Passé s. : *Je tus.* – Fut. : *Je tairai.* – Impér. : *Tais, taisons, taisez.* – Subj. pr. : *Que je taise.* – Subj. imp. : *Que je tusse.* – Part. pr. : *Taisant.* – Part. pas. : *Tu, tue.*

Teindre. – Comme *craindre*.

Tendre. – Comme *rendre*.

Tenir. – Ind. pr. : *Je tiens, tu tiens, il tient, nous tenons, vous tenez, ils tiennent.* – Imparf. : *Je tenais.* – Passé s. : *Je tins, nous tînmes, vous tîntes, ils tinrent.* – Fut. : *Je tiendrai.* – Impér. : *Tiens, tenons, tenez.* – Subj. pr. : *Que je tienne, que nous tenions.* – Subj. imp. : *Que je tinsse.* – Part. pr. : *Tenant.* – Part. pas. : *Tenu, tenue.*

Tistre ou **titre** (= tisser). – N'est usité qu'au Part. pas. : *Tissu, tissue*, et aux temps composés. Il ne s'emploie guère qu'au figuré : *C'est lui qui a tissu cette intrigue.*

Tondre. – Comme *rendre*.

Tordre. – Comme *rendre*.

Traduire. – Comme *conduire*.

Traire. – Ind. pr. : *Je trais, tu trais, il trait, nous trayons, vous trayez, ils traient.* – Imparf. : *Je trayais, nous trayions.* – Passé s. (manque). – Fut. : *Je trairai.* – Impér. : *Trais, trayons, trayez.* – Subj. pr. : *Que je traie, que nous trayions.* – Subj. imp. (manque). – Part. pr. : *Trayant.* – Part. pas. : *Trait, traite.*

Transcrire. – Comme *écrire*.

Transmettre. – Comme *mettre*.

Transparaître. – Comme *connaître*.

Tressaillir. – Comme *assaillir*.

Vaincre. – Ind. pr. : *Je vaincs, tu vaincs, il vainc, nous vainquons, vous vainquez, ils vainquent.* – Imparf. : *Je vainquais.* – Passé s. : *Je vainquis.* – Fut. : *Je vaincrai.* – Impér. : *Vaincs, vainquons, vainquez.* – Subj. pr. : *Que je vainque.* – Subj. imp. : *Que je vainquisse.* – Part. pr. : *Vainquant.* – Part. pas. : *Vaincu, vaincue.*

Valoir. – Ind. pr. : *Je vaux, tu vaux, il vaut, nous valons, vous valez, ils valent.* – Imparf. : *Je valais.* – Passé s. : *Je valus.* – Fut. : *Je vaudrai.* – Impér. : *Vaux* (rare), *valons, valez.* – Subj. pr. : *Que je vaille, que tu vailles, qu'il vaille, que nous valions, que vous valiez, qu'ils vaillent.* – Subj. imp. : *Que je valusse.* – Part. pr. : *Valant.* – Part. pas. : *Valu, value.*

Vendre. – Comme *rendre.*

Venir. – Comme *tenir*, mais aux temps composés, il prend *être.*

Vêtir. – Ind. pr. : *Je vêts, tu vêts, il vêt, nous vêtons, vous vêtez, ils vêtent.* – Imparf. : *Je vêtais.* – Passé s. : *Je vêtis.* – Fut. : *Je vêtirai.* – Impér. : *Vêts, vêtons, vêtez.* – Subj. pr. : *Que je vête, que nous vêtions.* – Subj. imp. : *Que je vêtisse.* – Part. pr. : *Vêtant.* – Part. pas. : *Vêtu, vêtue.*

Vivre. – Ind. pr. : *Je vis, tu vis, il vit, nous vivons, vous vivez, ils vivent.* – Imparf. : *Je vivais.* – Passé s. : *Je vécus.* – Fut. : *Je vivrai.* – Impér. : *Vis, vivons, vivez.* – Subj. pr. : *Que je vive.* – Subj. imp. : *Que je vécusse.* – Part. pr. : *Vivant.* – Part. pas. : *Vécu, vécue.*

Voir. – Ind. pr. : *Je vois, tu vois, il voit, nous voyons, vous voyez, ils voient.* – Imparf. : *Je voyais, nous voyions.* – Passé s. : *Je vis.* – Fut. : *Je verrai.* – Impér. : *Vois, voyons, voyez.* – Subj. pr. : *Que je voie, que tu voies, qu'il voie, que nous voyions, que vous voyiez, qu'ils voient.* – Subj. imp. : *Que je visse.* – Part. pr. : *Voyant.* – Part. pas. : *Vu, vue.*

Vouloir. – Ind. pr. : *Je veux, tu veux, il veut, nous voulons, vous voulez, ils veulent.* – Imparf. : *Je voulais.* – Passé s. : *Je voulus.* – Fut. : *Je voudrai.* – Impér. : *Veuille, veuillons, veuillez* [*Veux, voulons, voulez* ne s'emploient que pour exhorter à s'armer d'une ferme volonté. – On dit : *n'en veuille (veuillons, veuillez) pas à …*, mais souvent aussi : *n'en veux (voulons, voulez) pas à …*]. – Subj. pr. : *Que je veuille, que tu veuilles, qu'il veuille, que nous voulions, que vous vouliez, qu'ils veuillent.* – Subj. imp. : *Que je voulusse.* – Part. pr. : *Voulant.* – Part. pas. : *Voulu, voulue.*

5. SYNTAXE DES MODES ET DES TEMPS

N. B. — Dans les pages qui vont suivre, on représentera, pour figurer la valeur des différents temps :

par une ligne horizontale (ligne du temps) la succession des instants de la durée qui s'écoule ;

par P l'instant présent ;

par deux grosses parenthèses les limites du segment de la durée où se tient la pensée ;

par une ligne pointillée ce qui se passe non dans la réalité, mais dans le champ de la pensée.

1. INDICATIF

350. **L'indicatif** est le mode de l'action considérée dans sa réalité.

351.   **PRÉSENT**

a) Emploi général.

Dans le sens strict, le présent indique que le fait a lieu au moment même de la parole :

J'écris en ce moment.

b) Emplois particuliers.

Notre esprit peut rendre mobile l'instant présent et le situer en un point quelconque de la ligne du temps. D'autre part, il peut étendre en quelque sorte l'instant présent et le faire déborder plus ou moins sur le passé et sur l'avenir.

Ainsi, dans des emplois particuliers le présent peut exprimer :

1° Un fait permanent ou habituel, que l'esprit, à quelque moment de la durée qu'il se place, peut regarder comme présent :

*La terre **tourne**.*

*Je me **lève** à six heures.*

2° Un fait situé dans un passé récent ou dans un futur proche :

*Votre père ? Je le **quitte** à l'instant.*

*Un instant ! J'**arrive**.*

3° Un fait futur présenté comme conséquence directe et infaillible d'un autre :

*Un pas de plus, tu **es** mort !*

4º Un fait passé qu'on présente comme s'il était en train de se produire au moment où l'on parle : c'est le « présent historique », employé pour donner l'impression qu'on voit l'action se dérouler maintenant :

Nous marchions.
Une fusillade **éclate.**

5º Un fait futur après *si* conditionnel :

Si vous **partez** *demain,*
je vous suivrai.

352.   **IMPARFAIT**

a) Emploi général.

En général, l'imparfait montre une action en train de se dérouler dans une portion du passé, mais sans faire voir le début ni la fin de cette action ; elle la montre en partie accomplie, mais non achevée :

Le soir **tombait.**

Remarque. — L'imparfait permet de faire voir, dans le passé, comme dans un tableau continu, plusieurs actions se déroulant ensemble, ou plusieurs états existant ensemble : c'est pourquoi il convient à la *description :*

Je **suais** *à grosses gouttes,*
*et pourtant j'***étais** *transi,*
*j'***avais** *le frisson.*
Mes cheveux **se dressaient.**
Je **sentais** *le brûlé.*
            (A. Daudet.)

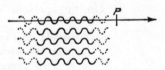

b) Emplois particuliers.

Dans des emplois particuliers, l'imparfait peut marquer :

1º Un fait permanent ou habituel dans le passé :

Les citoyens romains
dédaignaient *le commerce.*

Le héron **mangeait** *à ses heures.*

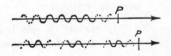

2° Un futur prochain ou un passé récent par rapport à tel moment du passé :

Je pris courage : dans deux heures du renfort **arrivait.**

Nous **sortions** *à peine qu'un orage éclata.*

3° Un fait qui devait être la conséquence immédiate et infaillible d'un autre fait (qui ne s'est pas produit) :

Un pas de plus, je **tombais** *dans le précipice.*

4° Un fait qui a eu lieu à un moment précis du passé :

À vingt-cinq ans, Racine **entrait** *dans la gloire.*

5° Une action présente que l'on semble se hâter de rejeter dans le passé :

Je **venais** *présenter ma note.*

6° Un fait présent ou futur après *si* marquant l'hypothèse :

Si j'avais de l'argent (aujourd'hui, demain), je vous en donnerais.

353.   **PASSÉ SIMPLE**

a) Emploi général.

Le passé simple exprime un fait passé considéré depuis son début et dont le déroulement a pris fin ; il ne marque aucunement le contact que ce fait, en lui-même ou par ses conséquences, peut avoir avec le présent :

Le rat de ville **invita** *le rat des champs.*

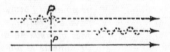

Remarques. — 1. Comme il montre le déroulement de l'action depuis son début jusqu'à sa fin, le passé simple permet de faire voir plusieurs actions dans leur succession et de faire apparaître la progression des événements : c'est pourquoi il convient particulièrement à la *narration* de faits passés :

Les étoiles **s'éteignirent.** *Blanquette* **redoubla** *de coups de cornes, le loup de coups de dents... Une lueur pâle* **parut** *dans l'horizon... Le chant d'un coq enroué* **monta** *d'une métairie.* (A. Daudet.)

Il arrive fréquemment que, dans un récit, on interrompe le déroulement des actions pour faire voir quelque chose qui n'appartient qu'au décor ; on passe donc du *passé simple* à l'*imparfait* :

Déjà ! **dit** *la petite chèvre ; et elle* **s'arrêta** *fort étonnée. En bas, des champs* étaient *noyés de brume. Le clos de M. Seguin* disparaissait *dans le brouillard, et de la maisonnette on ne* voyait *plus que le toit avec un peu de fumée. Elle* **écouta** *les clochettes d'un troupeau qu'on* ramenait *et se* **sentit** *l'âme toute triste.* (A. Daudet.)

2. Le passé simple ne s'emploie que dans la langue écrite ; depuis le XVIIe siècle, il a été peu à peu supplanté par le passé composé. Il ne survit que dans quelques milieux méridionaux.

b) Emploi particulier.

Le passé simple s'emploie parfois comme équivalent du présent pour exprimer une vérité générale ; il est alors accompagné d'un complément de temps :

Un bienfait reproché **tint** *toujours lieu* *d'offense.* (Racine.)

354.   **PASSÉ COMPOSÉ**

a) Emploi général.

Le passé composé exprime un fait passé, achevé au moment où l'on parle, et que l'on considère comme relié au présent (parfois le fait a eu lieu dans une période non encore entièrement écoulée, — parfois il a une suite ou des résultats dans le présent).

Cela se comprend mieux si l'on considère qu'une phrase comme « *j'ai lu* un livre » avait originairement la valeur de « j'ai [maintenant] un livre lu », « je suis [maintenant] dans la situation d'avoir lu un livre ».

J'ai **écrit** *ce matin.*

Je vous **ai rencontré** *l'an dernier.*

b) Emplois particuliers.

Dans des emplois particuliers, le passé composé sert à exprimer :

1° Une vérité générale ; il est alors accompagné d'un complément de temps :

> *Attention ! On*
> **a** *vite* **fait** *une erreur.*

2° Un fait répété ou habituel :

> *Quand il* **a** *bien* **travaillé,**
> *on le félicite.*

3° Avec la valeur du futur antérieur, un fait non encore accompli, mais présenté comme s'il l'était déjà :

> *J'ai* **fini** *dans*
> *dix minutes.*

4° Avec la valeur du futur antérieur, un fait à venir, après *si* marquant l'hypothèse :

> *Si, dans deux heures,*
> *la fièvre* **a monté,**
> *vous me rappellerez.*

---

355.   **PASSÉ ANTÉRIEUR**

a) Emploi général.

Le passé antérieur exprime un fait passé entièrement achevé au moment où un autre fait passé a commencé ; souvent les deux faits se suivent immédiatement, mais ils peuvent ne pas être contigus.

Le passé antérieur s'emploie généralement dans des propositions subordonnées, après une conjonction de temps et se trouve combiné avec un passé simple, dans la principale (parfois avec un passé composé, ou un imparfait, ou un plus-que-parfait) :

> *Quand il* **eut écrit,**
> *il sortit.*

> *Longtemps après qu'il*
> **eut écrit,** *il sortit.*

b) Emploi particulier.

Le passé antérieur se trouve parfois dans des propositions principales exprimant une action faite rapidement ; dans cet emploi, il
est toujours accompagné d'un complément de temps : *bientôt, vite,*
etc. :

On **eut** *bientôt* **rejoint**
le fuyard.

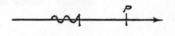

356.   **PLUS-QUE-PARFAIT**

a) Emploi général.

Le plus-que-parfait exprime, comme le passé antérieur, un fait passé
qui a eu lieu avant un autre fait passé, mais il ne montre pas le début
de la situation dont il s'agit (tandis que le passé antérieur le montre) :

Il **avait écrit** *sa lettre*
quand sa mère entra.

b) Emplois particuliers.

Dans des emplois particuliers, le plus-que-parfait peut exprimer :

1° Un fait répété ou habituel :

Quand il **avait déjeuné**, *il sortait.*

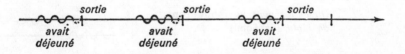

2° Avec la valeur d'un passé composé, un fait passé qu'on recule
dans le passé :

J'**étais venu** *vous
présenter ma note.*

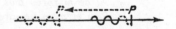

3° Un fait situé dans le passé, après *si* marquant l'hypothèse :

*Si vous m'*aviez appelé,
je serais venu.

357.   **FUTUR SIMPLE**

a) Emploi général.

Le futur simple sert, en général, à exprimer un fait à venir :

> *Je vous **paierai** aujourd'hui, demain, plus*
> *tard.*

b) Emplois particuliers.

Dans des emplois particuliers, le futur simple peut marquer :

1° Un fait présent que, par politesse, on présente comme s'il ne devait se produire que plus tard :

> *Je vous **demanderai** une*
> *bienveillante attention.*
> *Vous m'**excuserez**, s'il vous plaît.*

2° Avec *avoir* ou *être*, un fait présent que l'on considère comme simplement probable : on se place, en pensée, dans l'avenir, à un moment où l'opinion qu'on a se trouvera vérifiée :

> *Notre ami est absent : il*
> ***aura** encore sa migraine.*

3° Un fait présent contre lequel on s'indigne en le considérant comme prolongé dans le futur :

> *Quoi ! les gens **se moqueront***
> *de moi ! (La Font.)*

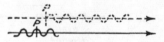

4° Un ordre, un souhait, une prière, dont on veut atténuer ou renforcer le caractère impératif :

> *Vous **reviendrez** demain.*
> *Tu ne le **feras** plus, n'est-ce pas ?*
> *Père et mère **honoreras**.*

5° Parfois (surtout dans les exposés historiques) un fait passé, mais postérieur à un présent que le narrateur a situé en imagination dans le passé :

> *L'ancien maître de chapelle,*
> *retourna souvent aux assemblées*
> *de Mme Récamier. Il y **verra** un soir*
> *le général Moreau... (É. Herriot.)*

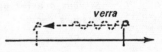

358.   FUTUR ANTÉRIEUR

a) Emploi général.

Le futur antérieur exprime un fait qui, à tel moment maintenant à venir, sera accompli ; il marque l'antériorité à l'égard d'un fait futur :

Vous récolterez ce que vous aurez semé.

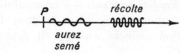

b) Emploi particulier.

Le futur antérieur peut exprimer un fait passé, qu'on place en imagination dans l'avenir, à un moment antérieur à un autre moment à venir. En cet emploi, il sert à marquer soit la supposition, soit diverses nuances affectives :

J'aurai laissé mes lunettes au salon ; allez me les chercher.
Vous vous serez trompé.
Ainsi, j'aurai peiné en vain !

359.   LES DEUX FUTURS DU PASSÉ

a) Futur du passé.

Le futur du passé exprime un fait futur par rapport à un moment du passé :

Il déclara qu'il viendrait.

b) Futur antérieur du passé.

Le futur antérieur du passé exprime un fait qui, à tel moment du passé était à venir, avant un autre fait également à venir :

Il déclara qu'il viendrait, quand on l'aurait appelé.

Remarque. — Les formes du futur du passé et du futur antérieur du passé se confondent respectivement avec celles du conditionnel présent et du conditionnel passé. Mais, quant au sens, le futur du passé et le futur antérieur du passé n'ont rien du *mode* conditionnel : *Il a déclaré qu'il* **viendrait** n'est que la transcription au passé de *Il déclare qu'il* **viendra.**

2. CONDITIONNEL

360. *a) Emploi général.* — Le **conditionnel** exprime un fait qu'on présente comme imaginaire et dont l'accomplissement dépend d'une condition énoncée ou non. Il peut marquer :

1° Un fait futur dont l'accomplissement dépend d'une condition présentée comme possible (sens potentiel) :

> *Si la patrie était menacée* (cela sera peut-être, nous n'en
> savons rien), *nous la* **défendrions.**

2° Un fait présent ou passé soumis à une condition non réalisée (sens irréel) :

> *Si j'étais roi* (mais cela n'est pas), *je* **ferais** *des heureux.*
> *Si j'avais été roi* (mais cela n'a pas été), *j'***aurais fait** *des heureux.*

b) Emplois particuliers. — Le conditionnel n'exprime pas toujours un fait soumis à une condition. Il s'emploie encore :

1° Pour exprimer une affirmation atténuée :

> *Un accident* **aurait eu** *lieu à l'usine ; il y* **aurait** *dix morts.*

2° Pour exprimer une exclamation traduisant l'indignation, l'étonnement :

> *J'ouvrirais pour si peu le bec ! Aux dieux ne plaise !* (La Font.)
> *Comment ! vous* **manqueriez** *à votre parole !*

3° Pour indiquer un fait simplement imaginaire :

> *Jouons au cheval : tu* **serais** *le cheval...*

4° Pour marquer un désir atténué, une volonté adoucie :

> *Je* **désirerais** *vous parler.* — **Voudriez**-*vous avancer ?*

5° Pour marquer la supposition, la concession, l'opposition :

> *Rien ne te sert d'être farine ;*
> *Car, quand tu* **serais** *sac, je n'**approcherais pas.* (La Font.)
>
> *Quand même, infâme aussi, lâche comme le reste,*
> *Le tombeau* **jetterait** *dehors les trépassés,*
> *Je ne fléchirai pas !* (Hugo.)

Remarques. — 1. Le plus-que-parfait du subjonctif peut avoir le sens du conditionnel passé (2ᵉ forme) :

Rodrigue, qui l'eût cru ? (Corneille.)

2. Pour le *conditionnel-temps,* voir § 359, Rem.

---

3. IMPÉRATIF

361. *a) Emploi général.* — L'**impératif** est, d'une façon générale, le mode du commandement, de l'exhortation, de la prière :

Poète, **prends** *ton luth.* (Musset.)
Aimez *donc la raison.* (Boileau.)
Seigneur, **préservez**-*moi,* **préservez** *ceux que j'aime.* (Hugo.)

b) Emplois particuliers. — Dans des emplois particuliers, l'impératif peut exprimer :

1° La supposition, la concession :

Haranguez *de méchants soldats,*
Ils promettront de faire rage. (La Font.)
Allez, venez, courez, demeurez *en province ;*
Prenez *femme, abbaye, emploi, gouvernement :*
Les gens en parleront, n'en doutez nullement. (Id.)

2° Un ordre, une exhortation que le sujet parlant s'adresse à lui-même :

Dissimulons *encor, comme j'ai commencé.* (Racine.)

Remarque. — L'impératif passé est d'un emploi restreint ; il indique qu'un fait devra être accompli à tel moment du futur, par rapport auquel il sera passé :

Aie terminé *ce travail demain à midi.*

---

4. SUBJONCTIF

362. Le **subjonctif** exprime, en général, un fait simplement envisagé dans la pensée, avec un certain élan de l'âme (comme dans le désir, le souhait, la volonté, etc.).

Il se trouve le plus souvent dans des propositions *subordonnées,* mais il s'emploie aussi dans des propositions *indépendantes* ou *principales.*

363. *Subjonctif indépendant.*

Le subjonctif, dans la proposition indépendante ou principale, peut exprimer :

1° A la 3ᵉ personne, un ordre ou une défense :

> *Qu'il* **parte** *et qu'il ne* **revienne** *plus !*

2° Un souhait (avec ou sans *que*) :

> *Que Dieu vous* **entende** *!*
> *Dieu me* **garde** *d'oublier vos bienfaits !*
> **Puissiez**-*vous revenir sain et sauf !*

3° Une concession :

> *Qu'il* **ait agi** *sans mauvaise intention : il n'en mérite pas moins une punition.*
> *Vous le voulez ?* **Soit** !

4° Une supposition :

> *Que je* **vive**, *et je ferai d'autres ouvrages sur mon travail et mes combats.* (G. Duhamel.)

5° Une exclamation traduisant l'indignation :

> *Moi, Seigneur, que je* **fuie** ! (Racine.)

Remarques. — 1. *Que* introduisant les propositions indépendantes ou principales dont il vient d'être question est une particule conjonctionnelle, signe du subjonctif.

2. Le subjonctif exprime une affirmation atténuée dans les expressions négatives *je ne sache pas, je ne sache rien, je ne sache personne* (à la 1ʳᵉ personne du singulier, mais parfois aussi avec le sujet *on*) et dans les expressions *que je sache, qu'on sache, que nous sachions* (en phrase négative), *que tu saches, que vous sachiez* (en phrase interrogative, sans négation) :

> *Je ne* **sache** *point que les catholiques de Tourcoing m'aient acclamé.* (A. France.)
> *On ne* **sache** *pas qu'elle ait jamais protesté autrement.* (A. Billy.)
> *Il n'a point été à la campagne, que je* **sache**. (Littré.)
> *Est-il venu quelqu'un que vous* **sachiez**, *que tu* **saches** ? (Id.)

364. *Subjonctif subordonné.*

N. B. — Les cas que nous allons signaler se retrouveront, mais dissociés, dans la Quatrième Partie (Propositions subordonnées).

Dans les propositions subordonnées, le subjonctif s'emploie :

1° Après les verbes de forme impersonnelle marquant soit la nécessité, la possibilité, le doute, l'obligation ou un mouvement de l'âme, soit la certitude ou la vraisemblance et exprimant un sens négatif, interrogatif ou conditionnel (§ 456, b, 1° et 2°).

2° Après les verbes d'opinion, de déclaration, de perception, quand le fait est envisagé simplement dans la pensée (§ 462, b, 1°).

? Après les verbes exprimant la volonté, le doute ou quelque sentiment (§ 462, b,

4° Après *que* introduisant une subordonnée complément d'objet mise en tête de la phrase avant la principale (§ 462, b, 3°).

5° Dans la subordonnée attribut, ou en apposition, ou complément d'agent, ou complément d'adjectif, si elle exprime un fait envisagé simplement dans la pensée (§§ 458, b ; 460, b ; 483 ; 488, b).

6° Dans la subordonnée complément de nom ou de pronom (subord. *relative*) :

a) marquant un but à atteindre, une conséquence (§ 486, b) ;

b) ayant un antécédent accompagné d'un superlatif relatif ou de *le seul, l'unique,* etc. (§ 486, b, 2°) ;

c) dépendant d'une principale négative, interrogative ou conditionnelle, si la subordonnée relative exprime un fait envisagé simplement dans la pensée (§ 486, Rem. 2).

7° Dans la subordonnée complément circonstanciel :

a) marquant le temps et introduite par *avant que, en attendant que, jusqu'à ce que* (§ 467, b) ;

b) marquant la fausse cause et introduite par *non que, non pas que, ce n'est pas que* (§ 469, Rem.) ;

c) marquant le but (§ 471) ;

d) marquant la conséquence après une principale négative ou interrogative, ou après *assez pour que, trop pour que, trop peu pour que, suffisamment pour que, sans que,* ou encore quand la subordonnée exprime un fait qui est à la fois une conséquence et un but à atteindre (§§ 473, c et 481, d) ;

e) marquant la concession (ou l'opposition) (§ 475) ;

f) marquant la condition (ou la supposition) et introduite par une locution conjonctive composée à l'aide de *que* (voir § 478 ; — voir aussi § 477, 3°, Rem. 3).

5. INFINITIF

365. **L'infinitif** exprime purement et simplement l'idée de l'action, sans indication de personne ni de nombre ; il ne fait pas connaître si l'action est réelle ou non.

Outre la valeur purement *verbale,* il peut avoir la valeur d'un *nom.*

a) *Comme verbe.*

366. C'est surtout dans la proposition infinitive (§ 461, 4°) que l'infinitif s'emploie comme verbe ; mais il se trouve aussi avec la valeur d'une forme personnelle dans certaines propositions indépendantes ou principales.

On distingue :

1° L'infinitif *d'interrogation :*

> *Que* **faire** ? — *Où* **aller** ?

2° L'infinitif *exclamatif :*

> *Hé quoi !* **charger** *ainsi cette pauvre bourrique !* (La Font.)

3° L'infinitif *de narration :*

> *Ainsi dit le renard ; et flatteurs d'*applaudir. (La Font.)

4° L'infinitif *impératif :*

> *Bien* **faire** *et* **laisser** *dire.*

b) Comme nom.

367. Certains infinitifs peuvent être employés substantivement et prendre l'article :

> *Un* **parler** *étrange.* — *Être sobre dans le* **boire** *et le* **manger.**

368. L'infinitif peut remplir toutes les fonctions du nom :

1° Sujet :

> **Promettre** *n'est pas tenir.* — *Il importe de* **travailler.**

2° Attribut :

> *Mourir n'est pas* **mourir,** *mes amis, c'est* **changer.** (Lamartine.)

3° Complément d'objet direct ou indirect :

> *Il veut* **parler.** — *Il craint de* **parler.**
> *Il renonce à* **parler.**

4° Complément circonstanciel :

> *Il sème pour* **récolter.**

5° Apposition ou complément déterminatif :

> *Il n'y a pour l'homme que trois événements :* **naître, vivre** *et* **mourir.** (La Bruyère.)
> *La peur de* **vivre.**

6ᵃ Complément de l'adjectif :

> *Il est prêt à* **partir.**

6. PARTICIPE

369. Le **participe** est la forme adjective du verbe : il tient à la fois de la nature du verbe et de celle de l'adjectif :

Je l'ai trouvé **lisant**. — *Une faute* **avouée**.

I. PARTICIPE PRÉSENT

370. Le participe présent peut être regardé tantôt comme *forme verbale*, tantôt comme *adjectif*.

a) Comme forme verbale.

371. Comme forme verbale, le participe présent exprime généralement une action en train de s'accomplir à la même époque que l'action exprimée par le verbe qu'il accompagne. Il marque donc une action présente, passée ou future :

Je le vois **lisant** (= qui lit).
Je l'ai vu **lisant** (= qui lisait).
Je le verrai **lisant** (= qui lira).

N. B. — Il peut se faire que l'indication de l'époque (présente, passée ou future) à laquelle se situe l'action exprimée par le participe présent soit donnée, non par le verbe principal, mais par un élément du contexte :

Je vous parlerai de Pascal **s'adonnant**, *dès son adolescence, à la recherche scientifique.*
Ce personnage ambitieux se voit, **régissant** *dans quelques années toute l'activité industrielle de sa région.*

Le participe présent a toujours le sens actif :

Un homme **parlant** *quatre langues* (= un homme qui parle quatre langues).

Remarque. — Certains participes présents s'emploient comme noms :

Un débutant, un combattant, un passant, un mourant, etc.

372. Le participe présent est invariable :

Ces nues, **ployant** *et* **déployant** *leurs voiles, se déroulaient en zones diaphanes de satin blanc.* (Chateaubriand.)

Remarque. — Le participe présent est variable, selon l'usage d'autrefois, dans certaines expressions : *les* **ayants** *cause, les* **ayants** *droit, toute(s) affaire(s)* **cessante(s)**.

b) Comme adjectif.

373. Comme adjectif, le participe présent a la valeur d'un simple qualificatif et s'accorde en genre et en nombre avec le nom auquel il se
rapporte ; il s'appelle alors **adjectif verbal :**

> *Glissez, glissez, brises **errantes,***
> *Changez en cordes **murmurantes***
> *La feuille et la fibre des bois.* (Lamartine.)

374. En général, l'adjectif verbal a le sens actif.

Il a parfois le sens passif ou réfléchi :

> *Couleur **voyante*** (= qui est vue). — *Personne bien **portante.***

Parfois il n'est ni actif ni passif :

> *Une rue **passante.***

375. Un certain nombre d'adjectifs verbaux se distinguent, par l'orthographe,
des participes présents correspondants :

ADJ. VERB.	PART. PRÉS.	ADJ. VERB.	PART. PRÉS.
1° *en* **-ent :**	**-ant :**		
abstergent	abstergeant	somnolent	somnolant
adhérent	adhérant	violent	violant
affluent	affluant		
coïncident	coïncidant	2° *en* **-cant :**	**-quant :**
compétent	compétant	communicant	communiquant
confluent	confluant	convaincant	convainquant
convergent	convergeant	provocant	provoquant
déférent	déférant	suffocant	suffoquant
détergent	détergeant	vacant	vaquant
différent	différant		
divergent	divergeant	3° *en* **-gant :**	**-guant :**
émergent	émergeant	délégant	déléguant
équivalent	équivalant	extravagant	extravaguant
excellent	excellant	intrigant	intriguant
expédient	expédiant	fatigant	fatiguant
influent	influant	navigant	naviguant
négligent	négligeant	zigzagant	zigzaguant
précédent	précédant		

Distinction du Participe présent d'avec l'Adjectif verbal.

376. Le participe présent exprime une *action* qui progresse, nettement
délimitée dans la durée, simplement passagère ;

l'adjectif verbal exprime un *état,* sans délimitation dans la durée, et indique, en général, une qualité plus ou moins permanente [1].

a) La forme en *-ant* est **participe présent :**

1° Quand elle a un complément d'objet direct :

> *La caravane humaine un jour était campée*
> *Dans des forêts* **bordant** *une rive escarpée.* (Lamartine.)

2° Quand elle a un complément d'objet indirect ou un complément circonstanciel, pourvu qu'on exprime l'action :

> *Des discours* **plaisant** *à chacun.*
> *Des chouettes* **voletant** *d'une tour à l'autre,* **passant** *et* **repassant**
> *entre la lune et moi, dessinaient sur mes rideaux l'ombre mobile de*
> *leurs ailes.* (Chateaubriand.)

3° Quand elle est précédée de la négation *ne* (§ 409, *a,* Rem. 1) :

> *Ils restaient interdits, ne* **protestant** *que pour la forme.*

4° Ordinairement quand elle est *suivie* d'un adverbe qui la modifie :

> *Ce sont des enfants très désagréables,* **pleurant** *et* **gémissant**
> *toujours.*

5° Quand elle appartient à un verbe pronominal :

> *Il entendait au bout des vers des mots* **se correspondant** *et*
> **se faisant** *écho.*

6° Ordinairement quand elle est précédée de la préposition *en* (c'est alors le *gérondif :* § 294, Rem.) :

> *La foudre* **en grondant** *roule dans l'étendue.*

A noter en particulier le tour avec *aller* suivi de la forme en *-ant,* précédée ou non de *en* (ce tour sert à marquer la continuité, la progression de l'action) :

> *L'inquiétude* **va croissant.** (Acad.)
> *Son mal* **va en empirant.**

---

1. Des théoriciens ont dit que, pour distinguer plus facilement le participe présent (invariable) d'avec l'adjectif verbal (variable), il était bon d'observer que la forme en *-ant* est participe présent quand on peut la remplacer par un temps du verbe précédé de « qui » : *On aime les enfants* **obéissant** *à leurs parents* [c'est-à-dire : **qui obéissent** *à leurs parents*]. — Le procédé n'est pas sûr : dans beaucoup de cas, l'adjectif verbal peut, lui aussi, être remplacé par un temps du verbe, précédé de « qui » : *On aime les enfants* **obéissants** [c'est-à-dire : **qui obéissent**].

Mieux vaudrait, semble-t-il, quand on hésite, essayer de faire prendre à la forme en *-ant* l'*e* du féminin (en substituant, s'il y a lieu, au nom masculin un nom féminin) ; quand la transformation est possible, on déduit que la forme en *-ant* est un adjectif verbal ; dans le cas contraire, on a affaire à un participe présent. — Mais le plus sûr, c'est encore de consulter le sens et d'appliquer avec discernement ce principe : le participe présent exprime une *action,* l'adjectif verbal, une *qualité,* un *état.*

7° Dans la proposition participe (§ 392) :

La nature **aidant,** *nous le guérirons.*

b) La forme en -*ant* est **adjectif verbal** quand on peut la remplacer par un autre adjectif qualificatif, et notamment :

1° Quand elle est attribut ou simple épithète :

La forêt était **riante.**
Les bœufs **mugissants** *et les brebis* **bêlantes**
venaient en foule. (Fénelon.)

2° *Ordinairement* quand elle est *précédée* d'un adverbe (autre que *ne*) qui la modifie (§ 409, *b*) :

Des gazons toujours **renaissants** *et fleuris.* (Fénelon.)

II. PARTICIPE PASSÉ

A. Sens.

377. Le participe passé peut être regardé tantôt comme *forme verbale,* tantôt comme *adjectif.*

a) Comme *forme verbale,* le participe passé se trouve dans tous les temps composés :

J'ai **compris.** — *Ils sont* **partis.** — *Le coupable sera* **gracié.**

Il se trouve aussi employé seul :

Cet ouvrage, **achevé** *si hâtivement, ne saurait être bien fait.*

b) Comme *adjectif,* le participe passé a la valeur d'un simple qualificatif :

Un éclat **emprunté.** — *Ces enfants sont mal* **élevés.**

Remarques. — 1. Le participe passé employé sans auxiliaire a généralement le sens passif :

Un chef **respecté.**

Il a parfois le sens actif :

Un enfant **dissimulé** (= qui dissimule).
Un homme **réfléchi** (= qui réfléchit).

2. Le participe *dit* se soude avec l'article défini pour désigner, en termes de procédure et d'administration, les personnes ou les choses dont on a parlé :

Ledit *preneur.* **Ladite** *maison.* **Audit** *lieu.*

B. Accord du Participe passé.

Règles générales.

378. Le participe passé employé **sans auxiliaire** s'accorde en genre et en nombre avec le mot auquel il se rapporte :

Que l'on recueille les enfants **abandonnés.**

379. Le participe passé conjugué avec **être** s'accorde en genre et en nombre avec le sujet du verbe :

Vos raisons seront **admises.**

La même règle s'applique au participe passé employé soit comme attribut du sujet avec des verbes analogues au verbe *être* (§ 59, *b* et *c*), soit comme attribut du complément d'objet direct :

Ils paraissent **charmés.** — *Elles demeurent* **déconcertées.**
Certains hommes de grand mérite meurent **ignorés** ; *la postérité les laisse parfois* **ensevelis** *dans l'oubli.*

380. Le participe passé conjugué avec **avoir** s'accorde en genre et en nombre avec son complément d'objet direct s'il en est précédé ; il reste invariable s'il en est suivi ou s'il n'a pas de complément d'objet direct :

Les efforts que nous avons **faits** *ont été stériles.*
Toutes ces misères, je les avais **prévues.**
Nous avons **fait** *des efforts.* — *J'avais* **prévu** *ces malheurs.*
Elles ont toujours **espéré** ; *jamais elles n'ont* **douté** *du succès.*

Remarques. — 1. Dans les temps surcomposés, le dernier participe seul peut varier :

Ils sont partis dès que je les ai eu **avertis.**

2. La règle d'accord du participe passé conjugué avec *avoir* reste applicable lorsque le complément d'objet direct a un attribut :

Certains poètes que leurs contemporains avaient **crus** *grands sont aujourd'hui tombés dans l'oubli.*
Ces fleurs, je les ai **trouvées** *charmantes.*

Règles particulières.

381. *Attendu, non compris, etc.*

a) *Attendu, non compris, y compris, entendu, excepté, ôté, ouï, passé, supposé, vu,* placés devant le nom ou le pronom, s'emploient comme prépositions et restent invariables :

Tout a été détruit, **excepté** *cette maison.*

b) Quand ces participes sont placés après le nom ou le pronom, ou qu'ils ne le précèdent que par inversion, ils varient :

Tout a été détruit, cette maison **exceptée.**
Exceptée *de la destruction générale, cette maison reste debout.*

Remarque. — *Étant donné,* devant le nom, peut rester invariable ou s'accorder avec ce nom :

Étant donné *sa stupidité, on ne pouvait attendre autre chose de lui.* (Acad.)
Étant données *les circonstances, sa conversation pourra être instructive.*
(R. Martin du Gard.)

382. *Ci-annexé, ci-joint, ci-inclus.*

a) *Ci-annexé, ci-joint, ci-inclus* sont variables quand ils sont épithètes ou attributs :

La lettre **ci-incluse** *vous éclairera.*
Les pièces que vous trouverez **ci-jointes** *sont importantes.*
Ces lettres, je vous les renvoie **ci-annexées.**

b) Ils restent invariables quand on leur donne la valeur adverbiale (comparez : *ci-contre, ci-après,* etc.) :

Vous trouverez **ci-inclus** *une lettre de votre père.* (Acad.)
Ci-joint *l'expédition du jugement.* (Id.)
Veuillez trouver **ci-joint** *copie de la lettre.*

Remarque. — Dans beaucoup de cas, l'accord dépend de l'intention de celui qui parle ou qui écrit. Cependant l'usage est de donner à *ci-annexé, ci-joint, ci-inclus,* la valeur adverbiale :

1° Quand ils sont en tête de la phrase ;

2° Quand, dans le corps de la phrase, ils précèdent un nom sans article ni adjectif démonstratif ou possessif.

383. Participe passé de certains verbes intransitifs.

a) Des verbes intransitifs comme *coûter, valoir, peser, mesurer, marcher, courir, vivre, dormir, régner,* etc. peuvent être accompagnés d'un complément circonstanciel qu'il faut se garder de prendre pour un complément d'objet direct ; le participe passé de ces verbes reste invariable :

Les trois mille francs que ce meuble m'a **coûté.** (Acad.)
Ce cheval ne vaut plus la somme qu'il a **valu.** (Id.)
Les vingt minutes que j'ai **marché, couru.**
Les vingt ans qu'il a **vécu, régné.**

b) Certains verbes intransitifs peuvent devenir transitifs : leur participe passé est alors variable. Tels sont notamment :

coûter, au sens de : causer, occasionner ;
valoir   »   procurer ;
peser   »   constater le poids ; examiner ;
courir   »   poursuivre en courant ; s'exposer à ; parcourir, etc.

> *Les efforts que ce travail m'a* **coûtés.** (Acad.)
> *La gloire que cette action lui a* **value.** (Id.)
> *Les paquets que j'ai* **pesés.**
> *Les dangers que nous avons* **courus.**

384. Participe passé des verbes impersonnels.

Le participe passé des verbes impersonnels ou pris impersonnellement est toujours invariable :

> *Les sommes qu'il a* **fallu** *ont paru énormes.*
> *Les chaleurs qu'il a* **fait** *ont été torrides.*
> *Les inondations qu'il y a* **eu** *ont causé bien des dégâts.*

385. *Dit, dû, cru, su, pu,* etc.

Les participes *dit, dû, cru, su, pu, voulu,* et autres semblables restent invariables lorsqu'ils ont pour complément d'objet direct un infinitif ou une proposition à sous-entendre après eux :

> *J'ai fait tous les efforts que j'ai* **pu** *[faire].*
> *Il m'a donné tous les renseignements qu'il avait* **dit**
> *[sous-entendu : qu'il me donnerait].*

Remarque. — Le participe passé précédé du pronom relatif *que* est invariable lorsque ce pronom est complément d'objet direct d'un verbe placé après le participe ; dans ce cas, le participe a pour complément la proposition qui vient après lui :

> *C'est une faveur qu'il a* **espéré** *qu'on lui accorderait.*

Semblablement le participe reste invariable quand il est précédé du relatif *que* et suivi d'une relative introduite par *qui* :

> *Nous subissons les malheurs qu'on avait* **prévu** *qui arriveraient.*

386. Participe passé précédé du pronom *l'.*

Le participe passé est invariable lorsqu'il a pour complément d'objet direct le pronom neutre *l'* représentant une proposition et signifiant *cela* :

> *Cette étude est moins difficile que je ne l'avais* **estimé**
> *(= que je n'avais estimé cela,* c.-à-d. *qu'elle était difficile).*

387. Participe passé précédé d'un collectif ou d'un adverbe de quantité.

a) Lorsque le participe passé est précédé d'un complément d'objet direct renvoyant à un *collectif* suivi de son complément, l'accord est commandé par le collectif ou par son complément, selon le sens :

> *Il y avait là une bande de malfaiteurs que la police eut bientôt* **cernée.**
> *Il y avait là une bande de malfaiteurs que la police eut bientôt* **ligotés.**

Remarque. — Lorsque le complément d'objet direct précédant le participe renvoie à *le peu* suivi de son complément, c'est *le peu* qui règle l'accord s'il domine dans la pensée (il marque *souvent* alors l'insuffisance) :

> *Le peu de confiance que vous m'avez* **témoigné** *m'a découragé.*

Si *le peu* n'attire pas particulièrement l'attention, c'est le complément de *peu* qui commande l'accord (on peut alors supprimer *peu* sans ruiner le sens ; *le peu* marque simplement la petite quantité) :

> *Le peu de confiance que vous m'avez* **témoignée** *m'a encouragé.*

b) Lorsque le complément d'objet direct précédant le participe est un *adverbe de quantité* suivi de son complément, c'est celui-ci qui commande l'accord :

> *Autant de batailles il a* **livrées**, *autant de victoires il a* **remportées.**
> *Combien de fautes a-t-il* **faites ?**

L'accord n'a pas lieu si le complément de l'adverbe de quantité suit le participe :

> *Combien a-t-il* **fait** *de fautes ?*

388. Participe passé suivi d'un infinitif.

a) Le participe passé conjugué avec *avoir* et suivi d'un infinitif s'accorde avec le complément d'objet direct qui précède lorsque ce complément se rapporte au participe :

> *Les violonistes que j'ai* **entendus** *jouer étaient habiles.*
> (J'ai entendu qui ? — *que*, c.-à-d. les violonistes, qui jouaient.)

b) Mais le participe reste invariable si le complément d'objet direct se rapporte à l'infinitif :

> *Les airs que j'ai* **entendu** *jouer étaient charmants.*
> (J'ai entendu quoi ? — *jouer que*, c.-à-d. jouer les airs.)

Moyens pratiques : 1. Intercaler le complément d'objet direct (ou le nom qu'il représente) entre le participe et l'infinitif, puis tourner l'infinitif par le participe présent, ou par une proposition relative à l'imparfait, ou encore par l'expression *en train de :* si la phrase garde son sens, faire l'accord :

> *Je les ai vus sortir ; j'ai vu eux sortant,... qui sortaient,... en train de sortir.*

2. Quand l'être ou l'objet désigné par le complément d'objet direct fait l'action exprimée par l'infinitif, le participe s'accorde.

3. Si l'infinitif est suivi ou peut être suivi d'un complément d'agent introduit par la préposition *par,* le participe est invariable :

> *Ces arbres, que j'avais **vus** grandir, je les ai **vu** abattre (par le bûcheron).*

Remarques. — 1. Le participe *fait* suivi d'un infinitif est invariable :

> *Ces personnes, je les ai **fait** venir.*

2. *Eu* et *donné* suivis d'un infinitif introduit par *à* peuvent, dans la plupart des cas, s'accorder ou rester invariables, parce qu'il est indifférent de faire rapporter le complément d'objet direct au participe ou à l'infinitif :

> *Les affronts qu'il a **eu(s)** à subir (il a eu des affronts à subir, ou : il a eu à subir des affronts).*
> *Les problèmes qu'on m'a **donné(s)** à résoudre.*

389. Participe passé précédé de *en*.

Le participe passé précédé du pronom *en* complément d'objet direct est généralement invariable, parce que *en* est neutre et partitif :

> *Voyez ces fleurs, en avez-vous **cueilli** ? (= avez-vous cueilli de cela ?... une partie de ces fleurs ?) (Littré.)*
> *Des difficultés, certes, j'en ai **éprouvé** !*

Remarques. — 1. Cette règle reste d'application lorsque le pronom *en* est accompagné d'un adverbe de quantité :

> *Tu m'as dit que les romans te choquent ; j'en ai beaucoup **lu**. (Musset.)*
> *J'en ai tant **vu**, des rois ! (Hugo.)*
> *J'ai reçu de vous beaucoup de lettres, combien m'en avez-vous **écrit** ? (Martinon.)*

2. Évidemment, dans des phrases comme la suivante, le pronom *en* (qui n'est pas complément d'objet direct et qui n'est d'ailleurs ni neutre ni partitif) n'a rien à voir avec l'accord du participe :

> *Ce sont de vrais amis ; je n'oublierai pas les services que j'en ai reçus.*

390. Participe passé des verbes pronominaux.

N. B. — 1. Dans la question que l'on fait pour trouver le complément d'objet direct d'un verbe pronominal, on remplace l'auxiliaire *être* par l'auxiliaire *avoir :* *Ils se sont imposé des sacrifices :* Ils **ont** imposé quoi ? — des sacrifices.

2. Bien se rappeler la classification des verbes pronominaux : § 287.

a) Le participe passé des verbes pronominaux *réfléchis* ou *réciproques* s'accorde avec le pronom réfléchi quand celui-ci est complément d'objet direct :

> *Elle s'est **coupée** au doigt* (= elle a coupé soi...).
> *Pierre et Paul se sont **battus**.*
> *Elle s'est **coupé** le doigt* (= elle a coupé le doigt à soi).
> *Pierre et Paul se sont **dit** des injures*
> (= ils ont dit des injures à soi).

Remarques. — 1. A côté du pronom réfléchi complément d'objet indirect, on peut avoir un pronom complément d'objet direct qui commande l'accord :

> *Les sacrifices qu'il s'est **imposés*** (*que* = complément d'objet direct).

2. Le participe des verbes suivants est toujours invariable, parce que ces verbes ne peuvent jamais avoir de complément d'objet direct :

se convenir	se mentir	se plaire	se ressembler	se succéder
se nuire	s'en vouloir	se déplaire	se rire	se suffire
s'entre-nuire	se parler	se complaire	se sourire	se survivre

> *Ils se sont **nui**. — Les rois qui se sont **succédé**.*
> *Ils se sont **plu** l'un à l'autre.*

b) Le participe passé des verbes pronominaux dont le ***pronom*** est *sans fonction logique* (qui n'est pas complément d'objet, ni direct ni indirect) s'accorde avec le sujet :

> *Ils se sont **tus**. — Elles se sont **évanouies**.*
> *Nous nous sommes **joués** de la difficulté.*

Exceptions : *se rire, se plaire* (se trouver bien, trouver du plaisir), *se déplaire* (ne pas se trouver bien), *se complaire* (se délecter en soi) :

> *Ils se sont **ri** de nos menaces.*
> *Ils se sont **plu** à me tourmenter.*
> *Elles se sont **plu** (**déplu**) dans ce lieu.*
> *Ils se sont **complu** dans leur erreur.*

c) Le participe passé des verbes pronominaux *passifs* s'accorde avec le sujet :

> *La bataille s'est **livrée** ici.*

Règle simplifiée : Du moment que le pronom de forme réfléchie n'est pas manifestement complément d'objet indirect, le participe passé du verbe pronominal est variable.

Quatre exceptions :

> *se rire,*
> *se plaire* (se trouver bien, trouver du plaisir),
> *se déplaire* (ne pas se trouver bien),
> *se complaire* (se délecter en soi).

Construction du Participe et du Gérondif.

391. La clarté demande que le participe (présent ou passé) placé au commencement d'une phrase ou d'un membre de phrase se rapporte au *sujet* du verbe base de la phrase :

> **Connaissant** *votre générosité, j'espère que vous ne repousserez pas ma demande.*
> **Ayant** *bien* **récité** *ma leçon, j'ai obtenu la note 18.*
> **Formé** *à l'école du malheur,* **il** *supporte stoïquement cette épreuve.*

On ne dirait guère aujourd'hui :

> *Connaissant votre générosité, ma demande ne saurait être mal reçue.*
> *Ayant bien récité ma leçon, le professeur m'a attribué la note 18.*
> *Formé à l'école du malheur, on peut lui demander de supporter cette épreuve.*

Remarque. — Dans quelques phrases toutes faites, on trouve le gérondif se rapportant à un élément autre que le sujet du verbe principal, selon un usage fréquent autrefois :

> *La fortune vient* **en dormant.** — *L'appétit vient* **en mangeant.**

392. Le participe (présent ou passé) peut s'employer en construction absolue avec un sujet qui lui est propre et qui n'a aucune fonction dans la proposition principale : il sert alors à former une **proposition participe,** complément circonstanciel du verbe base de la phrase[1] :

> **Le père mort,** *les fils vous retournent le champ.* (La Font.)
> **Dieu aidant,** *nous vaincrons.*

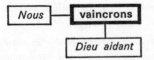

6. ACCORD DU VERBE AVEC LE SUJET

Règles générales.

393. Le verbe s'accorde en nombre et en personne avec son sujet exprimé ou sous-entendu :

> *Les meilleures actions* **s'altèrent** *et* **s'affaiblissent** *par la manière dont on les* **fait.** (La Bruyère.)
> *Cieux,* **écoutez** *ma voix ; terre,* **prête** *l'oreille.* (Racine.)

---

1. Comparez l'ablatif absolu latin : *Deo juvante* = Dieu aidant. — *Partibus factis* = les parts étant faites.

394. Le verbe qui a plusieurs sujets se met au pluriel :

> *La mouche et la fourmi* **contestaient** *de leur prix.* (La Font.)

Si les sujets ne sont pas de la même personne, le verbe s'accorde avec la personne qui a la priorité : la 1re personne l'emporte sur les deux autres, et la 2e sur la 3e :

> *Mes parents et moi* **attendons** *votre retour.*
> *J'ai gagé que cette dame et vous* **étiez** *du même âge.* (Montesquieu.)

Remarque. — Le plus souvent, quand les sujets sont de différentes personnes, on les résume par le pronom pluriel de la personne qui a la priorité :

> *Mes deux frères et moi,* **nous** *étions tout enfants.* (Hugo.)

Règles particulières.

1. Cas d'un seul sujet.

395. Nom collectif ou adverbe de quantité sujet.

a) Le verbe qui a pour sujet un *collectif* suivi de son complément s'accorde avec celui des deux mots qui frappe le plus l'esprit :

avec le collectif si l'on considère *en bloc* (dans leur *totalité*) les êtres ou les objets dont il s'agit :

> *Une foule de malades* **accourait.** (Maupassant.)
> *La foule des vivants* **rit** *et* **suit** *sa folie.* (Hugo.)

avec le complément si l'on considère *en détail* (dans leur *pluralité*) les êtres ou les objets dont il s'agit :

> *Une foule de gens* **diront** *qu'il n'en est rien.* (Acad.)
> *Une multitude d'animaux placés dans ces retraites par la main du Créateur*
> *y* **répandent** *l'enchantement et la vie.* (Chateaubriand.)

Remarques. — 1. Après *la plupart*, le verbe s'accorde toujours avec le complément ; si ce complément est sous-entendu, il est censé être au pluriel :

> *La plupart des gens ne* **font** *réflexion sur rien.* (Acad.)
> *La plupart* **sont** *persuadés que le bonheur est dans la richesse ;*
> *ils se trompent.* (Id.)

2. Après *le peu* suivi de son complément, le verbe s'accorde avec *le peu* quand ce mot domine dans la pensée (il marque *souvent* alors l'insuffisance) :

> *Le peu de qualités dont il a fait preuve l'*a fait *éconduire.* (Acad.)

Si *le peu* n'attire pas particulièrement l'attention, c'est le complément de *peu* qui commande l'accord (on peut alors supprimer *peu* sans ruiner le sens ; *le peu* marque simplement la petite quantité) :

> *Le peu de services qu'il a rendus* **ont** *paru mériter une récompense.* (Acad.)

b) Le verbe qui a pour sujet un *adverbe de quantité* s'accorde avec le complément de cet adverbe ; si ce complément n'est pas exprimé, il est censé être au pluriel :

> *Combien de gens s'imaginent qu'ils ont de l'expérience par*
> *cela seul qu'ils ont vieilli !* (Littré.)
> *Beaucoup en ont parlé.* (Voltaire.)

Remarques. — 1. Après *plus d'un,* le verbe se met presque toujours au singulier, à moins qu'on n'exprime la réciprocité ou que *plus d'un* ne soit répété :

> *Plus d'une Pénélope honora son pays.* (Boileau.)
> *Plus d'un fripon se dupent l'un l'autre.*
> *Plus d'un savant, plus d'un artiste sont morts dans la misère.*

2. Après *moins de deux* le verbe se met au pluriel :

> *Moins de deux ans sont passés.*

396. *Il* sujet des verbes impersonnels.

Le verbe impersonnel (ou employé impersonnellement) ayant pour sujet apparent le pronom *il* et accompagné d'un sujet réel s'accorde toujours avec le sujet apparent *il :*

> *Il pleut des obus en cet endroit.* (Acad.)
> *Il court des bruits alarmants.*

397. Pronom *ce* sujet.

Le verbe *être* ayant pour sujet le pronom *ce* se met ordinairement au pluriel quand l'attribut est un nom pluriel ou un pronom de la 3ᵉ personne du pluriel :

> *Ce sont de braves enfants.* (Acad.)
> *Ceux qui vivent, ce sont ceux qui luttent.* (Hugo.)

Le singulier s'emploie aussi, mais il est plus courant dans la langue familière que dans la langue littéraire :

> *Ce n'était pas des confidences qu'elle murmurait.* (M. Barrès.)
> *C'est eux qui l'auront voulu.* (J. Lemaitre.)

Remarques. — 1. Lors même que l'attribut est un nom pluriel ou un pronom de la 3ᵉ personne du pluriel, le verbe *être* ayant pour sujet le pronom *ce* se met au singulier :

a) Dans *si ce n'est* signifiant « excepté » :

> *Si ce n'est eux, quels hommes eussent osé l'entreprendre ?* (Littré.)

b) Dans certaines tournures interrogatives où le pluriel serait désagréable à l'oreille : *sera-ce ? fut-ce,* etc. :

> *Fut-ce mes sœurs qui le firent ?* (Littré.)

c) Dans l'indication des heures, d'une somme d'argent, etc., quand l'attribut de forme plurielle évoque l'idée d'un singulier, d'un tout, d'une quantité globale :

C'est quatre heures qui sonnent (on indique *l'*heure, non *les* heures).
C'est deux cents francs que vous devez (idée d'*une* somme).

2. Si le mot pluriel qui suit le verbe *être* ayant pour sujet *ce* n'est pas attribut, le verbe reste au singulier :

C'est des aveugles que je veux parler.

3. Lorsque l'attribut est formé de plusieurs noms dont le premier au moins est au singulier, le verbe *être* ayant pour sujet *ce* se met au singulier, ou, moins souvent, au pluriel :

C'est la gloire et les plaisirs qu'il a en vue. (Littré.)
Ce ne sont pas l'enfer et le ciel qui les sauveront. (Chateaubriand.)

Mais on met obligatoirement le pluriel quand l'attribut multiple développe un pluriel ou un collectif qui précède :

Il y a cinq parties du monde ; ce sont : l'Europe, l'Asie, etc.

4. Dans les expressions *ce doit être, ce peut être,* suivies d'un nom pluriel ou d'un pronom de la 3e personne du pluriel, *devoir* et *pouvoir* se mettent au singulier ou au pluriel :

Ce doit être mes tantes et mon oncle. (Littré.)
Ce pourrait être deux amis. (Sainte-Beuve.)
Ce devaient être deux orientaux. (M. Proust.)
Ce devaient être des vers. (É. Henriot.)

398. Pronom relatif *qui* sujet.

Le verbe ayant pour sujet le pronom relatif *qui* se met au même nombre et à la même personne que l'antécédent de ce pronom :

C'est moi qui irai.
Jeune homme qui m'écoutes, crois-moi.

Remarques. — 1. Puisque c'est l'antécédent qui commande l'accord, toutes les règles et remarques relatives à l'accord du verbe doivent s'appliquer comme si l'antécédent était le véritable sujet :

La veuve et l'orphelin qui souffrent.
Toi et moi qui savons.
Une meute de loups qui suivait les voyageurs.
*Le peu de meubles qui se trouvent dans les habitations espagnoles
sont d'un goût affreux.* (Th. Gautier.)

2. Lorsque le relatif *qui* est précédé d'un attribut se rapportant à un pronom personnel, cet attribut commande l'accord :

a) S'il est précédé de l'article défini :

Vous êtes l'élève qui écrit le mieux.

b) S'il porte l'idée démonstrative :

Vous êtes cet élève — vous êtes celui — qui **écrit** *le mieux.*

c) Si la proposition principale est négative ou interrogative :

Vous n'êtes pas un élève qui **ment.** *— Êtes-vous un élève qui* **ment ?**

3. Lorsque l'attribut est un nom de nombre ou un mot indéfini indiquant une pluralité, c'est toujours le pronom personnel qui règle l'accord :

Vous êtes deux, beaucoup, plusieurs, quelques-uns, qui **briguez** *cet emploi.*

Il y a incertitude sur l'accord lorsque, dans une phrase affirmative :

a) L'attribut est précédé de l'article indéfini :

Je suis un étranger qui **viens** *chercher un asile dans l'Égypte.* (Voltaire.)
Je suis un homme qui ne **sait** *que planter des choux.* (A. France.)

b) L'attribut est *le seul, le premier, le dernier, l'unique :*

Vous êtes le seul qui **connaisse** *ou qui* **connaissiez** *ce sujet.* (Littré.)

4. Après *un(e) des, un(e) de,* le relatif *qui* se rapporte tantôt au nom pluriel, tantôt à *un(e),* selon que l'action ou l'état concerne, quant au sujet, plusieurs êtres ou objets ou bien un seul :

Observons une des étoiles qui **brillent** *au firmament* [ce sont
les étoiles qui brillent].
*À un des examinateurs qui l'*interrogeait *sur l'histoire, ce candidat a donné
une réponse étonnante* [*un seul* examinateur l'interrogeait].

Après *un de ceux qui, une de celles qui,* le verbe se met au pluriel :

Un de ceux qui **liaient** *Jésus-Christ au poteau.* (Hugo.)

Quand *un(e) des... qui* contient un attribut, c'est presque toujours le nom pluriel qui commande l'accord :

La poésie française au XVIe siècle est un des champs qui **ont** *été
le plus fouillés.* (Sainte-Beuve.)

2. Cas de plusieurs sujets.

399. Accord avec le sujet le plus rapproché.

Le verbe qui a plusieurs sujets s'accorde avec le plus rapproché :

1° Lorsque ces sujets sont à peu près *synonymes :*

La douceur, la bonté de ma mère **plaît** *à tous ceux qui la connaissent.*

2° Lorsque ces sujets forment une *gradation :*

Une parole, un geste, un regard en **dit** *plus parfois qu'un long discours.
Un aboiement, un souffle, une ombre* **fait** *trembler le lièvre.*

3° Lorsque ces sujets sont **résumés par un mot** comme *tout, rien, chacun, nul,* etc. :

> *Poules, poulets, chapons, tout* **dormait.** (La Font.)

Remarque. — Parfois les mots *tout, rien,* etc., au lieu de résumer les sujets, les annoncent :

> *Tout, poules, poulets, chapons,* **dormait.**

400.   Infinitifs sujets.

Le verbe qui a pour sujets plusieurs infinitifs se met au pluriel :

> *Promettre et tenir* **sont** *deux.* (Acad.)

Cependant, si les infinitifs expriment une idée unique, le verbe se met au singulier :

> *Écouter et comprendre* **suffit** *pour savoir à moitié sa leçon.*
> *Souffrir et se taire* **est** *une grande vertu.*

401.   Sujets joints par *ainsi que, comme, avec,* etc.

a) Lorsque deux sujets sont joints par une conjonction de comparaison : *ainsi que, comme, de même que, non moins que, non plus que,* etc., c'est le premier sujet qui règle l'accord si la conjonction garde toute sa valeur comparative :

> *Son visage, aussi bien que son cœur,* **avait** *rajeuni de dix ans.* (Musset.)
> *L'humilité, non plus que la foi, n'***est** *ni timide ni raisonneuse.* (Fléchier.)
> *L'alouette, comme l'hirondelle, au besoin,* **nourrira** *ses sœurs.* (Michelet.)

b) Mais le verbe s'accorde avec les deux sujets si la conjonction prend la valeur de *et :*

> *Votre père ainsi que votre mère* **veulent** *votre bonheur.*
> *Une condition où le corps non plus que l'âme ne* **trouvent** *ce qu'ils désirent.* (Montherlant.)
> *La santé comme la fortune* **retirent** *leurs faveurs à ceux qui en abusent.* (Saint-Évremond.)

c) Lorsque deux sujets sont joints par *moins que, plus que, non, et non, plutôt que,* etc., le verbe s'accorde avec le premier seulement, le second se rapportant à un verbe sous-entendu :

> *La vertu, plus que les richesses,* **assurera** *votre bonheur.*
> *La bonté, et non les profits,* **doit** *régir notre conduite.*

402. Sujets joints par *ou* ou par *ni*.

a) Lorsque plusieurs sujets de la 3ᵉ personne sont joints par *ou* ou bien par *ni*, le verbe se met au pluriel si l'on peut rapporter à chacun des sujets l'action ou l'état :

> *La peur ou la misère* **ont** *fait commettre bien des fautes.* (Acad.)
> *Ni l'or ni la grandeur ne nous* **rendent** *heureux.* (La Font.)
> *Ni l'un ni l'autre n'***ont** *su ce qu'ils faisaient.* (Vigny.)

b) Mais si l'on ne peut rapporter qu'à un seul des sujets l'action ou l'état, le verbe s'accorde avec le dernier sujet seulement :

> *La douceur ou la violence en* **viendra à bout.** (Acad.)
> *Ni Pierre ni Paul ne* **sera** *colonel de ce régiment.*

Remarques. — 1. Même quand les sujets joints par *ni* ne s'excluent pas mutuellement, l'accord se fait parfois avec le dernier sujet seulement :

> *Ni l'un ni l'autre ne* **viendra.** (Acad.)

2. Si les sujets joints par *ou* ou bien par *ni* ne sont pas de la même personne, le verbe se met au pluriel et à la personne qui a la priorité :

> *Pierre ou moi* **ferons** *ce travail.* — *Ni vous ni moi ne le* **pouvons.** (Acad.)

3. *L'un ou l'autre,* pris pronominalement ou adjectivement, veut toujours le verbe au singulier :

> *L'un ou l'autre* **fit**-*il une tragique fin ?* (Boileau.)
> *L'un ou l'autre projet* **suppose** *de la fatuité.* (M. Prévost.)

403. L'un(e) et l'autre.

Après la locution pronominale *l'un(e) et l'autre,* le verbe se met au pluriel ou, beaucoup moins souvent, au singulier :

> *L'un et l'autre* **sont** *venus.* (Acad.)
> *L'une et l'autre* **est** *bonne.* (Id.)

Remarque. — *L'un(e) et l'autre,* adjectif, quoique précédant un nom singulier, admet le verbe au pluriel ou au singulier :

> *L'une et l'autre hypothèse* **sont** *également plausibles.* (A. Hermant.)
> *L'un et l'autre cadeau* **faisait** *grand plaisir à Christophe.* (R. Rolland.)

CHAPITRE VI

L'ADVERBE

1. DÉFINITION - ESPÈCES

404. **L'adverbe** est un mot invariable que l'on joint à un verbe, à un adjectif ou à un autre adverbe, pour en modifier le sens :

Il parle **bien**. — *Un homme* **très** *pauvre*. — *Il écrit* **fort** *vite*.

405. Une **locution adverbiale** est une réunion de mots équivalant à un adverbe :

D'ores et déjà, çà et là, en vain, ne pas, tout de suite, etc.

Remarques. — 1. Il y a des *adverbes composés*, dont les éléments sont réunis par un trait d'union : *Au-delà, ci-dessus, avant-hier,* etc.

2. Certains adverbes peuvent avoir un complément (voir § 66, 1°).

406. On peut distinguer sept espèces d'adverbes, marquant :

1° la manière ;	4° le lieu ;
2° la quantité	5° l'affirmation ;
(et l'intensité) ;	6° la négation ;
3° le temps ;	7° le doute.

1. **Adverbes de manière :**

ainsi	debout	gratis	pis	vite
bien	ensemble	incognito	plutôt	volontiers
comme	exprès	mal	quasi	etc.
comment	franco	mieux	recta	

Il faut y ajouter un très grand nombre d'adverbes en *-ment*, quantité de locutions adverbiales : *à l'envi, à dessein, à tort, à loisir, à propos, cahin-caha,* etc., et certains adjectifs neutres pris adverbialement avec des verbes : *bon, bas, haut, cher, clair,* etc. (§ 187).

2. Adverbes de quantité et d'intensité :

assez	fort	presque
aussi	guère	que *vous êtes fort !*
autant	mais *(n'en pouvoir ∼)*	quelque *dix ans*
beaucoup	moins	si
bien *aise*	moitié *mort*	tant
combien	par *trop*	tout *fier*
comme… !	(ne) pas autrement (= guère)	tout à fait
comment (= à quel point)	pas mal	tellement
davantage	peu	très
environ *un an*	plus	trop

Il faut y joindre certains adverbes en *-ment* exprimant la quantité, l'intensité : *abondamment, énormément, grandement, extrêmement, immensément, complètement,* etc.

3. Adverbes de temps :

alors	avant-hier	encore	lors	soudain
après	bientôt	enfin	maintenant	souvent
après-demain	déjà	ensuite	naguère	subito
aujourd'hui	demain	hier	parfois	tantôt
auparavant	depuis	incontinent	puis	tard
aussitôt	derechef	jadis	quand ?	tôt
autrefois	désormais	jamais	quelquefois	toujours
avant	dorénavant	longtemps	sitôt	

On y joint un certain nombre de locutions adverbiales, telles que : *tout de suite, de suite, par la suite, dans la suite, tout à coup, à l'instant, à jamais, à présent, de temps en temps, jusque-là, tout à l'heure,* etc.

4. Adverbes de lieu :

ailleurs	avant	dedans	devant	outre
alentour	çà	dehors	ici	partout
arrière	céans (vieux)	derrière	là	près
attenant	ci	dessous	loin	proche
autour	contre	dessus	où	

A cette liste il faut ajouter un certain nombre de locutions adverbiales, comme : *au-dedans, au-dehors, ci-après, ci-contre, en arrière, en avant, quelque part, là-bas, là-dedans,* etc.

5. Adverbe d'affirmation :

assurément	bien	oui	sans doute	soit
aussi	certes	précisément	si	volontiers
certainement	en vérité	que si	si fait	vraiment, etc.

6. Adverbes de négation.

Ce sont, à proprement dire : *non,* forme tonique, et *ne* forme atone.

Certains mots, comme *aucun, aucunement, nullement, guère, jamais, rien, personne,* qui accompagnent ordinairement la négation, sont devenus aptes à exprimer eux-mêmes l'idée négative.

7. Adverbes de doute.

Ce sont : *apparemment, peut-être, probablement, sans doute, vraisembla-blement.*

Remarque. — On peut ranger dans une catégorie à part, celle des **adverbes d'in-terrogation,** certains adverbes servant à interroger sur le temps, la manière, la cause, le lieu, la quantité :

Quand ? Comment ? Pourquoi ? Que (ne) ? Où ? D'où ? Par où ? Combien ?

A cette même catégorie appartiennent l'expression *est-ce que ?* et *si* introduisant l'interrogation indirecte (mais *si* est plutôt alors conjonction) :

Est-ce que *tu pars ?* — *Je demande* **si** *tu pars.*

2. FORMATION DES ADVERBES EN -*MENT*

407. *a) Règle générale.* On forme les adverbes en -*ment* en ajoutant ce suffixe -*ment* au féminin de l'adjectif :

*Grand, grande***ment** *; doux, douce***ment.**

Beaucoup d'adjectifs ne peuvent donner naissance à des adverbes en -*ment : charmant, fâché, content,* etc.

b) Règles particulières. 1° Dans les adverbes en -*ment* correspon-dant à des adjectifs terminés au masculin par une voyelle, l'*e* féminin de ces adjectifs a disparu :

Vrai, vraiment ; aisé, aisément ; poli, poliment ; éperdu, éperdument.

Remarque. — L'accent circonflexe marque la chute de l'*e* féminin dans : *assidû-ment, congrûment, continûment, crûment, dûment, goulûment, incongrûment, indû-ment, nûment.*
L'Académie écrit : *gaiement,* mais on écrit aussi : *gaîment.*

2° On a -*ément* au lieu de -*ement* dans certains adverbes tels que : *commodément, confusément, énormément, expressément, précisément, profondément,* etc.

3° *Gentil* donne *gentiment ; impuni, impunément.* — A *traître* ré-pond *traîtreusement,* formé sur *traîtreuse,* féminin de l'ancien adjectif *traîtreux.*

4° Aux adjectifs en -*ant* et -*ent* correspondent des adverbes en -*amment, -emment :*

*Vaillant, vaill***amment** *; prudent, prud***emment.**

Exceptions : *Lent, lentement ; — présent, présentement ; — véhément, véhémentement.*

5° Quelques adverbes en -*ment* sont tirés de noms, d'adjectifs indéfinis ou d'adverbes : *Bêtement, chattement, diablement, sacrilègement, mêmement, tellement, comment, quasiment.*

3. DEGRÉS DES ADVERBES

408. Certains adverbes admettent, comme les adjectifs qualificatifs, divers degrés. Ce sont :

1° *Loin, longtemps, près, souvent, tôt, tard.*

2° Les adjectifs pris adverbialement et modifiant un verbe : *bas, bon, cher,* etc. (§ 187).

3° Certaines locutions adverbiales : *à regret, à propos,* etc.

4° La plupart des adverbes en -*ment.*

5° *Beaucoup, bien, mal, peu.*

Ex. : *Moins doucement, aussi doucement, plus doucement, très doucement, le plus doucement.*

Remarque. — *Beaucoup, bien, mal, peu* ont pour comparatifs de supériorité *plus* (ou *davantage*), *mieux, pis* (ou *plus mal*), *moins ;* — et pour superlatifs relatifs : *le plus, le mieux, le pis* (ou *le plus mal*), *le moins.*

4. PLACE DE L'ADVERBE

409. La place de l'adverbe est assez variable ; assez souvent elle est réglée par des raisons de style.

a) Avec un verbe.

1° **Temps simple.** — Si le verbe est à un temps simple, l'adverbe qui le modifie se place généralement après lui :

Nous travaillons **assidûment.**
Vous préférerez **toujours** *la vertu à la richesse.*

2° **Temps composé.** — Si le verbe est à un temps composé, l'adverbe se place à peu près indifféremment après le participe ou entre l'auxiliaire et le participe :

> *J'ai travaillé* **assidûment,** *j'ai* **assidûment** *travaillé.*
> *Il a* **beaucoup** *souffert, il a souffert* **beaucoup.**

Cependant les adverbes de lieu se placent après le participe :

> *J'ai travaillé* **ailleurs.** — *Je vous ai attendu* **ici.**
> *On l'a jeté* **dehors.**

Remarques. — 1. L'adverbe *ne* précède toujours le verbe ; il en est de même des adverbes (ou pronoms) *en* et *y*, sauf à l'impératif affirmatif :

> *Je* **ne** *travaille pas, je* **n'**ai pas travaillé.*
> *J'***en** *viens, j'***en** *suis sorti ; j'***y** *cours, j'***y** *ai habité.*
> (Mais : *Vas-***y,** *va-t'***en.**)

2. Souvent, pour la mise en relief, l'adverbe, et surtout l'adverbe de lieu ou de temps, se place en tête de la phrase :

> **Ici** *s'est livrée la bataille.*
> **Demain** *je reprendrai ce livre ouvert à peine.* (Sully Prudhomme.)
> **Ainsi** *finit la comédie.*
> **Lentement** *le soleil se plongeait dans les flots.*

3. En général, les adverbes interrogatifs et exclamatifs se placent en tête de la proposition :

> **Où** *sont les neiges d'antan ?*
> **Comme** *il fait noir dans la vallée !* (Musset.)

4. L'adverbe modifiant un infinitif se place tantôt avant lui, tantôt après lui : en général, c'est l'euphonie et le rythme qui décident :

> **Trop** *parler est souvent nuisible ; il vaut mieux parler* **peu** *et parler* **sagement.**
> *Il fait bon vivre* **ici.** — *Il cherche à vivre* **ailleurs.**
> *On ne peut pas* **toujours** *travailler.*

b) *Avec un adjectif, un participe ou un adverbe.*

L'adverbe se place, en général, avant l'adjectif, le participe ou l'adverbe qu'il modifie :

> *Cet homme a une conduite* **très** *digne,* **médiocrement** *digne,*
> **toujours** *digne.*
> *Il agit* **très** *dignement,* **assez** *dignement.*
> *Il est* **très** *estimé,* **médiocrement** *estimé.*
> *Voilà une personne* **très** *engageante,* **toujours** *souriante.*

5. EMPLOI DE CERTAINS ADVERBES

ADVERBES DE MANIÈRE

410. **Pis,** comparatif archaïque de *mal,* ne s'emploie plus guère que dans des locutions toutes faites. Il peut être :

1° Adverbe :

> *Aller de mal en* **pis.**

2° Adjectif attribut ou complément d'un pronom neutre :

> *Il se portait mieux, mais aujourd'hui il est* **pis** *que jamais.* (Acad.)
> *Il n'y a rien de* **pis** *que cela.* (Id.)

3° Pronom :

> *Il a fait* **pis** *que cela.*

4° Nom :

> *Voilà le* **pis** *de l'affaire.*

Remarque. — *Pis* se distingue de *pire* en ce qu'il ne se joint jamais à un nom et en ce qu'il peut être adverbe ou pronom.

411. **Plutôt,** en un mot, marque la préférence :

> **Plutôt** *souffrir que mourir.* (La Font.)

Plus tôt, en deux mots, marque le temps et s'oppose à « plus tard » :

> *Un jour* **plus tôt,** *un jour plus tard,*
> *Ce n'est pas grande différence.* (La Font.)

ADVERBES DE QUANTITÉ

412. **a) Si, aussi** se joignent à des adjectifs, à des participes-adjectifs et à des adverbes :

> *Un homme* **si** *sage,* **si** *estimé, qui parle* **si** *bien.*
> *Un homme* **aussi** *sage,* **aussi** *estimé que lui, qui parle* **aussi** *bien que personne.*

Tant, autant se joignent à des noms et à des verbes :

*Il a **tant** de mérite, il travaille **tant** !*
*Il a **autant** de mérite que personne, il travaille **autant** que personne.*

b) Si, tant marquent l'intensité :

*Il est **si** faible qu'il peut à peine marcher.*
*Il a **tant** marché qu'il est épuisé.*

Aussi, autant marquent la comparaison :

*Il est **aussi** sage que son frère.*
*Il travaille **autant** que son frère.*

Remarques. — 1. *Si, tant* peuvent remplacer *aussi, autant,* dans les phrases négatives ou interrogatives :

*Je ne connais rien de **si** précieux que la vertu.*
*Rien ne pèse **tant** qu'un secret. (La Font.)*

2. **Aussi** signifiant « pareillement » se met dans le sens affirmatif :

*Vous le voulez, et moi **aussi** ;*

avec la négation, on doit dire *non plus :*

*Vous ne le voulez pas, ni moi **non plus** ;*

avec *ne... que*, on met indifféremment *non plus* ou *aussi :*

*Il lit incessamment, je ne fais **non plus** que lire,*
*ou : je ne fais **aussi** que lire. (Littré.)*

3. **Tant** s'emploie pour exprimer une quantité indéterminée qu'on ne veut ou ne peut préciser :

*Cet ouvrier gagne **tant** par jour.*

N. B. — L'emploi de *autant*, dans ce sens, est barbare. Ne dites pas :
Cet ouvrier gagne autant par jour. — Ceci vaut autant, cela autant.

413. Beaucoup. a) Après un comparatif, ou après un verbe d'excellence, ou avec un superlatif, *beaucoup* doit être précédé de la préposition *de :*

*Vous êtes plus savant **de beaucoup**. (Acad.)*
*L'emporter **de beaucoup** sur un autre. (Id.)*
*Il est **de beaucoup** le plus savant.*

b) Avant un comparatif, il peut être précédé de la préposition *de :*
*Il est **beaucoup** (ou : **de beaucoup**) plus savant que son frère.*

414. Davantage ne peut modifier un adjectif ni un adverbe.

> Au lieu de : *Il est davantage heureux ; marchons davantage lentement,* il faut dire : *Il est plus heureux ; marchons plus lentement.*

Remarque. — *Davantage* pouvait, à l'époque classique, se construire avec *de* et un nom, et aussi avec *que* :

> *Rien n'obligeait à en faire **davantage de** bruit.* (Bossuet.)
> *Il n'y a rien que je déteste **davantage que** de blesser la vérité.* (Pascal.)

Ces constructions se rencontrent encore dans l'usage contemporain :

> *Ils n'en récoltèrent pas **davantage de** gratitude.* (J. Cocteau.)
> *Le plaisir l'attirait **davantage que** la théologie.* (E. Jaloux.)

415. Plus, moins introduisent par *que* le complément du comparatif :

> *L'envie est plus irréconciliable **que** la haine.* (La Rochefoucauld.)

Toutefois lorsque le complément du comparatif est ou renferme un nom de nombre, il s'introduit par *de* :

> *Cela coûtera moins **de** cent francs.* (Acad.)

On dit le plus souvent : *plus **d'**à demi...*, *plus **d'**à moitié...*, etc., mais on peut dire aussi : *plus **qu'**à demi...*, *plus **qu'**à moitié...*, etc.

ADVERBES DE TEMPS

416. De suite signifie « sans interruption » :

> *Il ne saurait dire deux mots **de suite**.* (Acad.)

Tout de suite signifie « sur-le-champ » :

> *Envoyez-moi de l'argent **tout de suite**.* (Littré.)

Remarque. — On vient d'indiquer la distinction traditionnelle. Cependant le bon usage actuel a admis *de suite* au sens de « sur-le-champ » :

> *Nous fîmes **de suite** une charte.* (L. Veuillot.)
> *On ne comprend pas **de suite** un mot semblable.* (P. Loti.)

417. Tout à coup signifie « soudainement » :

> *Son humeur a changé **tout à coup**.* (Acad.)

Tout d'un coup signifie « tout en une fois » :

> *Il fit sa fortune **tout d'un coup**.* (Acad.)

Tout d'un coup s'emploie aussi quelquefois dans le sens de *tout à coup*. (Acad.)

ADVERBES DE NÉGATION

418. La négation pure s'exprime par *non,* forme tonique, et par *ne,* forme atone.

419. a) Non, dans les réponses et ailleurs, a la valeur d'une proposition reprenant de façon négative une idée, une proposition ou un verbe antérieurs :

> *Viendrez-vous ? —* **Non.**
> *Il a trahi ; prétendez-vous que* **non** *?*
> *Venez-vous ou* **non** *?*
> *Mon père viendra, ma mère,* **non.**

b) *Non* peut nier un élément de phrase qu'il oppose à un autre élément, de même fonction que le premier :

> *Mon avis,* **non** *le vôtre, doit prévaloir.*
> *Il est sévère,* **non** *injuste.*
> *Choisissez* **non** *le succès, mais l'honneur.*

Remarques. — 1. *Non* sert de préfixe négatif devant certains noms : *Non-intervention, non-lieu, non-sens,* etc. Il se trouve avec la même valeur devant un infinitif dans *fin de non-recevoir.*

Dans un emploi analogue, *non* se place devant des adjectifs qualificatifs, des participes, des adverbes, et devant certaines prépositions :

> **Non** *solvable, leçon* **non** *sue,* **non** *loin de là,* **non** *sans frémir.*

2. Surtout dans les réponses directes, *non* est souvent renforcé par *pas, point, vraiment, certes, assurément, jamais, mais, oh ! ah !* etc. :

> *Viendras-tu ? — Non certes, non vraiment, non jamais, oh ! non.*

420. Ne est généralement accompagné d'un des mots *pas, point, aucun, aucunement, guère, jamais, nul, nullement, personne, plus, que, rien,* ou d'une des expressions *âme qui vive, qui que ce soit, quoi que ce soit, de ma vie, de longtemps, nulle part,* etc. :

> *Il* **ne** *vient* **pas** *; il* **ne** *ment* **jamais** *; il* **ne** *sait* **rien** *; on* **ne** *voit*
> **âme qui vive.**

Ne ... que est une locution restrictive équivalant à *seulement :*

> *Qui* **n'**entend **qu'**une cloche **n'**entend **qu'**un son.

Remarque. — Pour nier la locution restrictive *ne... que,* la langue moderne insère dans cette locution *pas* ou *point.* Le néologisme *ne... pas que* (ou *ne... point que),* quoique vivement combattu par les puristes, est entré dans l'usage :

> *Un discours* **ne** *se compose* **pas que** *d'idées générales.* (Fr. Mauriac.)

NE employé seul.

421. *a) Obligatoirement.* — *Ne* s'emploie obligatoirement seul :

1° Dans certaines phrases proverbiales ou sentencieuses et dans certaines expressions toutes faites :

> *Il* n'*est pire eau que l'eau qui dort.*
> *À Dieu* ne *plaise !*
> **Ne** *vous déplaise.* — *Si ce* n'*est* (= excepté).
> *Il* ne *dit mot.*
> *Il* n'*a garde.* — *Il* n'*en a cure.*
> *Qu'à cela* ne *tienne.*
> *Qui ce fut, il* n'*importe.*

2° Avec *ni* répété :

> *L'homme* n'*est ni ange ni bête.* (Pascal.)
> *Ni l'or ni la grandeur* ne *nous rendent heureux.* (La Font.)

3° Avec *que,* adverbe interrogatif ou exclamatif signifiant *pourquoi* :

> *Que* ne *le disiez-vous plus tôt ?* — *Que* ne *puis-je partir !*

4° Avec *savoir* ou *avoir,* suivis de *que* interrogatif et d'un infinitif :

> *Il* ne *sait que devenir.* — *Je* n'*ai que faire de vos promesses.*

b) Facultativement. — *Ne* s'emploie facultativement seul :

1° Dans les propositions relatives de conséquence dépendant d'une principale interrogative ou négative :

> *Y a-t-il quelqu'un dont il* ne *médise ?* (Acad.)
> *Il* n'*est pas d'homme qui* ne *désire être heureux.* (Id.)

2° Avec *cesser, oser, pouvoir,* surtout aux temps simples et avec un infinitif complément :

> *Il* ne *cesse de parler.* (Acad.)
> *Je* n'*ose vous promettre.* (Id.)
> *Calypso* ne *pouvait se consoler du départ d'Ulysse.* (Fénelon.)

Remarque. — Pris négativement, *savoir* se construit le plus souvent avec le simple *ne* quand on veut exprimer l'idée de « être incertain » :

> *Il* ne *sait s'il doit partir.*

Mais quand il signifie « connaître, avoir la science de », il demande la négation complète :

> *Je* ne *sais* pas *l'endroit.* (La Font.) — *Cet enfant* ne *sait* pas *lire.*

Au conditionnel, comme équivalent de « pouvoir », il veut le simple *ne :*

> *Je* ne *saurais vous approuver.*

3° Avec *si* conditionnel :

> *Tu ne feras rien de grand si tu n'apprends à vouloir.*

4° Devant *autre* suivi de *que* :

> *Je n'ai d'autre désir que celui de vous être utile.*

5° Après le pronom et l'adjectif interrogatifs :

> *Qui ne court après la Fortune ? (La Font.)*
> *Quel plaisir n'a son amertume ?*

6° Après *depuis que, il y a* (tel temps) *que, voici* ou *voilà* (tel temps) *que,* quand le verbe dépendant est à un temps composé :

> *Il a bien changé depuis que je ne l'ai vu.*
> *Il y a huit jours que je ne l'ai vu.*

NE explétif.

N. B. — Certaines propositions subordonnées de sens positif ont cependant la négation *ne*. L'emploi de ce *ne explétif* n'a jamais été bien fixé : dans l'usage littéraire, il est le plus souvent facultatif ; dans la langue parlée, il se perd de plus en plus. C'est pourquoi il serait vain de vouloir donner pour cet emploi des règles absolues.

422. Verbes de crainte.

a) 1. Après les verbes de crainte pris affirmativement, on met ordinairement *ne* quand la subordonnée exprime un effet que l'on craint de voir se produire [1] :

> *Je crains que l'ennemi ne vienne.*
> *Je redoute, j'ai peur, j'appréhende qu'un malheur ne vous arrive.*

2. Après ces verbes pris négativement, on ne met pas *ne* :

> *Je ne crains pas qu'il fasse cette faute. (Littré.)*
> *Je n'ai pas peur qu'on me reproche ce que j'ai fait.*

3. Après ces verbes pris interrogativement ou bien à la fois interrogativement et négativement, le plus souvent on omet *ne* :

> *Craignez-vous qu'il vienne ? (Hatzfeld.)*
> *Ne craignez-vous pas qu'il vienne ? (Littré.)*

---

1. Comparez en latin : *Timeo ne hostis veniat.*

b) Dans tous ces cas, on met la négation complète s'il s'agit d'un effet que l'on craint de voir ne pas se produire [1] :

> *Je crains que ma mère* **ne** *vienne* **pas.**
> *Aucun de nous ne craint que nos amis* **ne** *viennent* **pas.**
> *Craignez-vous, ne craignez-vous pas que le succès* **ne** *couronne* **pas** *vos efforts ?*

423. Verbes d'empêchement, de précaution, de défense.

Après *éviter que, empêcher que,* l'emploi de *ne* est facultatif :

> *J'empêche qu'il* **ne** *vienne.* (Littré.)
> *Vous savez empêcher qu'il vous dévore.* (Voltaire.)
> *Je n'empêche pas qu'il* **ne** *fasse* ou *qu'il fasse ce qu'il voudra.* (Acad.)
> *Évitez qu'il* **ne** *vous parle.* (Id.)
> *J'évitais qu'il m'en parlât.* (Littré.)

Remarques. — 1. Après *prendre garde que,* on met *ne* s'il s'agit d'un effet à éviter ; on ne met aucune négation s'il s'agit d'un résultat à obtenir :

> *Prenez garde qu'on* **ne** *vous trompe.* (Acad.)
> *Prenez garde que vous entendiez tout ce que vous faites.* (Bossuet.)

2. Après *défendre que,* on ne met pas *ne :*

> *J'ai défendu que vous fissiez telle chose.* (Acad.)

424. Verbes de doute, de négation.

a) Après *douter, mettre en doute, nier, disconvenir, désespérer, contester, méconnaître, dissimuler,* etc., employés affirmativement, l'infinitif complément ou la subordonnée ne prennent pas *ne :*

> *Je doute fort que cela soit.* (Acad.)
> *Il nie qu'il se soit trouvé dans cette maison.* (Littré.)

b) Mais dans l'emploi négatif ou interrogatif, ces verbes demandent ordinairement *ne* après eux :

> *Je ne doute pas qu'il* **ne** *vienne bientôt.* (Acad.)
> *Doutez-vous que cela* **ne** *soit vrai ?* (Littré.)

425. Propositions comparatives.

a) La proposition second terme d'une comparaison d'inégalité prend souvent *ne* si la principale est affirmative :

> *Il est autre que je* **ne** *croyais.* (Acad.)
> *Le temps est meilleur qu'il* **n'**était *hier.* (Id.)

---

1. Comparez en latin : *Timeo* **ne** *mater* **non** *veniat.*

b) Quand la principale est négative ou interrogative, ordinairement on ne met pas *ne* dans la subordonnée :

> *Il n'agit pas autrement qu'il parle.* (Acad.)
> *Quel mortel fut jamais plus heureux que vous l'êtes ?* (Voltaire.)

426. Locutions conjonctives.

a) Après *avant que,* l'emploi de *ne* est facultatif :

> *Avant qu'il fasse froid* ou *Avant qu'il **ne** fasse froid.* (Acad.)

b) Après *à moins que,* on met ordinairement *ne :*

> *Il n'en fera rien, à moins que vous **ne** lui parliez.* (Acad.)

Après *que* mis pour *avant que, sans que, à moins que, de peur que,* on doit mettre *ne :*

> *Tu ne bougeras pas d'ici que tu **n**'aies demandé pardon.* (G. Sand.)

c) Après *sans que* (qui implique déjà une négation), on ne met pas *ne :*

> *Les dents lui poussèrent sans qu'il pleurât une seule fois.* (Flaubert.)

427. a) Après **il s'en faut que** (affirmatif, négatif ou interrogatif), *ne* est facultatif :

> *Il s'en faut de dix francs que la somme entière **n**'y soit.* (Acad.)
> *Il s'en faut de beaucoup que leur nombre soit complet.* (Id.)

b) Après **il tient à ... que, il dépend de ... que,** pris affirmativement, on ne met aucune négation ou on met la négation complète, selon le sens :

> *Il tient à moi que cela se fasse, que cela **ne** se fasse **pas**.* (Littré.)

Dans l'emploi négatif ou interrogatif, ces expressions sont ordinairement suivies de *ne :*

> *Il ne tient pas à moi que cela **ne** se fasse.* (Acad.)
> *À quoi tient-il donc que la vérité **ne** triomphe dans votre cœur ?* (Massillon.)

CHAPITRE VII

LA PRÉPOSITION

428. La **préposition** est un mot invariable qui sert ordinairement à introduire un complément, qu'il unit, par un rapport déterminé, à un mot complété :

Il habite **dans** *une chaumière* (rapport de lieu).
Il régnait **depuis** *deux ans* (rapport de temps).
Le jardin **de** *mon voisin* (rapport d'appartenance).
Je pêche **à** *la ligne* (rapport de moyen).

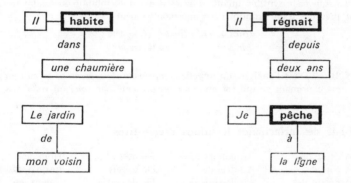

Remarque. — La préposition est parfois une simple cheville syntaxique, notamment devant certaines épithètes, devant certains attributs, devant certaines appositions, devant certains infinitifs sujets ou compléments ; comme elle ne marque alors aucun rapport et qu'elle est vide de sens, on l'appelle **préposition vide** :

Rien **de** *nouveau.* — *Il est tenu* **pour** *coupable.*
Je le traite **en** *frère.* — *La ville* **de** *Lyon.*
De *le voir passer m'a suffi pour le juger.* (P. Bourget.)
J'aime **à** *lire.* — *Mon but est* **de** *vaincre.* — *Il cesse* **de** *parler.*

429. Une **locution prépositive** est une réunion de mots équivalant à une préposition :
À cause de, auprès de, jusqu'à, etc.

N. B. — Certaines prépositions et certaines locutions prépositives peuvent avoir un complément (voir § 66, 2°).

430.   **Liste des principales prépositions.**

À	De	Excepté	Passé	Sous
Après	Depuis	Hormis	Pendant	Suivant
Attendu	Derrière	Hors	Plein	Supposé
Avant	Dès	Jusque(s)	Pour	Sur
Avec	Devant	Malgré	Près	Touchant
Chez	Durant	Moyennant	Proche	Vers
Concernant	En	Outre	Sans	Vu
Contre	Entre	Par	Sauf	
Dans	Envers	Parmi	Selon	

431.   *Voici* et *voilà* servent ordinairement à annoncer, à présenter : ce sont alors des **présentatifs :**

> **Voici** *ma chambre,* **voilà** *la vôtre.*

Ce sont proprement des prépositions quand ils introduisent une indication de temps : *Je l'ai connu* **voici** ou **voilà** *deux ans.*

Voici, voilà sont formés de *voi*, impératif de *voir*, sans *s*, selon l'ancien usage, et des adverbes *ci, là*. Ces présentatifs renferment donc originairement un élément verbal, qui reste sensible quand *voici* est suivi d'un infinitif ou quand *voici, voilà* sont précédés d'un pronom personnel complément :

> **Voici** *venir la foudre.* (Corneille.)
> *Me* **voici**. — *Te* **voilà** *encore !*

N. B. — Dans l'analyse, on appelle *complément du présentatif* le mot ou groupe de mots exprimant ce qui est annoncé ou présenté par *voici* ou *voilà.*

432.   **Liste des principales locutions prépositives.**

À cause de	Au dehors de	De dessous	Hors de
À côté de	Au-delà de	De dessus	Jusqu'à, jusque
À défaut de	Au-dessous de	De devant	dans, etc.
Afin de	Au-dessus de	De façon à	Loin de
À fleur de	Au-devant de	De manière à	Par-dedans
À force de	Au lieu de	D'entre	Par-dehors
À l'abri de	Au milieu de	De par	Par-delà
À la faveur de	Au péril de	De peur de	Par-dessous
À la merci de	Auprès de	Du côté de	Par-dessus
À la mode de	Au prix de	En deçà de	Par-devant
À l'égard de	Autour de	En dedans de	Par-devers
À l'encontre de	Au travers de	En dehors de	Par rapport à
À l'envi de	Aux dépens de	En dépit de	Près de
À l'exception de	Aux environs de	En face de	Proche de
À l'exclusion de	Avant de	En faveur de	Quant à
À l'insu de	D'après	En sus de	Sauf à
À moins de	D'avec	Étant donné	Sus à
À raison de	De chez	Face à	Vis-à-vis de
Au-dedans de	De delà	Faute de	etc.
Au défaut de	De derrière	Grâce à	

433. Rapports exprimés. — Les rapports marqués par la préposition sont extrêmement nombreux ; d'autre part, une même préposition (surtout *à* et *de*) peut servir à exprimer différents rapports.

La préposition peut marquer notamment :

Le lieu, la tendance : *en, dans, à, chez, de, vers, jusqu'à, sous,* etc.
Le temps : *à, de, vers, pour, avant, après, depuis, pendant,* etc.
L'attribution : *à, pour.*
La cause, l'origine : *attendu, vu, pour, à cause de, grâce à,* etc.
Le but, le motif : *pour, à, envers, touchant,* etc.
La manière, le moyen : *à, de, par, en, avec, sans, selon,* etc.
L'ordre, le rang : *après, devant, derrière, au-dessus de,* etc.
L'union, la conformité : *avec, selon, d'après, suivant,* etc.
L'appartenance : *de, à,* etc.
L'agent : *de, par.*
L'opposition : *contre, malgré, nonobstant,* etc.
La séparation, l'exception : *sans, sauf, excepté,* etc.

434. En principe, rien ne s'intercale entre la préposition et le mot qu'elle introduit. Pourtant des intercalations se font parfois :

Soirées passées l'oreille au guet **pour,** *dès la première sirène,* **descendre** *à la cave les enfants.* (Fr. Mauriac.)

435. Répétition des prépositions.

a) Les prépositions **à, de, en** se répètent ordinairement devant chaque complément :

Il écrit **à** *Pierre et* **à** *Jean. — Il parle* **de** *Pierre et* **de** *Jean.*
Il a voyagé **en** *Grèce et* **en** *Italie.*

b) A, de, en ne se répètent pas :

1° Quand les membres du complément forment une locution :

École **des** *arts et métiers. — Il aime* **à** *aller et venir.* (Littré.)
Il a perdu son temps **en** *allées et venues.* (Acad.)

2° Quand ces membres représentent le même ou les mêmes êtres ou objets :

J'en parlerai **à** *M. Dupont, votre associé.*
J'ai reçu une lettre **de** *mon collègue et ami.*

3° Quand ces membres désignent un groupe ou une idée unique :

Les adresses **des** *amis et connaissances.*
Il importe **de** *bien mâcher et broyer les aliments.* (Littré.)

c) D'une manière générale, les prépositions autres que *à, de, en* ne se répètent pas, surtout lorsque les différents membres du com-

plément sont intimement unis par le sens ou lorsqu'ils sont à peu
près synonymes :

> Dans *les peines et les douleurs, gardez l'espérance.*

Remarque. — En répétant la préposition, on donne à chaque membre du complément un relief particulier :

> *Il a vécu* **pour** *les siens et* **pour** *sa patrie.*

EMPLOI DE QUELQUES PRÉPOSITIONS

436. **A travers** ne se construit jamais avec *de ;* **au travers** veut toujours *de :*

> *Il sourit* **à travers** *ses larmes.* (A. Hermant.)
> *Il avait longtemps marché* **au travers de** *la ville.* (A. Gide.)

437. **Causer avec.** — On dit : *causer avec quelqu'un :*

> *Je cause volontiers* **avec** *lui.* (Acad.)

N. B. — *Causer à quelqu'un* est de la langue populaire, mais il tend à péné-
trer dans la langue littéraire ; on fera bien pourtant de ne pas employer
ce tour :

> *Il ne faut pas qu'on me cause de choses positives.* (H. Taine.)
> *Il m'a causé très familièrement.* (R. Rolland.)

438. **Durant. Pendant.** — L'usage ne fait guère de distinction entre ces deux
prépositions ; on peut observer toutefois que *durant* exprime une période
continue — et que *pendant* indique un moment, une portion limitée de la
durée :

> **Durant** *la campagne, les ennemis se sont tenus enfermés dans leurs
> places.* (Littré.)
> *C'est* **pendant** *cette campagne que s'est livrée la bataille dont vous
> parlez.* (Id.)

439. **Jusque** se construit avec une préposition : *à* (c'est le cas le plus
fréquent), *vers, sur, chez,* etc. :

> **Jusqu'à** *la mort,* **jusqu'en** *Afrique,* **jusque sur** *les toits.*

Il se construit aussi avec les adverbes *ici, là, où, alors,* et avec certains adverbes d'intensité modifiant un adverbe de temps ou de lieu :

> *Vertueux* **jusqu'ici,** *vous pouvez toujours l'être.* (Racine.)
> *Voyez* **jusqu'où** *va leur licence.* (Acad.)
> *Ces vieilles bandes qu'on n'avait pu rompre* **jusqu'alors.** (Bossuet.)
> *Je m'étais arrangé pour faire durer* **jusqu'assez tard** *ma soirée.*
> (J. Romains.)

Remarques. — 1. Une faute très fréquente en Belgique, c'est l'omission de *à* dans des expressions telles que : *jusqu'*à *Bruxelles, jusqu'*à *demain, jusqu'*à *hier, juqu'*à *dix heures, jusqu'*à *maintenant,* etc.

2. On dit *jusqu'à aujourd'hui* ou *jusqu'aujourd'hui :*

J'ai différé **jusqu'aujourd'hui** ou **jusqu'à** *aujourd'hui à vous donner de mes nouvelles.* (Acad.)

440. Près de. Prêt à. — *Près de,* suivi d'un infinitif, signifie « sur le point de » :

La lune est **près de** *se lever.*

Prêt à signifie « préparé à, disposé à » :

La Mort ne surprend point le sage :
Il est toujours **prêt à** *partir.* (La Font.)

CHAPITRE VIII

LA CONJONCTION

441. La **conjonction** est un mot invariable qui sert à joindre et à mettre en rapport, soit deux propositions (de même nature ou de nature différente), soit deux mots de même fonction dans une proposition :

On a perdu bien peu **quand** *on garde l'honneur.* (Voltaire.)
La tempête s'éloigne **et** *les vents sont calmés.* (Musset.)
L'amour-propre **ou** *l'intérêt engendrent nos querelles.*

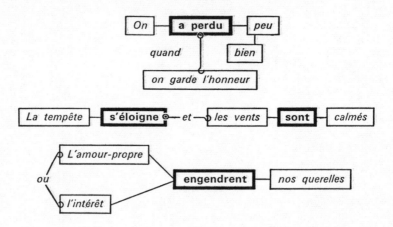

442. Une **locution conjonctive** est une réunion de mots équivalant à une conjonction :

Afin que, à moins que, pour que, c'est-à-dire, etc.

443. Liste des principales conjonctions.

N. B. — La présente liste comprend des mots qui peuvent appartenir aussi à d'autres parties du discours, notamment à la catégorie des adverbes.

Ainsi *vous consentez*	Donc	Or	Que
Aussi *j'y tiens*	Encore *s'il travaillait*	Ou	Quoique
Avec *(le père* avec *le fils)*	Enfin *c'est un fripon*	Partant	Savoir *ceci et cela*
Bien *(je le fais* bien, *moi)*	Ensuite	Pourquoi	Si
Car	Et	(interr. ind.)	Sinon
Cependant	Lorsque	Pourtant	Soit... soit
Combien (interr. ind.)	Mais	Puis	Soit *dix francs*
Comme	Néanmoins	Puisque	Tantôt... tantôt
Comment (interr. ind.)	Ni	Quand	Toutefois

444. Liste des principales locutions conjonctives.

N. B. — Plusieurs locutions conjonctives, parmi celles qui ne sont pas formées à l'aide de *que*, peuvent aussi être considérées comme locutions adverbiales.

À cause que (vieilli)	De façon que	Par contre	Au contraire
À condition que	De manière que	Pendant que	Au moins
Afin que	De même que	Plutôt que	Au reste
Ainsi que	De peur que	Posé que	Aussi bien
Alors que	Depuis que	Pour que	Au surplus
À mesure que	De sorte que	Pourvu que	Bien plus
À moins que	Dès que	Sans que	C'est-à-dire
Après que	En attendant que	Sauf que	C'est pourquoi
À proportion que	En cas que	Selon que	Comme si
Attendu que	Encore que	Si ce n'est que	D'ailleurs
Au cas que	En sorte que	Si peu que	Dans ces conditions
Au fur et à mesure que	Étant donné que	Si tant est que	De plus
Au lieu que	Excepté que	Soit que	Du moins
Aussi bien que	Jusqu'à ce que	Sitôt que	Du reste
Aussitôt que	Loin que	Suivant que	En effet
Autant que	Lors même que	Supposé que	En revanche
Avant que	Maintenant que	Tandis que	Et puis
Bien que	Malgré que	Tant que	Or donc
Cependant que	Moins que	Vu que	Ou bien
D'autant que	Non moins que	À la vérité	Par conséquent
D'autant plus que	Non plus que	Après tout	Quand même
De ce que	Outre que	À savoir	Sans quoi
De crainte que	Parce que	Au cas où	etc.

445. On distingue deux espèces de conjonctions :

les conjonctions de *coordination ;*
les conjonctions de *subordination.*

446. Les conjonctions de coordination sont celles qui servent à joindre soit deux propositions de même nature, soit deux éléments de même fonction dans une proposition :

Je pense, **donc** *je suis.* (Descartes.)
La patience **et** *la persévérance sont deux forces.*

Les principales sont : *et, ou, ni, mais, car, or, donc, cependant, toutefois, néanmoins.*

447. Principaux rapports indiqués par les conjonctions (et locutions conjonctives) de coordination :

1° Addition, liaison : *et, ni, puis, ensuite, alors, aussi, bien plus, jusqu'à, comme, ainsi que, aussi bien que, de même que, non moins que, avec.*
2° Alternative, disjonction : *ou, soit... soit, soit... ou, tantôt... tantôt, ou bien.*
3° Cause : *car, en effet, effectivement.*
4° Conséquence : *donc, aussi, partant, alors, ainsi, par conséquent, en conséquence, conséquemment, par suite, c'est pourquoi.*
5° Explication : *savoir, à savoir, c'est-à-dire, soit.*

6° Opposition, restriction : *mais, au contraire, cependant, toutefois, néanmoins, pourtant, d'ailleurs, aussi bien, au moins, du moins, au reste, du reste, en revanche, par contre, sinon.*

7° Transition : *or.*

448. Les conjonctions **de subordination** sont celles qui servent à joindre une proposition subordonnée à la proposition dont elle dépend :

> *On a perdu bien peu* | **quand** *on garde l'honneur.* (Voltaire.)

N. B. — Certaines conjonctions de subordination peuvent avoir un complément (voir § 66, 3°).

449. Principaux rapports indiqués par les conjonctions (et locutions conjonctives) de subordination :

1° But : *afin que, pour que, de peur que,* etc.

2° Cause : *comme, parce que, puisque, attendu que, vu que, étant donné que,* etc.

3° Comparaison : *comme, de même que, ainsi que, autant que, plus que, moins que, non moins que, selon que, suivant que, comme si,* etc.

4° Concession, opposition : *bien que, quoique, alors que, tandis que,* etc.

5° Condition, supposition : *si, au cas où, à condition que, pourvu que, à moins que,* etc.

6° Conséquence : *que, de sorte que, en sorte que, de façon que, de manière que,* etc.

7° Temps : *quand, lorsque, comme, avant que, alors que, dès lors que, tandis que, depuis que,* etc.

CHAPITRE IX

L'INTERJECTION

450. L'**interjection** est un mot invariable qu'on jette brusquement dans le discours pour exprimer avec vivacité un mouvement de l'âme :

Ah ! *vous arrivez !* — **Allons,** *vous dis-je.* — **Gare !**

L'interjection ne joue dans la phrase aucun rôle grammatical.
Ordinairement elle est, dans l'écriture, suivie du point d'exclamation.

451. Une **locution interjective** est une réunion de mots équivalant à une interjection :

Hé quoi ! — Hé bien ! — Fi donc ! — Fouette cocher !

452. On emploie comme interjections :

1° De simples cris ou des onomatopées :

Ah ! — Eh ! — Hom ! — Hue ! — Ouf ! — Fi ! — Chut !
Holà ! — Crac ! — Paf ! — Patatras !

2° Des noms employés seuls ou associés à d'autres mots :

Attention ! — Courage ! — Ciel ! — Bonté divine!
Ma parole ! — Par exemple !

3° Des adjectifs employés seuls ou accompagnés d'un adverbe :

Bon ! — Ferme ! — Tout doux ! — Tout beau ! — Bravo !

4° Des adverbes ou des locutions adverbiales :

Bien ! — Comment ! — Eh bien ! — Or çà !

5° Des formes verbales et spécialement des impératifs :

Allons ! — Gare ! — Tiens! — Suffit ! — Dis donc !

6° Des phrases entières :

Fouette cocher ! — Va comme je te pousse ! — Vogue la galère !

Remarque. — Certaines interjections peuvent avoir un complément :

Adieu **pour tout jamais !** — *Gare* **à toi !** — *Gare* **que la glace ne cède !**

453.   Liste des principales interjections et locutions interjectives.

Adieu !	Dame !	Hélas !	Mince !	Pouah !
Ah !	Dia !	Hem !	Motus !	Pst !
Ahi !	Eh !	Ho !	Ô	Quoi !
Aïe !	Euh !	Holà !	Oh !	Sacristi !
Allo ! (ou : allô !)	Fi !	Hom !	Ohé !	Saperlipopette !
Bah !	Fichtre !	Hon !	Ouais ! (vieux)	Saperlotte !
Baste !	Foin ! (vieilli)	Hosanna !	Ouf !	Sapristi !
Bernique ! (famil.)	Gare !	Hourra !	Ouiche ! (famil.)	St !
Bravo !	Ha !	Hue !	Ouste ! (id.)	Sus !
Çà !	Haïe !	Huhau !	Paf !	Tarare ! (vieux)
Chiche !	Hardi !	Hum !	Pan !	Vivat !
Chut !	Hé !	Là !	Patatras !	Zest !
Crac !	Hein !	Las ! (vieux)	Pif !	Zut ! (très fam.)

Ah ! çà	Fi donc !	Jour de Dieu !	Mon Dieu !	Quoi donc !
À la bonne heure !	Grand Dieu !	Juste Ciel !	Or çà !	Ta ta ta !
Bonté divine !	Hé bien !	Là ! là !	Or sus !	Tout beau !
Eh bien !	Hé quoi !	Ma foi !	Oui-da !	Tout doux !
Eh quoi !	Ho ! ho !	Mille bombes !	Par exemple !	

QUATRIÈME PARTIE

LES PROPOSITIONS SUBORDONNÉES

454. Classification.

On peut fonder la classification des propositions subordonnées sur les fonctions qu'elles remplissent dans la phrase.

De même que, dans la **phrase simple,** les fonctions de sujet, d'attribut, d'apposition, de complément d'objet direct ou indirect, de complément circonstanciel, etc., peuvent être remplies par un *mot* (nom, pronom, adjectif), de même, dans la **phrase composée,** ces différentes fonctions peuvent être remplies par une *proposition :*

SUJET :	*Il faut* de la patience.	*Il faut* que l'on patiente.
ATTRIBUT :	*Le remède serait* une vie solitaire.	*Le remède serait* que vous viviez dans la solitude.
APPOSITION :	*Ne renversons pas le principe* de la primauté du droit sur la force.	*Ne renversons pas le principe* que le droit prime la force.
OBJET DIRECT :	*J'attends* son retour.	*J'attends* qu'il revienne.
OBJET INDIRECT :	*Je consens* à son départ.	*Je consens* qu'il parte.
COMPL. CIRCONST. :	*Opposez-vous au mal* avant son enracinement.	*Opposez-vous au mal* avant qu'il s'enracine.
COMPL. D'AGENT :	*Il est aimé* de tous.	*Il est aimé* de quiconque le connaît.
COMPL. DÉTERM. :	*La modestie* de l'orgueilleux *est détestable.*	*La modestie* qui procède de l'orgueil *est détestable.*
COMPL. EXPLICATIF :	*La modestie,* ornement du mérite, *sied aux savants.*	*La modestie,* qui relève si bien le mérite, *sied aux savants.*
COMPL. D'ADJECTIF :	*Certain* de la victoire, *le lièvre se repose.*	*Certain* qu'il vaincra, *le lièvre se repose.*
COMPL. DU COMPAR. :	*Pierre est plus savant* que Louis.	*Pierre est plus savant* qu'on ne pense.
COMPL. DU PRÉSENTATIF :	*Voici* la nuit.	*Voici* que la nuit vient.

D'après cela, on peut distinguer :

1° Les subordonnées *sujets ;*
2° Les subordonnées *attributs ;*

3° Les subordonnées *en apposition ;*

4° Les subordonnées *compléments d'objet* (directs ou indirects) ;

5° Les subordonnées *compléments circonstanciels ;*

6° Les subordonnées *compléments d'agent ;*

7° Les subordonnées *compléments de nom ou de pronom :* compléments déterminatifs, compléments explicatifs ;

8° Les subordonnées *compléments d'adjectif* (parmi lesquelles il y a les subordonnées *compléments du comparatif).*

Remarques. — 1. On appelle : **subordonnée relative** toute proposition subordonnée introduite par un *pronom relatif* (y compris le pronom relatif indéfini, sans anté-cédent : § 257, N. B. et Rem. 1) ;

subordonnée **conjonctionnelle,** celle qui est introduite par une conjonction de subordination ;

subordonnée **infinitive,** celle qui a pour base un infinitif, ayant son sujet propre (§ 461, 4°) ;

subordonnée **participe,** celle qui a pour base un participe, ayant son sujet propre (§ 392).

2. Parmi les subordonnées compléments d'objet directs, on peut ranger la **su-bordonnée complément du présentatif** *voici* ou *voilà* (§ 462 *in fine,* Rem. 5).

1. SUBORDONNÉES SUJETS

Formes - Mots subordonnants.

455. La subordonnée **sujet** peut être :

1° Une proposition introduite par la conjonction **que,** après un verbe de forme impersonnelle ; cette proposition est le sujet *réel* du verbe de forme impersonnelle (qui a pour sujet *apparent* le pronom *il*) :

Il faut **que l'on travaille.**
Il convient **que vous veniez.**
Il est nécessaire **que chacun fasse son devoir.**

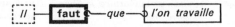

2° Une proposition introduite par la conjonction **que** et placée en tête de la phrase :

Que ses amis le méconnussent, *le remplissait d'amertume.* (R. Rolland.)
Que des vérités si simples soient dites et répétées, *n'est certainement pas inutile.* (G. Duhamel.)

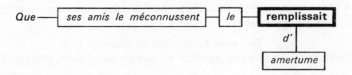

Remarques. — 1. Le plus souvent la subordonnée sujet introduite par *que* et placée en tête de la phrase est reprise par un des pronoms démonstratifs neutres *ce, cela,* ou par un nom de sens général comme *la chose, le fait,* etc. [1] :

Que vous ayez fait une si belle action, cela *vous honore.*
Que le bien doive être récompensé, c'est *une certitude.*
Que le travail soit un trésor, la chose *n'est pas douteuse.*

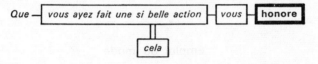

2. Il y a des subordonnées sujets commençant par *que, si, comme, quand, lorsque...* placées après la principale, mais annoncées en tête de la phrase par un des pronoms démonstratifs neutres *ce, ceci, cela* (familièrement : *ça*) [2] :

C'est *un bien* **que nous ignorions l'avenir.**
Ce *fut miracle* **s'il ne se rompit pas le cou.**
C'est *étonnant* **comme il a grandi.**
C'est *fort rare* **quand il se grise.** (P. Loti.)
Ceci *est avéré* **que l'oisiveté avilit.**
Cela *m'étonne* **qu'il ne m'ait pas averti.**

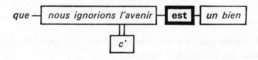

3° Une proposition introduite par la conjonction **que,** après certaines expressions comme *d'où vient... ? de là vient..., qu'importe... ? à cela s'ajoute... :*

D'où vient **que nul n'est content de son sort ?**
À cela s'ajoute **qu'il a manqué de prudence.**

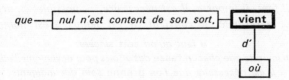

---

1. On pourrait admettre aussi que cette proposition est *en apposition* à *ce, cela, la chose, le fait,* etc.
2. Il est loisible aussi de considérer ces propositions comme des subordonnées *en apposition* à *ce, ceci, cela, ça.*

4° Une proposition introduite par un des pronoms relatifs indéfinis *qui* ou *quiconque :*

Qui veut la fin *veut les moyens.*
Quiconque ne sait pas souffrir *n'a pas un grand cœur.* (Fénelon.)

N. B. — La proposition infinitive (§ 461, 4°) employée comme sujet n'est introduite par aucun mot subordonnant ; elle est reprise par *ce, cela*, ou par un nom de sens général comme *la chose, le fait*, etc. :

Un fils insulter sa mère, cela *est odieux.*

Emploi du mode.

456. Le verbe de la subordonnée sujet se met :

a) A l'*indicatif* après les verbes de forme impersonnelle marquant la certitude ou la vraisemblance et exprimant un sens positif :

Il est certain, sûr, évident, que vous vous **trompez.**
Il est probable que nous **partirons** *demain.*

Remarque. — Après **il me (te, lui...) semble que**, on met généralement l'indicatif :

Il me sembla que je **voyais** *Achille.* (Fénelon.)

Après **il semble que**, on met l'indicatif ou le subjonctif selon qu'on exprime le fait avec plus ou moins de certitude :

Il semble que la logique **est** *l'art de convaincre de quelque vérité.* (La Bruyère.)
Il semble qu'on **soit** *transporté en Afrique.* (Th. Gautier.)

b) Au *subjonctif :*

1° Après les verbes de forme impersonnelle marquant la nécessité, la possibilité, le doute, l'obligation ou exprimant un mouvement de l'âme (*il faut, il importe, il est nécessaire, ... possible, ... urgent, ... heureux, ... regrettable, il convient, il est temps, c'est dommage*, etc.) :

Il faut qu'on **soit** *sincère.*
Il importe que chacun **fasse** *des efforts pour devenir meilleur.*
Il est nécessaire que l'on **prenne** *soin des indigents.*
Il est heureux que tu **reviennes** *à la santé.*
Il convient que tout citoyen **obéisse** *à la loi.*
Il est temps que vous **partiez.**
C'est dommage qu'il ne **comprenne** *pas mieux les avantages de l'étude.*

2° Après les verbes de forme impersonnelle marquant la certitude ou la vraisemblance et exprimant un sens négatif, interrogatif ou conditionnel :

> *Il n'est pas certain que nous **parvenions** à l'âge de la vieillesse.*
> *Est-il sûr que cet homme **ait** commis une pareille infamie ?*
> *S'il est vrai que tu **sois** touché de mes maux, fais-le mieux paraître.*

Remarque. — Dans ces sortes de phrases, le subjonctif n'est pas toujours requis ; c'est l'*indicatif* qu'on emploie si l'on veut marquer la réalité du fait :

> *Il n'est pas sûr que nous **partirons**.*
> *Est-il certain que vous **viendrez** ?*
> *N'est-il pas certain que l'ordre **vaut** mieux que le désordre et que la paix **est** préférable à la guerre ?*

3° Quand la subordonnée, introduite par *que*, est placée en tête de la phrase :

> *Que le bombardement **eût** cessé avait fait naître de l'espoir.* (J. de Lacretelle.)
> *Que tu **prennes** une telle décision, cela me surprend.*
> *Que le bien **doive** être récompensé, c'est une certitude absolue.*

Remarque. — Après *d'où vient que... ?* on met l'*indicatif* ou le *subjonctif* selon la nuance de la pensée :

> *D'où vient que vous **partez** (ou : **partiez**) si vite ?*

c) Au *conditionnel* après les verbes de forme impersonnelle marquant la certitude ou la vraisemblance, lorsqu'on exprime un fait éventuel ou dépendant d'une condition énoncée ou non ; — il en est de même dans la proposition sujet introduite soit par *que* après *d'où vient... ? de là vient..., qu'importe... ? à cela s'ajoute...,* soit par un des relatifs indéfinis *qui* ou *quiconque* :

> *Il est évident, il n'est pas sûr, que vous **feriez** bien ce travail.*
> *Est-il certain que vous **feriez** bien ce travail ?*
> *Il est certain, sûr, probable, que vous **réussiriez**, si vous étiez plus méthodique.*
> *D'où vient que tant de gens **voudraient** changer de condition ?*
> *Qui **trahirait** son pays serait indigne de vivre.*
> *Quiconque n'**observerait** pas cette loi serait puni.*

N.B. — Le verbe de la subordonnée sujet est parfois un *infinitif* accompagné de son sujet propre :

> *Un citoyen **trahir** sa patrie, cela mérite un châtiment.*

2. SUBORDONNÉES ATTRIBUTS

Formes - Mots subordonnants.

457. La subordonnée **attribut** est une proposition introduite par la conjonction *que* et venant après certaines locutions formées d'un nom sujet et du verbe *être*, telles que : *mon avis est, le malheur est, le mieux est, la preuve en est*, etc. :

Mon avis est **que vous avez raison.**

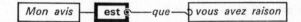

Mon avis — *est* ⊙ — *que* — ⊃ *vous avez raison*

Remarques. — 1. On a parfois une subordonnée attribut introduite par le relatif indéfini *qui* (au sens de *celui que*) ou par le relatif indéfini *quoi* précédé d'une préposition :

Comment je devins **qui je suis.** (A. Gide.)
Le coupable n'est pas **qui vous croyez.**
C'est précisément **à quoi je pensais.**

2. On peut considérer comme des subordonnées attributs certaines propositions relatives qui, après les verbes *être, se trouver, rester...* suivis d'une indication de lieu ou de situation — ou après un verbe de perception —, expriment une manière d'être du sujet ou du complément d'objet direct de la principale ; ces propositions, introduites par *qui*, équivalent à un participe présent ou à un adjectif :

Votre ami est là **qui attend** [= attendant].
Il est au jardin **qui rêve** [= rêvant ou : rêveur].
Je le vois **qui arrive** [= arrivant].

Emploi du mode.

458. Le verbe de la subordonnée attribut se met :

a) A l'*indicatif* quand cette subordonnée exprime un fait considéré dans sa réalité :

Mon opinion est que tu **fais** *ton devoir.*
L'essentiel est que nous **avons** *la victoire.*

b) Au *subjonctif* quand on exprime un fait envisagé simplement dans la pensée, avec un certain élan de l'âme (souhait, désir, volonté, etc.) :

Mon désir est que tu **fasses** *ton devoir.*
L'essentiel est que nous **ayons** *la victoire.*

c) Au *conditionnel* quand on exprime un fait éventuel ou dépendant d'une condition énoncée ou non :

*Mon opinion est que tu **ferais** ainsi ton devoir.*
*La vérité est que, si nous agissions sans retard, nous **aurions** la victoire.*

3. SUBORDONNÉES EN APPOSITION

Formes - Mots subordonnants.

459. La subordonnée **en apposition** est une proposition introduite par la conjonction *que* (au sens de *à savoir que*) et jointe à un nom ou à un pronom pour le définir ou l'expliquer comme le ferait un nom en apposition (§ 63, 5°) :

*Nous condamnerons cette maxime **que la fin justifie les moyens.***
*La bêtise a ceci de terrible **qu'elle peut ressembler à la plus profonde sagesse.** (V. Larbaud.)*
Je ne désire qu'une chose : **que vous soyez heureux.**

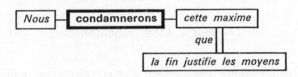

Remarques. — 1. Dans *qui mieux est, qui pis est, qui plus est,* on a des subordonnées en apposition introduites par le pronom relatif *qui* (au sens neutre de *ce qui*) :

Il m'a bien accueilli et, **qui plus est,** *il m'a félicité.*

2. Nous avons rangé parmi les subordonnées *sujets* les propositions introduites par *que* et reprises par *ce, cela, la chose, le fait,* etc., comme dans la phrase : **Que vous ayez fait une si belle action, cela** *vous honore ;* — de même les propositions introduites par *que, si, comme, quand, lorsque,* et annoncées par *ce, ceci, cela, ça,* comme dans la phrase : *C'est un bien* **que nous ignorions l'avenir.**

On pourrait admettre aussi que ces deux catégories de propositions sont *en apposition* à *ce, cela, la chose, le fait* ou à *ce, ceci, cela, ça.* (Voir § 455, Rem. 1 et 2.)

Emploi du mode.

460. Le verbe de la subordonnée en apposition se met :

a) A l'*indicatif* quand cette subordonnée exprime un fait considéré dans sa réalité :

*Le fait qu'il **reprend** courage présage sa guérison.*

b) Au *subjonctif* quand elle exprime un fait envisagé simplement dans la pensée avec un certain élan de l'âme (souhait, désir, volonté, etc.) :

> *Cette chose est tout à fait inadmissible que Biche* **doive** *mourir.* (A. Lichtenberger.)
> *On s'élève contre votre supposition que tous les hommes* **soient** *égaux en intelligence.*

c) Au *conditionnel* quand elle exprime un fait éventuel ou soumis à une condition énoncée ou non :

> *Je reviens à ce principe que les hommes* **seraient** *meilleurs s'ils se connaissaient mieux eux-mêmes.*
> *Je partage votre sentiment que nous* **ferions** *bien ce travail.*

4. SUBORDONNÉES COMPLÉMENTS D'OBJET
(DIRECTS OU INDIRECTS)

Formes - Mots subordonnants.

461. La subordonnée **complément d'objet** (direct ou indirect) peut se présenter sous quatre formes :

1° Elle peut être introduite par la conjonction *que :*

> *Vous savez* **que le travail ennoblit.**
> *Je ne doute pas* **que la lecture des bons livres n'enrichisse** **l'esprit.**

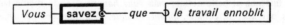

Vous — savez — que — le travail ennoblit

Remarques. — 1. La subordonnée complément d'objet indirect est parfois introduite par une des locutions conjonctives *à ce que, de ce que :*

> *Il s'attend* **à ce que je revienne.** (Acad.)
> *Il s'étonne* **de ce qu'il ne soit pas venu.** (Id.)

2. *Voici, voilà* (qui contiennent le verbe *voir*, à l'impératif, sans *s*, selon un usage ancien) peuvent se faire suivre d'une subordonnée introduite par *que ;* cette subordonnée *complément du présentatif* est assimilable à une subordonnée complément d'objet direct :

> *Voici* **que la nuit vient.** — *Voilà* **qu'une ondée vint à tomber.**

2° Elle peut être introduite par un des pronoms relatifs indéfinis *qui* ou ***quiconque :***

> *Aimez* **qui vous aime.** — *Choisis* **qui tu veux.**
> *On pardonne volontiers* **à qui se repent.**
> *Il aide* **quiconque le sollicite.**

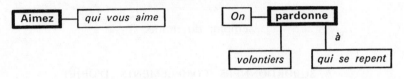

3° Elle peut être introduite par un **mot interrogatif** (*si, qui, quel, quand,* etc.), dans l'interrogation indirecte (§ 73, Rem. 1) :

> *Dis-moi* **qui tu es, quel est ton nom.**
> *Je demande* **pourquoi il vient, quand il part.**
> *Je m'informe* **si cet homme est honnête.**

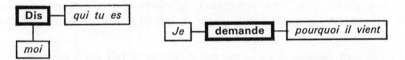

4° Elle peut n'être introduite par aucun mot subordonnant et être constituée par un infinitif avec son *sujet propre :* une telle proposition s'appelle ***proposition infinitive :*** elle s'emploie comme complément après des verbes marquant une perception des sens : *apercevoir, écouter, entendre, ouïr, regarder, sentir, voir,* ou encore après *faire* ou *laisser :*

> *J'entends* **les oiseaux chanter.**
> *Je vois* **mes honneurs croître** *et* **tomber mon crédit.** (Racine.)
> *Laissez* **venir à moi les petits enfants.**

Remarques. — 1. Il importe de bien observer qu'on n'a une proposition infinitive que si l'infinitif a son *sujet propre,* exprimé ou non ; on se gardera donc de prendre pour une proposition infinitive le simple infinitif complément d'objet, qui a le même sujet que le verbe principal :

> *Le flâneur regarde* **couler la rivière** [prop. infinitive].
> *J'entends* **parler autour de moi** [prop. infinitive].
> *J'espère réussir* [*réussir* = infinitif complément d'objet direct].
> *Il se plaint de ne rien obtenir* [*obtenir* = infinitif compl. d'objet ind.].

2. On peut avoir une proposition infinitive après le présentatif *voici* (qui signifie *vois ici*), surtout avec l'infinitif *venir :*

> *Voici* **venir le printemps.**
> *Voici,* **de la maison, sortir un Salavin épineux et glacé.** (G. Duhamel.)

3. On trouve parfois une proposition infinitive dépendant d'un des verbes *dire, croire, savoir...*, mais à peu près uniquement avec le pronom relatif *que* sujet[1] :

> *Je ramenai la conversation sur des sujets* **que je savais l'intéresser.**
> (B. Constant.)

Emploi du mode.

A. SUBORDONNÉES COMPLÉMENTS D'OBJET INTRODUITES PAR QUE

462. Le verbe de la subordonnée complément d'objet (direct ou indirect) introduite par *que* se met :

a) A l'*indicatif* après un verbe principal exprimant une opinion, une déclaration, une perception (*affirmer, croire, espérer, déclarer, dire, penser, entendre, voir, sentir...*), quand le fait est considéré dans sa réalité :

> *Je crois, j'affirme, je dis, je vois que la richesse ne* **fait** *pas le bonheur.*
> *Je m'aperçois que j'***ai** *fait une erreur.*

b) Au *subjonctif :*

1° Après un verbe principal exprimant une opinion, une déclaration, une perception, quand le fait est envisagé simplement dans la pensée et avec un certain élan de l'âme, ce qui se présente souvent lorsque ces verbes sont dans une principale négative, interrogative ou conditionnelle :

> *Je ne crois pas, je ne dis pas, je ne vois pas que la richesse*
> **fasse** *le bonheur.*
> *Croyez-vous, pensez-vous, voyez-vous que la richesse* **fasse** *le*
> *bonheur ?*
> *Si vous croyez que la richesse* **fasse** *le bonheur, vous vous trompez.*

Remarque. — Même quand la principale est négative ou interrogative, ces verbes d'opinion, de déclaration, de perception, demandent dans la subordonnée l'*indicatif* si l'on veut marquer la réalité du fait :

> *Il ne croit pas, il ne dit pas, il ne voit pas que la santé* **vaut**
> *mieux qu'un trésor.*
> *Il ne s'aperçoit pas qu'il* **va** *à sa ruine.*
> *Croyez-vous que la véritable amitié* **est** *rare ?*

---

1. Voici un exemple où le sujet est un nom : *Charles n'hésita pas, tant il jugeait* **cette récréation** *lui* **devoir être** *profitable.* (Flaubert.)

2° Après un verbe principal exprimant la *volonté* (ordre, prière, désir, souhait, défense, empêchement), le *doute,* ou quelque *sentiment* (joie, tristesse, crainte, regret, admiration, étonnement...) :

> *Je veux, j'ordonne, je commande, je demande, je désire, je souhaite qu'on* **dise** *la vérité.*
> *L'honneur défend que vous* **fassiez** *cette injustice.*
> *Empêchez qu'il ne* **sorte.**
> *Je crains qu'il ne* **fasse** *fausse route.*
> *Je doute que la richesse* **rende** *heureux.*
> *Je me réjouis qu'il* **revienne** *à la santé.*
> *Je m'étonne que vous* **fassiez** *si peu d'efforts.*

3° Quand cette subordonnée complément d'objet introduite par *que* est mise en tête de la phrase, avant la principale dont elle dépend (et dans laquelle elle est reprise par un pronom neutre) :

> *Que le travail* **soit** *un trésor, vous le savez.*
> *Que la richesse ne* **fasse** *pas le bonheur, il s'en aperçoit.*

c) Au *conditionnel* quand cette subordonnée complément d'objet exprime un fait éventuel ou dépendant d'une condition énoncée ou non :

> *Je dis, je sais, je crois, je conviens que vous* **feriez** *bien ce travail.*
> *Je pense que les hommes* **seraient** *plus heureux s'ils étaient plus vertueux.*
> *Je ne crois même pas que l'on* **pourrait** *lui reprocher une distraction.* (G. Duhamel.)
> *Convenez-vous que vous* **auriez dû** *suivre une autre méthode ?*

Remarques. — 1. Certains verbes comme *admettre, entendre, dire, prétendre...* expriment tantôt l'opinion ou la perception, tantôt la volonté ; construits avec *que* et employés affirmativement, ils demandent après eux l'*indicatif* dans le premier cas, le *subjonctif* dans le second :

J'entends [= je perçois par l'ouïe]   *J'entends* [= je veux] *qu'on* **vienne.**
qu'on **vient.**
   Je dis [= je déclare] *qu'il* **part.**   *Je lui dis* [= je commande] *qu'il* **parte.**

2. Après **arrêter que, décider que, décréter que, établir que, exiger que, mander que, ordonner que, prescrire que, régler que, résoudre que,** on exprime parfois à l'*indicatif* le contenu de l'ordre ou de la décision dont il s'agit (c'est-à-dire au mode où on le mettrait s'il n'était pas subordonné, comme si *que* était remplacé par deux points) :

> *Le conseil arrête qu'on ne* **passera** *plus par cette rue.*
> *Le tribunal a décidé que la donation* **était** *nulle.* (Acad.)
> *Le conseil ordonne que la façade de la maison Commune* **sera** *illuminée sur-le-champ.* (A. France.)

3. Nier, douter, contester, démentir, disconvenir, dissimuler, suivis de *que* et employés affirmativement, veulent le *subjonctif* dans la subordonnée ; employés négativement, ils demandent ordinairement le *subjonctif*, mais admettent aussi l'*indicatif* quand on veut insister sur la réalité du fait :

> *Il nie que cela* **soit**. (Acad.) — *Je doute fort que cela* **soit**. (Id.)
> *Je ne nie pas qu'il* **ait** *fait cela.* (Id.)
> *Il ne douta pas que ce ne* **fût** *une cigogne.* (Flaubert.)
> *Je ne doute pas qu'il* **fera** *tout ce qu'il pourra.* (Littré.)

4. Certains verbes de sentiment comme *se plaindre, se lamenter, s'étonner, s'irriter, se réjouir...* admettent, pour la construction de la subordonnée complément d'objet, non seulement *que* avec le *subjonctif*, mais parfois aussi *de ce que*, ordinairement avec l'*indicatif :*

> *Il se plaint qu'on l'*ait *calomnié.* — *Il se plaint de ce qu'on l'*a *calomnié.*

5. La subordonnée complément du présentatif *voici* ou *voilà* a son verbe à l'*indicatif* ou au *conditionnel,* selon le cas :

> *Voici que la nuit* **vient**. — *Et voilà que tu* **voudrais** *t'en aller !*

N. B. — La subordonnée complément du présentatif *voici* peut être une proposition infinitive (voir § 461, 4°, Rem. 2).

B. SUBORDONNÉES COMPLÉMENTS D'OBJET INTRODUITES PAR LES RELATIFS INDÉFINIS QUI OU QUICONQUE

463. Le verbe de la subordonnée complément d'objet (direct ou indirect) introduite par un des pronoms relatifs indéfinis *qui* ou *quiconque* se met :

a) A l'*indicatif* si le fait est considéré dans sa réalité :

> *Choisis qui tu* **veux**.
> *Le bonheur appartient à qui* **fait** *des heureux.* (Delille.)

b) Au *subjonctif* si le fait est envisagé simplement dans la pensée et avec un certain élan de l'âme :

> *Cherchez qui vous* **comprenne**.
> *Tant d'autres... avaient trouvé qui les* **aimât**. (R. Rolland.)

c) Au *conditionnel* si le fait est éventuel ou soumis à une condition énoncée ou non :

> *Il flatte quiconque* **pourrait** *lui nuire.*
> *On a donné cet emploi à qui ne l'*aurait *jamais obtenu en des temps moins troublés.*

C. SUBORDONNÉES COMPLÉMENTS D'OBJET
DANS L'INTERROGATION INDIRECTE

464. Le verbe de la subordonnée complément d'objet (direct ou indirect) dans l'interrogation indirecte se met :

a) A l'*indicatif* si l'on exprime un fait considéré dans sa réalité:

Dis-moi si tu **pars.**
Je demande où tu **vas,** *quel chemin tu* **prends.**
Informez-vous si on **partira** *bientôt.*
Nul ne sait s'il **est** *digne d'amour ou de haine.*
On n'imagine pas combien il **faut** *d'esprit pour n'être pas ridicule.* (Chamfort.)

b) Au *conditionnel* si l'on exprime un fait éventuel ou dépendant d'une condition énoncée ou non :

Dis-moi si tu **accepterais** *cet emploi ; informe-toi s'il te* **conviendrait.**
Je me demande comment tu **vivrais** *si tu le refusais.*

Remarque. — Dans la subordonnée de l'interrogation indirecte, on a parfois l'*infinitif* lorsque le sujet (non exprimé) de cet infinitif est le même que celui du verbe principal :

Il ne savait que **dire** *à cette enfant désolée.* (Maupassant.)

---

5. SUBORDONNÉES COMPLÉMENTS CIRCONSTANCIELS

465. Les subordonnées **compléments circonstanciels** se rangent en divers groupes suivant l'espèce de circonstance qu'elles expriment. Elles peuvent marquer :

1° Le *temps;*	5° La *concession*
2° La *cause;*	(ou l'*opposition*) ;
3° Le *but;*	6° La *condition;*
4° La *conséquence;*	7° La *comparaison.*

Remarque. — Cette classification n'a rien d'absolu : outre les catégories indiquées, on distingue parfois des subordonnées compléments circonstanciels marquant le lieu, l'addition, la **manière.**

1° SUBORDONNÉES COMPLÉMENTS CIRCONSTANCIELS DE TEMPS

Mots subordonnants.

466. Les principales conjonctions ou locutions conjonctives introduisant les subordonnées compléments circonstanciels de temps sont :

alors que	chaque fois que	lorsque
à peine… que	comme	maintenant que
après que	depuis que	pendant que
au moment où	dès que	quand
aussi longtemps que	en attendant que	sitôt que
aussitôt que	en même temps que	tandis que
avant que	jusqu'à ce que	toutes les fois que

Remarque. — Au lieu de *répéter* ces conjonctions ou locutions conjonctives
(sauf *au moment où*) dans une suite de subordonnées compléments circonstanciels
de temps, on peut les remplacer par *que* :

Quand le soleil se lève et **que** *la forêt s'éveille, les oiseaux commencent
leurs concerts.*

Emploi du mode.

467. Le verbe de la subordonnée complément circonstanciel de temps
se met :

a) A l'*indicatif* quand cette subordonnée marque la simultanéité
ou l'antériorité et exprime un fait considéré dans sa réalité :

Comme ils **parlaient**, *la nue éclatante et profonde
S'entrouvrit…* (Hugo.)
Quand nous **aurons fini**, *nous partirons.*

b) Au *subjonctif* après *avant que, en attendant que, jusqu'à ce que*:

J'irai le voir avant qu'il **parte.** (Acad.)
En attendant que vous **acquériez** *de l'expérience, rapportez-vous-en
à vos parents.*
Je resterai ici jusqu'à ce que vous **reveniez.** (Acad.)

Remarque. — *Jusqu'à ce que* se construit parfois avec l'*indicatif* quand on veut
marquer la réalité d'un fait :

*Je restais devant lui (…) jusqu'à ce que (…)
Je* **saisis** *de mes bras ses genoux frêles.* (A. Gide.)

c) Au *conditionnel* quand la subordonnée marque la simultanéité ou l'antériorité et exprime un fait simplement possible :

> *Pendant que votre frère* **travaillerait,** *vous resteriez inoccupé ?*
> *Après que nous* **aurions fait** *ce voyage, nous aurions beaucoup appris.*

d) Au *participe* dans les propositions participes (§ 392) :

> *Le père* **mort,** *les fils vous retournent le champ.* (La Font.)

2° *SUBORDONNÉES COMPLÉMENTS CIRCONSTANCIELS DE CAUSE*

Mots subordonnants.

468. Les principales conjonctions ou locutions conjonctives introduisant les subordonnées compléments circonstanciels de cause sont : *attendu que, comme, étant donné que, parce que, puisque, vu que, sous prétexte que.*

Remarques. — 1. Au lieu de *répéter* ces conjonctions ou locutions conjonctives dans une suite de subordonnées compléments circonstanciels de cause, on peut les remplacer par le simple *que* :

> *Puisqu'il avoue sa faute et* **qu'**il la regrette, je lui pardonne.

2. *Que* (employé seul) introduit parfois une subordonnée complément circonstanciel de cause (non pas du fait principal, mais de la demande ou de l'exclamation que le fait subordonné a suscitée) :

> *Comme elle dort,* **qu'**il faut l'appeler si longtemps ! (Hugo.)

Emploi du mode.

469. Le verbe de la subordonnée complément circonstanciel de cause se met :

a) A l'*indicatif* quand cette subordonnée exprime un fait considéré dans sa réalité :

> *Puisqu'on* **plaide** *et qu'on* **meurt,** *et qu'on* **devient** *malade,*
> *Il faut des médecins, il faut des avocats.* (La Font.)

b) Au *conditionnel* quand elle exprime un fait simplement possible ou soumis à une condition énoncée ou non :

*Fuyez les mauvais compagnons, parce qu'ils vous **entraîneraient** au mal.*

c) Au *participe* dans les propositions participes (§ 392) :

*Le soir **approchant**, nous hâtâmes notre marche.*
*Un orage **ayant éclaté**, nous retardâmes notre départ.*

Remarque. — Les expressions *non que, non pas que, ce n'est pas que,* au moyen desquelles on écarte une fausse cause, se construisent avec le *subjonctif :*

*Je le contredis : non que je **veuille** l'humilier, mais la vérité a ses droits.*

3° SUBORDONNÉES COMPLÉMENTS CIRCONSTANCIELS DE BUT

Mots subordonnants.

470. Les locutions conjonctives servant à introduire une subordonnée complément circonstanciel de but sont : *afin que, pour que, de crainte que, crainte que, de peur que.*

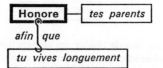

Remarques. — 1. Au lieu de *répéter* les locutions conjonctives dans une suite de subordonnées compléments circonstanciels de but, on peut les remplacer par *que :*

*Si vous faites l'aumône pour qu'on vous voie et **qu'**on vous loue,*
votre charité est vaine.

2. *Que* (employé seul), après un impératif ou un équivalent de l'impératif, introduit parfois une subordonnée complément circonstanciel de but :

*Ôte-toi de là, **que** je m'y mette, dit l'égoïste.*

Emploi du mode.

471. Le verbe de la subordonnée complément circonstanciel de but se met toujours au *subjonctif :*

*Ayez pitié d'autrui, afin qu'on **ait** pitié de vous.*

4° SUBORDONNÉES COMPLÉMENTS CIRCONSTANCIELS DE CONSÉQUENCE

Mots subordonnants.

472. Les subordonnées compléments circonstanciels de conséquence s'introduisent :

par *que*, corrélatif d'un mot d'intensité qui précède : *si, tant, tel, tellement ;*

par les locutions conjonctives *au point que, de façon que, de manière que, en sorte que, de sorte que, si bien que ;*

par la locution conjonctive *pour que,* corrélative d'un des termes *assez, trop, trop peu, suffisamment,* placé avant elle [1].

Remarques. — 1. Au lieu de *répéter* la locution conjonctive dans une suite de subordonnées compléments circonstanciels de conséquence, on peut la remplacer par *que :*

Parlez de façon qu'on vous entende et qu'on vous comprenne.

2. La proposition complément circonstanciel de conséquence est parfois introduite par *que* employé seul :

Les commandes pleuvaient à l'abbaye que c'était une bénédiction. (A. Daudet.)

Emploi du mode.

473. Le verbe de la subordonnée complément circonstanciel de conséquence se met :

a) A l'*indicatif* quand cette subordonnée exprime un fait réel, un résultat atteint :

Tout alla de façon
Qu'il ne vit plus aucun poisson. (La Font.)

---

1. On se gardera d'intercaler un *que* dans *assez pour, trop pour, trop peu pour, suffisamment pour.* Il serait incorrect de dire : *Cette affaire est trop scabreuse que pour que vous l'entrepreniez.* — *Il a trop peu d'expérience que pour que le ministre le charge d'une telle mission.* — Il faut dire, sans *que* devant *pour : Cette affaire est trop scabreuse pour que vous l'entrepreniez.* — *Il a trop peu d'expérience pour que le ministre le charge d'une telle mission.*

b) Au *conditionnel* quand elle exprime un fait simplement possible ou soumis à une condition énoncée ou non :

Notre mère nous aime tant qu'elle **sacrifierait** *son bonheur pour le nôtre.*

c) Au *subjonctif :*

1° Après une principale négative ou interrogative :

Il n'est pas si habile qu'il **soit** *sans rival.*
Est-il tellement habile qu'il **soit** *sans rival ?*

2° Après *assez pour que, trop pour que, trop peu pour que, suffisamment pour que :*

L'affaire de notre avenir est trop grave pour que nous la **prenions** *à la légère.*

3° Quand la subordonnée exprime un fait qui est à la fois une conséquence et un but à atteindre :

Il faut faire une enceinte de tours
Si terrible que rien ne **puisse** *approcher d'elle.* (Hugo.)
Faites les choses de manière que chacun **soit** *content.*

Remarque. — Après *de façon que, en sorte que, de sorte que, si... que,* etc., on met l'*indicatif* quand la subordonnée exprime un fait considéré dans sa réalité :

Il a fait les choses de manière que chacun **est** *content.*

5° SUBORDONNÉES COMPLÉMENTS CIRCONSTANCIELS D'OPPOSITION

Mots subordonnants.

474. Les principales conjonctions ou locutions conjonctives servant à introduire les subordonnées compléments circonstanciels d'opposition sont : *au lieu que, bien que, encore que, loin que, malgré que, pour... que, quoique ; — où que, quel que, quelque... que, quelque ... qui, qui que, quoi que, si... que, tout... que* [1].

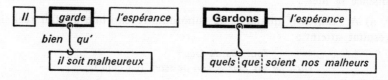

---

1. Comme elles unissent une subordonnée à une principale, les locutions *où que, quel que, quelque ... que, quelque ... qui, qui que, quoi que, si ... que, tout ... que,* ont, si on les considère globalement, la valeur de locutions conjonctives. Dans l'analyse des mots de la subordonnée, chacune de ces locutions (ou, strictement parlant, le premier élément de chacune d'elles) a sa fonction particulière.

Remarques. — 1. Certaines expressions marquant le temps ou la supposition peuvent marquer aussi l'opposition : *alors que, alors même que, lors même que, si, même si, quand, quand même, quand bien même, tandis que :*

> Celui-ci avance **alors que** celui-là recule.
> **Si** la parole est d'argent, le silence est d'or.
> **Quand** vous le jureriez, on ne vous croirait pas.
> Tout le monde le croit heureux, **tandis qu'**il est rongé de soucis.

2. *Malgré que,* selon Littré et selon l'Académie, ne s'emploie qu'avec *en avoir :*

> **Malgré qu'il en ait** (= en dépit de lui), *nous savons son secret.* (Acad.)

Cependant *malgré que* au sens de *bien que* pénètre de plus en plus dans l'usage littéraire :

> De mes quatre chevaux, il en était un qu'on nommait encore « le poulain »,
> **malgré qu'**il eût trois ans passés. (A. Gide.)

3. On trouve assez souvent, dans l'usage moderne, *aussi... que* employé au lieu de *si... que* pour introduire la subordonnée d'opposition :

> **Aussi** étouffant **qu'il** fasse dans le parc, nous y respirerons mieux.
> (Fr. Mauriac.)

4. *Que* employé seul marque parfois l'opposition :

> **Que** la richesse soit séduisante : elle n'en est pas moins impuissante
> à nous rendre heureux.

Emploi du mode.

475. En général, le verbe de la subordonnée complément circonstanciel d'opposition se met au ***subjonctif :***

> Quels que **soient** les humains, il faut vivre avec eux. (Gresset.)
> Quelques richesses que vous **possédiez,** soyez modestes.
> Bien qu'il **soit** pauvre, il ne se plaint pas.

Remarques. — 1. *Quand, quand même, quand bien même, alors même que, lors même que,* marquant l'opposition gouvernent le ***conditionnel :***

> Quand tu **serais** sac, je n'approcherais pas. (La Font.)

2. *Tandis que, alors que,* marquant l'opposition sont suivis de l'*indicatif* ou du **conditionnel,** selon le sens :

> Sa santé décline alors qu'on le **croyait** guéri. (Acad.)
> Vous reculez, alors qu'il **faudrait** avancer.

3. *Tout ... que,* selon la règle traditionnelle, demande l'*indicatif :*

> Tout Picard que j'**étais,** j'étais un bon apôtre. (Racine.)

Mais, dans l'usage moderne, il se construit souvent avec le *subjonctif :*

> Zéphyrin, tout savetier qu'il **fût,** visait au luxe. (Fr. Jammes.)
> Il avait en lui, tout vieux qu'il **fût,** des coins d'âme d'enfant
> qui n'avait pas vieilli. (R. Bazin.)

6° *SUBORDONNÉES COMPLÉMENTS CIRCONSTANCIELS DE CONDITION*

Mots subordonnants.

476. Les principales conjonctions ou locutions conjonctives servant à introduire les subordonnées compléments circonstanciels de condition (ou de supposition) sont : *si, à (la) condition que, sous (la) condition que, à moins que, au cas où, dans le cas où, dans l'hypothèse où, en admettant que, pour peu que, pourvu que, soit que... soit que, soit que... ou que, supposé que, à supposer que.*

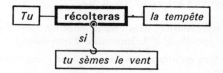

Remarques. — 1. Au lieu de *répéter* ces conjonctions ou locutions conjonctives (sauf *au cas où, dans le cas où, dans l'hypothèse où*), dans une suite de subordonnées compléments circonstanciels de condition, on peut les remplacer par *que :*

Vous parviendrez au succès, pourvu que vous travailliez et **que** *vous persévériez.*
Si tu travailles et **que** *tu persévères, tu réussiras.*

2. *Que* employé seul peut marquer la supposition :

Qu'on lui ferme la porte au nez,
Il reviendra par les fenêtres. (La Font)

Emploi du mode.

477. Le verbe de la subordonnée complément circonstanciel de condition (ou de supposition) introduite par *si* se met en général à l'*indicatif :*

Si tu **travailles** *avec méthode et persévérance, tu réussiras.*

Pour l'ensemble de la phrase, il y a lieu de considérer trois cas :

1° Supposition pure et simple.

Lorsque la subordonnée exprime une supposition pure et simple (c'est-à-dire quand, sans se prononcer sur la réalité du fait de la subordonnée, on indique simplement que de la réalisation de ce fait résulte, a résulté ou résultera le fait principal), le verbe de chacune des deux propositions se met à l'*indicatif :*

Si tu **admets** *cette opinion, tu* **as tort.**
Si tu **as admis** *cette opinion, tu* **as eu** *tort.*
Si [plus tard] *tu* **admets** *cette opinion, tu* **auras** *tort.*

Remarque. — Si le fait subordonné se rapporte à l'avenir, il s'exprime par le *présent* de l'indicatif (correspondant au futur simple) ou par le *passé composé* (correspondant au futur antérieur) [Voir aussi la remarque 4, page suivante] :

S'il **pleut** *demain, je ne* **sortirai** *pas.*
Si demain le mal **a empiré**, *vous me* **rappellerez.**

2° Potentiel.

Lorsque la subordonnée, conditionnelle exprime un fait considéré comme une possibilité, son verbe se met, selon les cas, à *l'indicatif* (présent, passé composé, imparfait) ou à l'*impératif* — et le verbe principal, à l'*indicatif* (présent, futur) ou au *conditionnel :*

Si votre père **est** *là, s'il* **a terminé** *sa besogne,* **appelez-***le,*
*il m'***attend**, *il me* **recevra.**
Si je **deviens** (devenais) *riche, je vous* **récompenserai** (récompenserais.)

N. B. — Souvent la *supposition pure et simple* et le *potentiel* se confondent ; l'une ou l'autre domine suivant la pensée de celui qui parle ou qui écrit.

3° Irréel.

Lorsque la subordonnée, outre la relation de supposition, exprime un fait irréel :

Si la supposition se rapporte au *présent,* le verbe de cette subordonnée se met à l'*imparfait de l'indicatif,* et le verbe principal au *conditionnel présent :*

Si ces pierres **parlaient**, *elles* **pourraient** *nous instruire.*

Si la supposition se rapporte au *passé,* le verbe de la subordonnée se met au *plus-que-parfait de l'indicatif,* et le verbe principal au *conditionnel passé :*

Si Napoléon **avait gagné** *la bataille de Waterloo, l'Europe*
aurait formé *sans doute une nouvelle coalition contre lui.*

Remarques. — 1. Après *si* introduisant l'expression d'un fait irréel dans le passé, la langue littéraire peut mettre le verbe subordonné et le verbe principal, ou l'un des deux seulement, au conditionnel passé 2e forme :

S'il **eût réfléchi**, *il* **eût hésité.** — *S'il avait réfléchi, il* **eût hésité.**
S'il **eût réfléchi**, *il* **aurait hésité.**

2. Parfois le sens est tel qu'on a dans l'une des deux propositions l'irréel du présent et dans l'autre l'irréel du passé :

Si [l'an dernier] *j'avais suivi vos conseils, je serais maintenant moins malheureux.*
Si [en ce moment] *j'abandonnais mes études, mes parents auraient dépensé*
bien de l'argent en pure perte.

3. *Que* remplaçant *si* dans une suite de subordonnées compléments circonstanciels de condition demande après lui le **subjonctif :**

> *S'il travaille bien et qu'il ne* **perde** *aucun instant, il peut se promettre*
> *le succès.*
> *S'il revenait et qu'il* **fît** *une réclamation, vous seriez fort embarrassé.* (Acad.)

4. Pour exprimer l'idée du futur dans la subordonnée de condition, on emploie
parfois l'auxiliaire *devoir :*

> *Si cela* **doit** *(devait) se reproduire, je sévirai (sévirais).*

478. Le verbe de la subordonnée complément circonstanciel de condition (ou de supposition) introduite par une locution conjonctive
composée à l'aide de *que* se met au *subjonctif :*

> *On te pardonnera, pourvu que tu* **fasses** *ta soumission.*
> *Il le fera, pour peu que vous lui en* **parliez.** (Acad.)

Remarques. — 1. Après *au cas où, dans le cas où, dans l'hypothèse où,* on met
le *conditionnel :*

> *Au cas où une complication se* **produirait,** *faites-moi venir.* (Acad.)

2. Après *à (la) condition que, sous (la) condition que,* on met l'*indicatif* (futur
ou futur du passé) ou bien le *subjonctif :*

> *Je vous donne cet argent à condition que vous* **partirez** *demain*
> *ou que vous* **partiez** *demain.* (Littré.)

7° *SUBORDONNÉES COMPLÉMENTS CIRCONSTANCIELS DE COMPARAISON*

Mots subordonnants.

479. Les subordonnées compléments circonstanciels de comparaison s'introduisent :

par *comme, ainsi que, à mesure que, aussi bien que, de même que,
selon que, suivant que ;*

par *que* corrélatif d'adjectifs ou d'adverbes de comparaison tels
que : *aussi, autant, si, tant, autre, meilleur, mieux, moindre, moins,
plus, tel,* etc.

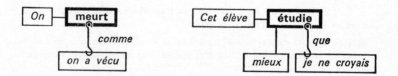

Remarques. — 1. *Si* peut exprimer la comparaison et l'opposition à la fois :

> **Si** *la pauvreté est la mère des crimes, le défaut d'esprit*
> *en est le père.* (La Bruyère.)

2. *Comme si* marque à la fois la comparaison et la supposition :

> *Il me traite* **comme si** *j'étais son valet.* (Acad.)

3. Dans les phrases où la comparaison marque l'égalité, on peut avoir les expressions doubles *autant... autant, tel... tel, comme... ainsi* :

> **Autant** *il a de vivacité,* **autant** *vous avez de nonchalance.* (Acad.)

Quand la comparaison marque la différence, on peut avoir : *autre... autre, autre chose... autre chose* :

> **Autre** *est promettre,* **autre** *est tenir.*

Quand la comparaison marque l'augmentation ou la diminution proportionnelles, on emploie *plus... (et) plus, moins... (et) moins, plus... (et) moins, moins... (et) plus, d'autant plus que, d'autant moins que* :

> **Plus** *il a,* **plus** *il donne.* — **Moins** *il travaille,* **plus** *il s'ennuie.*
> *Mais je le poursuivrai* **d'autant plus qu'***il m'évite.* (Racine.)

4. Quand la subordonnée de comparaison se rattache à un comparatif d'adjectif, on peut la considérer comme une subordonnée complément d'adjectif. (Voir § 487, Rem.)

Emploi du mode.

480. Le verbe de la subordonnée complément circonstanciel de comparaison se met :

a) A l'*indicatif*, en général :

> *Comme il* **sonna** *la charge, il sonne la victoire.* (La F.)
> *On se voit d'un autre œil qu'on ne* **voit** *son prochain.* (Id.)

b) Au *conditionnel* quand la subordonnée complément circonstanciel de comparaison marque un fait simplement possible ou soumis à une condition exprimée ou non :

> *Il vous traite comme il* **traiterait** *son propre fils.*

8° *AUTRES SUBORDONNÉES COMPLÉMENTS CIRCONSTANCIELS*

481. *a) Lieu.* — Les subordonnées compléments circonstanciels de lieu s'introduisent par l'adverbe de lieu *où (d'où, par où, jusqu'où)* employé comme conjonction.
Ces subordonnées peuvent se rattacher aux relatives (§ 484).

Les subordonnées compléments circonstanciels de lieu ont leur verbe à l'*indicatif* ou au *conditionnel,* selon le sens :

*Où la guêpe **a passé**, le moucheron demeure.* (La Font.)
*Où il y **aurait** de la gêne il n'y aurait pas de plaisir.*

b) Addition. — Les subordonnées compléments circonstanciels marquant l'addition s'introduisent par *outre que* et se construisent avec l'*indicatif* ou le *conditionnel,* selon le sens :

*Outre qu'il **est** intelligent, il est très appliqué.*
*Ne faites pas le mal ; outre que vous **perdriez** l'estime des honnêtes gens, vous auriez à subir les reproches de votre conscience.*

c) Restriction. — Les subordonnées compléments circonstanciels marquant la restriction s'introduisent par *excepté que, sauf que, hormis que, hors que* (= excepté que), *si ce n'est que, sinon que,* et se construisent avec l'*indicatif* ou le *conditionnel,* selon le sens :

*Ils se ressemblent parfaitement, excepté que l'un **est** un peu plus grand que l'autre.* (Acad.)
*Ces deux emplois sont également intéressants, sauf que l'un **conviendrait** mieux à un homme de votre âge.*

d) Manière. — Les subordonnées compléments circonstanciels marquant la manière s'introduisent par *comme, sans que, que... ne.*

De ces subordonnées celles qui sont introduites par *comme* peuvent se rattacher aux subordonnées compléments circonstanciels de comparaison ; — celles qui sont introduites par *sans que, que ... ne,* peuvent se rattacher aux subordonnées compléments circonstanciels de conséquence.

Après *comme,* la subordonnée complément circonstanciel de manière a son verbe à l'*indicatif* ou au *conditionnel,* selon le sens :

*Il répondit comme les autres **avaient fait.*** (Acad.)
*J'ai répondu comme vous **auriez fait** vous-même.*

Après *sans que, que... ne,* on met le *subjonctif :*

*Les dents lui poussèrent sans qu'il **pleurât** une seule fois.* (Flaubert.)
*Vous ne sauriez lui dire deux mots qu'il ne vous **contredise.***

---

6. SUBORDONNÉES COMPLÉMENTS D'AGENT

Formes - Mots subordonnants.

482. La proposition subordonnée complément d'agent du verbe passif est introduite par un des pronoms relatifs indéfinis *qui* ou *quiconque,* l'un et l'autre précédés d'une des prépositions *par* ou *de ;* cette subordonnée désigne l'être par qui est faite l'action que subit le sujet du verbe principal :

*Cette maison sera habitée **par qui la construira**.*
*Il est craint **de quiconque l'approche**.*

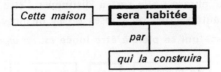

Emploi du mode.

483. Le verbe de la subordonnée complément d'agent se met :

a) A l'*indicatif* si le fait est considéré dans sa réalité :

*Cette place sera occupée par qui la **conquerra**.*
*Il est aimé de quiconque le **connaît**.*

b) Au *subjonctif* si le fait est envisagé simplement dans la pensée avec un certain élan de l'âme :

*Puissiez-vous être instruits par qui vous **comprenne** !*
*Ils souhaitaient être loués par quiconque leur **parlât**.*

c) Au *conditionnel* si le fait est éventuel ou soumis à une condition énoncée ou non :

*Le vol n'a pas été commis par qui on **croirait**.*
*Il ne sera pas nécessairement méprisé de quiconque le **jugerait**.*

7. SUBORDONNÉES COMPLÉMENTS DE NOM OU DE PRONOM (SUB. RELATIVES)

Formes - Mots surbordonnants.

484. La subordonnée complément de nom ou de pronom se joint au nom ou au pronom pour en préciser le sens comme pourrait le faire un nom ou un adjectif.

Elle est introduite par un **pronom relatif** : c'est donc une subordonnée **relative**.

485. Au point de vue du sens, la subordonnée relative complément de nom ou de pronom est :

1° **Complément déterminatif** quand elle restreint la signification de l'antécédent ; on ne peut pas la retrancher sans nuire essentiellement au sens de la phrase ; elle sert à distinguer l'être ou la chose dont il s'agit des autres êtres ou choses de la même catégorie :

La modestie **qui se plaît à être louée** *est un orgueil secret.*

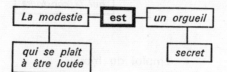

2° **Complément explicatif** quand elle ajoute à l'antécédent une explication accessoire, exprimant un aspect particulier de l'être ou de la chose dont il s'agit ; on peut la retrancher sans nuire essentiellement au sens de la phrase et d'ordinaire elle est séparée par une virgule :

La modestie, **qui donne au mérite un si beau relief,** *sied aux grands hommes.*

Mes yeux cherchent en vain un brave au cœur puissant
Et vont, tout effrayés de nos immenses tâches,
De ceux-là **qui sont morts** *à ceux-ci* **qui sont lâches.** (Hugo.)

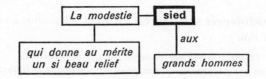

Remarques. — 1. La subordonnée introduite par la conjonction *que* et précisant un nom comme *bruit, certitude, conviction, crainte, espoir, fait, nouvelle, opinion, preuve, sentiment...,* est une subordonnée *complément déterminatif* du nom [1] :

L'espoir **qu'il guérira** *me soutient.*
On a donné la preuve **que l'accusé est innocent.**
La nouvelle **que l'ennemi approchait** *jeta partout la consternation.*
J'ai le sentiment **que cet homme dit la vérité.**

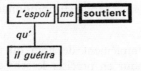

---

1. Certains grammairiens tiennent cette subordonnée pour une subordonnée *en apposition* ; d'autres en font une subordonnée complément d'objet direct du verbe impliqué dans le nom.

2. On a déjà signalé (§ 457, Rem. 2) que certaines propositions relatives comme dans les phrases *Votre ami est là* **qui attend** ; *je le vois* **qui arrive,** peuvent être considérées comme des subordonnées *attributs.*

3. Souvent la subordonnée relative, tout en précisant un nom ou un pronom joue censément le rôle d'un complément circonstanciel et exprime une idée de but, de cause, de condition, de conséquence, etc. :

> *Je cherche un médecin* **qui puisse me guérir** [but].
> *Les longs espoirs ne conviennent pas aux vieillards,* **qui n'ont plus que peu de temps à vivre** [cause].

Emploi du mode.

486. Le verbe de la subordonnée complément de nom ou de pronom se met :

a) A l'*indicatif* quand cette subordonnée exprime un fait considéré dans sa réalité :

> *L'esprit qu'on* **veut** *avoir gâte celui qu'on* **a.** (Gresset.)
> *J'ai choisi un conseiller que la raison* **conduit.**

b) Au *subjonctif* quand on exprime un fait envisagé simplement dans la pensée et avec un certain élan de l'âme ; en particulier :

1° Lorsque la subordonnée marque un but à atteindre, une conséquence :

> *Choisissez un conseiller que la raison* **conduise.**
> *Je cherche un médecin qui* **puisse** *me guérir.*

2° Lorsque l'antécédent est accompagné d'un superlatif relatif ou de *le seul, l'unique, le premier, le dernier* :

> *Le meilleur auxiliaire que* **puisse** *trouver la discipline, c'est le danger.* (Vigny.)
> *La seule chose qui* **dépende** *de nous, c'est de rendre nos souffrances méritoires.* (Massillon.)

Remarques. — 1. Cette dernière règle n'est pas absolue ; on met l'*indicatif* quand la subordonnée relative exprime un fait dont on veut marquer la réalité :

> *Les mauvais succès sont les seuls maîtres qui* **peuvent** *nous reprendre utilement.* (Bossuet.)

2. Après une principale *négative, interrogative* ou *conditionnelle,* si la subordonnée relative exprime un fait envisagé simplement dans la pensée et avec un certain élan de l'âme, elle a son verbe au *subjonctif :*

> *Il n'y a pas d'homme qui* **soit** *immortel.*
> *Est-il un trésor qui* **vaille** *la vertu ?*
> *Si vous avez un ami qui vous* **reprenne** *de vos fautes, gardez-le.*

Mais on met l'*indicatif* si la relative exprime un fait dont on veut marquer la réalité :

> *On n'estime pas l'homme qui* **ment.**
> *Oublierons-nous les lieux qui nous* **ont vus** *naître ?*
> *Si vous blâmez l'ami qui vous* **reprend** *de vos fautes, vous avez tort.*

c) Au *conditionnel* quand la subordonnée exprime un fait éventuel ou soumis à une condition énoncée ou non :

> *L'homme qui* **connaîtrait** *l'avenir serait-il plus heureux ?*
> *Voilà un homme qui* **serait** *plus heureux s'il avait moins de désirs.*
> *Les seuls traités qui* **compteraient** *sont ceux qui* **concluraient**
> *entre les arrière-pensées.* (P. Valéry.)

d) A l'*infinitif* sans sujet exprimé, dans certains cas où la subordonnée relative implique l'idée de *devoir, pouvoir, falloir :*

> *Il cherchait une main à quoi* **s'accrocher.** (Cl. Farrère.)
> *Il indique l'endroit où* **pratiquer** *la plaie.* (J. de Pesquidoux.)
> *Il n'a pas une pierre où* **reposer** *sa tête.*

8. SUBORDONNÉES COMPLÉMENTS D'ADJECTIF

Formes - Mots subordonnants.

487. La subordonnée **complément d'adjectif** se joint à certains adjectifs exprimant, en général, une opinion ou un sentiment, tels que : *sûr, certain, heureux, content, digne…,* pour en préciser le sens ; elle est introduite par la conjonction *que* (parfois *de ce que* ou *à ce que*) ou par un des pronoms relatifs indéfinis *qui* ou *quiconque,* précédé d'une préposition :

> *Cet homme, digne* **qu'on le confonde,** *vit d'intrigues.*
> *Sûr* **qu'il gagnerait la gageure,** *le lièvre s'amusa longtemps.*
> *Heureuse* **de ce que ses enfants sont bien portants,** *cette*
> *mère est attentive* **à ce que rien ne leur manque.**
> *Les hommes ingrats* **envers qui les a obligés** *méritent d'être blâmés.*
> *Défiez-vous de certains personnages, bons seulement* **pour qui**
> **peut leur être utile.**
> *Certaines gens sont, quand il s'agit d'exprimer un avis, semblables*
> **à quiconque les approche.**

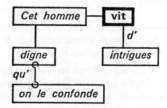

Remarque. — Parmi les subordonnées compléments d'adjectif, il y a les subordonnées **compléments du comparatif :**

Les hommes plus heureux **qu'ils ne le croient** *et moins malheureux* **qu'ils ne le disent** *sont fort nombreux.*

Mon ami, aussi calme **que je suis vif,** *me conseille la prudence.*

Emploi du mode.

488. Le verbe de la subordonnée complément d'adjectif se met :

a) A l'*indicatif* quand cette subordonnée exprime un fait considéré dans sa réalité :

Certain qu'il **peut** *compter sur l'indulgence de ses parents, cet enfant néglige de se corriger.*

b) Au *subjonctif* quand elle exprime un fait envisagé simplement dans la pensée et avec un certain élan de l'âme :

Heureux qu'on lui **fasse** *tant d'honneur, il se confond en remerciements.*

c) Au *conditionnel* quand on exprime un fait éventuel ou soumis à une condition énoncée ou non :

Mes parents, sûrs que je **réussirais** *à mon examen si ma santé était meilleure, me ménagent du repos.*

Mon ami, certain que toute autre situation lui **conviendrait** *mieux, se plaint de son emploi.*

Remarques. — 1. Quand l'adjectif est construit avec le verbe *être*, le mode de la subordonnée complément de cet adjectif dépend de la forme de la principale ou de la nuance à exprimer ; ainsi après une principale négative ou interrogative, on a d'ordinaire le *subjonctif* (mais l'*indicatif* est possible aussi) :

Je ne suis pas certain qu'il **vienne** *(ou : qu'il* **viendra***).*

Êtes-vous sûr qu'il **ait** *raison ? (ou : qu'il* **a** *raison ?)*

2. Certains adjectifs exprimant un sentiment admettent, pour la construction de la subordonnée qui les complète, non seulement *que,* avec le *subjonctif,* mais parfois aussi *de ce que,* ordinairement avec l'*indicatif :*

Heureux qu'on lui **fasse** *tant d'honneur, il se confond en remerciements.*

Heureux de ce qu'on lui **fait** *tant d'honneur...*

489. La **concordance des temps** est le rapport qui s'établit entre le temps de la subordonnée et le temps de la principale dont elle dépend.

Deux cas sont à considérer :

1° Le verbe de la subordonnée est à l'*indicatif*.
2° Le verbe de la subordonnée est au *subjonctif*.

I. SUBORDONNÉE À L'INDICATIF

490. **a)** Lorsque le verbe principal est au *présent* ou au *futur,* le verbe subordonné se met au temps demandé par le sens, comme s'il s'agissait d'une proposition indépendante :

J'affirme
J'affirmerai
- *qu'il* **travaille** *en ce moment.*
- *qu'il* **a travaillé** *hier.*
- *qu'il* **travaillait** *au moment de l'accident.*
- *qu'il* **avait travaillé** *avant votre arrivée.*
- *qu'il* **travailla** *la semaine dernière.*
- *qu'il* **travaillera** *demain.*
- *qu'il* **aura travaillé** *avant deux jours.*

Nous partirons *quand vous* **voudrez.**
Il mourra *comme il* **a vécu.**

b) Lorsque le verbe principal est au *passé,* le verbe subordonné se met, selon le sens :

à l'*imparfait*
au *passé simple* } si le fait est simultané ;

au *futur du passé*
au *futur antérieur du passé* } si le fait est postérieur ;

au *plus-que-parfait*
au *passé antérieur* } si le fait est antérieur :

Simultanéité : *J'ai affirmé qu'il* **travaillait** *quand je suis entré.*
Il se fit qu'à ce moment même il **entra.**
Il courut à moi au moment même où il me **vit.**

Postériorité : *J'ai affirmé qu'il* **travaillerait** *demain.*
J'ai affirmé qu'il **aurait travaillé** *avant deux jours.*

Antériorité : *J'ai affirmé qu'il* **avait travaillé** *avant mon arrivée.*
Dès qu'il **eut parlé,** *une clameur s'éleva.*

Remarques. — 1. Après un *passé* dans la principale, on peut avoir le *présent* de l'indicatif dans la subordonnée lorsque celle-ci exprime un fait vrai dans tous les temps :

La Fontaine a dit que l'absence **est** *le plus grand des maux.*
(A. Hermant.)

2. Après un *passé* dans la principale, on peut aussi avoir dans la subordonnée un temps dont il faut expliquer l'emploi en observant que le fait subordonné est envisagé par rapport au moment de la parole :

Je vous ai promis que je **ferai** *désormais tout mon possible.*
Nous disions que vous **êtes** *l'orateur le plus éminent du diocèse.* (A. France.)
On m'a assuré que cette affaire **aura pris** *fin avant deux jours.*
Il chercha tant qu'il **trouva.**
Vous avez tant travaillé que vous **réussirez.**

II. SUBORDONNÉE AU SUBJONCTIF

491. a) Lorsque le verbe principal est au *présent* ou au *futur,* le verbe subordonné se met :

1° Au *présent* du subjonctif pour marquer la *simultanéité* ou la *postériorité :*

Je veux, je voudrai qu'il **écrive** *sur-le-champ, qu'il* **écrive** *demain.*

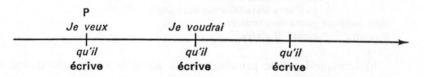

2° Au *passé* du subjonctif pour marquer l'*antériorité :*

Je doute qu'il **ait écrit** *hier, qu'il* **ait écrit** *avant mon départ.*

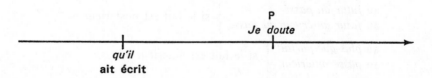

b) Lorsque le verbe principal est à un temps du *passé,* le verbe subordonné se met :

1° A l'*imparfait* du subjonctif pour marquer la *simultanéité* ou la *postériorité* :

> *Je voulais, j'ai voulu, j'avais voulu qu'il* **écrivît** *sur-le-champ, qu'il* **écrivît** *le lendemain.*

2° Au ***plus-que-parfait*** du subjonctif pour marquer l'*antériorité:*

> *Je voulais, j'ai voulu, j'avais voulu qu'il* **eût écrit** *la veille; ... qu'il* **eût écrit** *avant mon départ.*

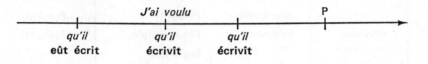

Remarques. — 1. Après un *présent* dans la principale, quand le verbe de la subordonnée est au subjonctif, il se met à l'*imparfait* ou au ***plus-que-parfait***, selon les cas, si la subordonnée exprime un fait simplement possible ou soumis à une condition énoncée ou non :

> *En est-il un seul parmi vous qui* **consentît** *?* (Acad.)
> *On craint que la guerre, si elle éclatait, n'*entraînât *des maux incalculables.* (Littré.)

2. Après un *passé* dans la principale, quand le verbe de la subordonnée est au subjonctif, il se met au *présent* si la subordonnée exprime un fait présent ou futur par rapport au moment où l'on est, ou encore si elle exprime un fait vrai dans tous les temps :

> *Il m'a rendu trop de services pour que je le* **renvoie** *en ce moment, pour que je le* **renvoie** *demain.*
> *Qui a jamais douté que deux et deux ne* **fassent** *quatre ?*

3. Après un *conditionnel présent* dans la principale, quand le verbe de la subordonnée doit être au subjonctif, il se met au *présent* ou à l'*imparfait* :

> *Je voudrais qu'il* **vienne** *ou qu'il* **vînt***.* (Littré.)

4. L'*imparfait* du subjonctif ne s'emploie plus dans la langue parlée, sauf peut-être les deux formes *eût* et *fût*. La langue écrite en conserve ordinairement l'emploi dans les verbes *avoir* et *être* et à la 3e personne du singulier des autres verbes ; mais, d'une manière générale, elle le remplace fréquemment par le *présent* du subjonctif ; parallèlement, le *plus-que-parfait* du subjonctif est souvent remplacé par le *passé* du subjonctif :

> *Elle a exigé que je me* **débarrasse***.* (H. Bordeaux.)
> *Peu s'en est fallu qu'il ne* **soit** *tué.* (Acad.)

CONCORDANCE DES TEMPS : RÉSUMÉ

Verbe principal		Verbe subordonné	
		à l'*Indicatif*	au *Subjonctif*
Présent ou Futur	Simultanéité :	**Présent**	**Présent**
	Postériorité :	**Futur simple**	**Présent**
	Antériorité	**Imparfait** **Passé simple** **Passé composé** **Plus-que-parfait**	**Passé**
Passé	Simultanéité	**Imparfait** **Passé simple**	**Imparfait**
	Postériorité	**Fut. du passé** **Fut. ant. du passé**	**Imparfait**
	Antériorité	**Plus-que-parfait** **Passé antérieur**	**Plus-que-parfait**

LE DISCOURS INDIRECT

492. Le **discours** (ou style) **direct** consiste à rapporter, en les citant textuellement, les paroles ou les pensées de quelqu'un :

Le lion dit : « **J'ai dévoré force moutons.** »
Ma mère me dit : « **Viens.** »

Le **discours** (ou style) **indirect** consiste à rapporter les paroles ou les pensées de quelqu'un, non plus en les citant textuellement, mais en les subordonnant à un verbe principal du type *dire :*

Le lion dit **qu'il avait dévoré force moutons.**
Ma mère me dit **de venir.**

Remarque. — Parfois les propositions du discours indirect, au lieu d'être subordonnées à un verbe déclaratif, se présentent sans principale introductive et sans *que* subordonnant, le verbe *dire* étant implicitement contenu dans ce qui précède : c'est le **style indirect libre :**

Le lion se confessa le premier : il **avait dévoré** *force moutons et même* il lui **était arrivé** *quelquefois de manger le berger.*

493. Mode, temps, personne dans le discours indirect.

Dans la transposition du discours direct en discours indirect, certains changements de *mode,* de *temps* et de *personne* ont lieu :

a) Mode. L'*impératif* est remplacé par le *subjonctif,* ou plus souvent par l'*infinitif ;* les autres modes ne subissent pas de changement :

DISCOURS DIRECT	DISCOURS INDIRECT
Pars : *le temps* **presse ;** *on ne* **gagnerait** *rien à* **attendre ;** *que l'on* **fasse** *diligence.*	[Il a dit] *de* **partir** (*...que l'on* **parte,** *... que l'on* **partît**) : *que le temps* **pressait ;** *qu'on ne* **gagnerait** *rien à* **attendre ;** *que l'on* **fît** *diligence.*

b) Temps. Si la principale introductive est au *présent* ou au *futur,* aucun changement n'a lieu, quant à l'emploi des temps :

DISCOURS DIRECT	DISCOURS INDIRECT
On **travaille,** *on* **travaillait,** *on* **travaillera,** *on* **a travaillé.**	[Il dit, il dira] *qu'on* **travaille,** *qu'on* **travaillait,** *qu'on* **travaillera,** *qu'on* **a travaillé.**

Si la principale introductive est au *passé,* le discours indirect emploie, conformément à la concordance des temps :

1° L'*imparfait* pour manquer la simultanéité ;

2° Le *futur du passé* ou le *futur antérieur du passé* pour marquer la postériorité ;

3° Le *plus-que-parfait* pour marquer l'antériorité :

[Il a dit] *qu'on* **travaillait,** — *qu'on* **travaillerait,** — *qu'on* **aurait travaillé,** — *qu'on* **avait travaillé.**

c) Personne. La 1re et la 2e personne sont, en général, remplacées par la 3e personne :

DISCOURS DIRECT	DISCOURS INDIRECT
Je te comprends.	[Il a dit] *qu'il le comprenait.*

On a cependant la 1re personne quand le narrateur rapporte des paroles qui le concernent lui-même ou qui concernent le groupe dont il fait partie :

[Il a dit] *qu'il* **me** *comprenait, qu'il* **nous** *comprenait.*

On a la 2e personne quand le narrateur rapporte des paroles qui concernent celui ou ceux à qui il les rapporte :

[Il a dit] *qu'il* **te** *comprenait, qu'il* **vous** *comprenait.*

LA PONCTUATION

494. La **ponctuation** est l'art d'indiquer, dans le discours écrit, par le moyen de signes conventionnels, soit les pauses à faire dans la lecture, soit certaines modifications mélodiques du débit, soit certains changements de registre dans la voix.

495. Les **signes de ponctuation** sont : le point (.), le point d'interrogation (?), le point d'exclamation (!), la virgule (,), le point-virgule (;), les deux points (:), les points de suspension (…), les parenthèses ( ), les crochets [ ], les guillemets (« »), le tiret (—), l'astérisque (*) et l'alinéa.

496. Le **point** indique la fin d'une phrase. Il se place aussi après tout mot écrit en abrégé :

> *Les Suédois n'étaient que vingt mille. Le tzar n'avait que la supériorité du nombre. Loin donc de mépriser son ennemi, il employa tout ce qu'il avait d'art pour l'accabler.* (Voltaire.)
> *Infin. pr.* (Infinitif présent.)
> *P. T. T.* (Postes, Télégraphes, Téléphones.)

497. Le **point d'interrogation** s'emploie après toute phrase exprimant une interrogation directe :

> *Qu'est-il devenu ? — Où est-il ? — Où se cache-t-il ?*

498. Le **point d'exclamation** se met après une exclamation :

> *Hélas ! — Ô dieux hospitaliers !*
> *Quoi ! vous me pleureriez mourant pour mon pays !* (Corneille.)

499. La **virgule** marque une pause de peu de durée.

A. *Dans une proposition,* on met la virgule :

1° En général, pour séparer les éléments semblables (sujets, compléments, épithètes, attributs) non unis par *et, ou, ni* :

> *La charité est patiente, douce et bienfaisante.*
> *Les aises de la vie, l'abondance, le calme d'une grande prospérité font que les princes ont de la joie de reste pour rire d'un nain, d'un singe, d'un imbécile et d'un mauvais conte.* (La Bruyère.)

Remarque. — Quand les conjonctions *et, ou, ni* sont employées plus de deux fois dans une énumération, on sépare par une virgule les éléments coordonnés :

> *Et la terre, et le fleuve, et leur flotte, et le port,*
> *Sont des champs de carnage où triomphe la mort.* (Corneille.)
> *Les idées qui se présentent aux gens qui sont bien élevés, et qui ont un*
> *grand esprit, sont ou naïves, ou nobles, ou sublimes.* (Montesquieu.)
> *Un bon financier ne pleure ni ses amis, ni sa femme, ni ses enfants.* (La Bruyère.)

2° Pour séparer tout élément ayant une valeur purement explicative :

> *Sigefroy, chef des Normands, pressa le siège avec une fureur*
> *opiniâtre.* (Voltaire.)

3° Après le complément circonstanciel placé en tête de la phrase ; toutefois, on omet ordinairement la virgule quand le verbe suit immédiatement ce complément circonstanciel placé en inversion :

> *Après cette invocation, Cymodocée chanta la naissance des*
> *dieux.* (Chateaubriand.)
> *Au sortir de ce bois coule la rivière de Parts.* (Voltaire.)

4° Pour isoler les mots qui forment pléonasme ou répétition :

> *Mettez, mettez, Monsieur, Trissotin pour mon gendre.* (Molière.)
> *Je vous assure, moi, que cela est.*

5° Pour isoler les mots en apostrophe :

> *Je crains Dieu, cher Abner, et n'ai point d'autre crainte.* (Racine.)

B. *Dans un groupe de propositions,* on met la virgule :

1° En général, pour séparer plusieurs propositions de même nature juxtaposées :

> *On cherche, on s'empresse, on brigue, on se tourmente, on*
> *demande, on est refusé, on demande et on obtient.* (La Bruyère.)
> *L'habile homme est celui qui cache ses passions, qui entend*
> *ses intérêts, qui y sacrifie beaucoup de choses, qui a su acquérir*
> *du bien ou en conserver.* (Id.)

2° Avant les propositions introduites par les conjonctions de coordination autres que *et, ou, ni :*

> *Il ne faut pas faire telle chose, car Dieu le défend.* (Acad.)
> *Il est fort honnête homme, mais il est un peu brutal.* (Id.)
> *Je pense, donc je suis.*

3° Avant les propositions compléments circonstanciels ayant une valeur simplement explicative :

> *Tout vous est pardonné, puisque vous vous repentez.*

Mais, dans des phrases telles que les suivantes, on ne met pas la virgule, parce que la proposition complément circonstanciel est intimement liée par le sens à la principale et qu'aucune pause n'est demandée :

Nous commencerons quand vous voudrez.
Vous serez roi dès que vous voudrez l'être. (Voltaire.)
Il sort sans qu'on le voie.

4° Après les propositions compléments circonstanciels placées en tête de la phrase :

Quand vous commanderez, vous serez obéi. (Racine.)

5° Pour isoler une proposition relative explicative :

Ta fausse vertu, qui a longtemps ébloui les hommes faciles à tromper, va être confondue. (Fénelon.)

6° Pour séparer la proposition participe ou la proposition incidente :

L'air devenu serein, il part tout morfondu. (La Font.)
Vous voyez, reprit-il, l'effet de la concorde. (Id.)

7° Ordinairement, pour marquer l'ellipse d'un verbe ou d'un autre mot exprimé dans une proposition précédente :

Le devoir des juges est de rendre la justice ; leur métier, de la différer. (La Bruyère.)

500. Le **point-virgule** marque une pause de moyenne durée. Il s'emploie pour séparer, dans une phrase, les parties dont une au moins est déjà subdivisée par la virgule, ou encore pour séparer des propositions de même nature qui ont une certaine étendue :

L'objet de la guerre, c'est la victoire ; celui de la victoire, la conquête ; celui de la conquête, la conservation. (Montesquieu.)
Un bon plaisant est une pièce rare ; à un homme qui est né tel, il est encore fort délicat d'en soutenir longtemps le personnage ; il n'est pas ordinaire que celui qui fait rire se fasse estimer. (La Bruyère.)

501. Les **deux points** s'emploient :

1° Pour annoncer une citation, un discours direct :

Écoutez cette sage parole : « Il faut mériter la louange et la fuir ».
Le loup reprit : « Que me faudra-t-il faire ? » (La Font.)

2° Pour annoncer l'analyse, l'explication, la conséquence, la synthèse de ce qui précède :

Il n'y a pour l'homme que trois événements : naître, vivre et mourir. (La Bruyère.)

Travaillez, prenez de la peine :
C'est le fonds qui manque le moins. (La Font.)
Les chemins sont ouverts : qui peut nous arrêter ? (Boileau.)
Du repos, des riens, de l'étude,
Peu de livres, point d'ennuyeux,
Un ami dans la solitude :
Voilà mon sort, il est heureux. (Voltaire.)

502. Les **points de suspension** indiquent que l'expression de la pensée reste incomplète par réticence, par convenance ou pour une autre raison :

Je me verrai trahir, mettre en pièces, voler,
Sans que je sois... Morbleu ! je ne veux point parler. (Molière.)

503. Les **parenthèses** s'emploient pour intercaler dans une phrase quelque indication accessoire :

On conte qu'un serpent voisin d'un horloger
(C'était pour l'horloger un mauvais voisinage),
Entra dans sa boutique. (La Font.)

504. Les **crochets** servent au même usage que les parenthèses, mais ils sont moins usités. On les emploie surtout pour isoler une indication qui contient déjà des parenthèses :

Chateaubriand s'est fait l'apologiste du christianisme [cf.
Génie du Christianisme (1802)].

505. Les **guillemets** s'emploient pour encadrer une citation ou un discours direct :

Les Romains commencent le chant de Probus : « Quand nous aurons
vaincu mille guerriers francs, combien ne vaincrons-nous pas de millions
de Perses ? » (Chateaubriand.)

506. Le **tiret** s'emploie dans un dialogue pour indiquer le changement d'interlocuteur ou pour séparer du contexte des mots, des propositions :

Debout ! dit l'Avarice, il est temps de marcher.
— Hé ! laissez-moi. — Debout ! — Un moment. — Tu répliques ? (Boileau.)
Ainsi — et ce point réservé que nul poète ne fut plus grand
par l'imagination et par l'expression — sous quelque aspect
que nous considérions Victor Hugo, nous lui voyons des égaux
et des supérieurs. (J. Lemaitre.)

507. L'**astérisque** est un petit signe en forme d'étoile qui indique un renvoi ou qui, simple ou triple, tient lieu d'un nom propre qu'on ne veut pas faire connaître, sinon parfois par la simple initiale :

Ceci se passait au château de R*.
C'était chez madame de B***.

508. L'**alinéa** marque un repos plus long que le point ; c'est une séparation qu'on établit entre une phrase et les phrases précédentes, en la faisant commencer un peu en retrait à la ligne suivante, après un petit intervalle laissé en blanc.

L'alinéa s'emploie quand on passe d'un groupe d'idées à un autre groupe d'idées.

APPENDICE

Modèle d'analyse grammaticale

SUPRÊME CONSOLATION

Un ingénieur avait rêvé *toute* sa vie qu'il parviendrait *à* extraire l'*or* contenu dans l'eau de mer. Quand sa femme lui disait : « Mon avis est que tu as fait assez de sacrifices, mon *ami*. — Jamais ! s'écriait-il. *Qui* trouvera ce secret défiera tous les milliardaires, et c'est *moi* qui le trouverai.

Sur le point de mourir, quelque faible *qu'il* fût, le pauvre homme regardait *encore* son *appareil* fonctionner sur la table qui était près de son lit. Il cherchait à *qui* il pourrait s'adresser pour *trouver* des fonds. Et il ne *se décourageait* point ; une fois qu'il serait debout, il prouverait bien qu'il n'était pas un rêveur de chimères. Tout à coup un rayon de soleil perça les rideaux, *et* des poussières scintillantes dansèrent devant les yeux du moribond. Alors, comme il n'était plus en état de comprendre d'où tombait cette pluie tant attendue, il eut la sensation qu'enfin il avait réussi, et, sûr qu'il tenait désormais la fortune, il cria à sa femme : « Regarde ! De l'or, de l'or, et plus que je ne t'*en* ai jamais promis ! »

Puis, ses bras s'étant soulevés et tendus dans un effort suprême vers un des fleuves de paillettes que roulaient les rayons bénis, il s'en alla dans la *joie*.

BRUNOT et BONY, *Méthode de langue française*, 3ᵉ livre.

ANALYSE COMPLÈTE DE LA PREMIÈRE PHRASE

Base de la phrase : « avait rêvé ». Verbe *rêver*, trans. dir., voix act., indic. plus-que-parfait, 3ᵉ pers. sing.

Groupe du sujet : « un ingénieur ».

Centre : « ingénieur ». Nom commun, masc. sing.

Déterminatif : « un ». Art. ind., masc. sing., se rapporte à « ingénieur ».

Groupe du compl. circ. de temps (en construction directe) : « toute sa vie ».

Centre : « vie ». Nom commun, fém. sing.

Déterminatif : « toute ». Adj. indéf., fém. sing., se rapporte à « vie ».

Déterminatif : « sa ». Adj. poss., fém. sing., renvoie à « ingénieur », se rapporte à « vie ».

Proposition objet direct : « qu'il parviendrait à extraire l'or contenu dans l'eau de mer ».

Base de la proposition : « parviendrait ». Verbe *parvenir* ; trans. indir., voix act., ind. futur du passé, 3ᵉ pers. sing.

Conjonction de subordination : « que », unit la proposition à la base de la phrase « avait rêvé ».

Sujet : « il ». Pron. pers., 3ᵉ pers., masc. sing., remplace « ingénieur ».

Groupe de l'objet ind. : « à extraire l'or contenu dans l'eau de mer ».
Centre de l'objet indirect : « extraire ». Verbe *extraire*, trans. dir., voix act., inf. prés.
Préposition : « à ». Unit le centre de l'objet ind. à la base « parviendrait ».

Groupe de l'objet dir. de l'infinitif : « l'or contenu dans l'eau de mer ».
Centre de l'objet direct : « or ». Nom commun, masc. sing.
Déterminatif : « l' ». Art. défini élidé, masc. sing., se rapporte à « or ».

Groupe de l'épithète : « contenu dans l'eau de mer ».
Centre de l'épithète : « contenu ». Verbe *contenir*, voix pass., part. passé, masc. sing., se rapporte à « or ».

Groupe du compl. circ. de lieu : « dans l'eau de mer ».
Centre du compl. circ. de lieu : « eau ». Nom commun, fém. sing.
Préposition : « dans ». Unit le centre au verbe « contenu ».
Déterminatif : « l' ». Art. déf. élidé, fém. sing., se rapporte à « eau ».

Groupe du compl. déterm. : « de mer ».
Centre du compl. dét. : « mer ». Nom commun, fém. sing.
Préposition : « de ». Unit le centre à « eau ».

ANALYSE DES MOTS EN ITALIQUE

Dans un souci d'allégement, ce type d'exercices pourra se réduire à ce qui est essentiel dans tel cas déterminé et faire abstraction, par exemple, des notions de groupe et de centre.

un : article indéfini, masc. sing., déterminatif de *ingénieur*.

ingénieur : nom commun, masc. sing., sujet de *avait rêvé*.

toute : adjectif indéfini, fém. sing., déterminatif de *vie*.

à : préposition, unit l'objet indirect à *parviendrait*.

or : nom commun, masc. sing., objet direct de *extraire*.

ami : nom commun, masc. sing., mis en apostrophe.

qui : pronom relatif indéfini, 3e pers., masc. sing., sujet de *trouvera*.

moi : pronom personnel, 1re pers., m. sg., sujet de *trouverai*, mis en relief par le gallicisme *c'est… qui.*

sur le point de : locution prépositive, unit le compl. circonstanciel à *regardait*.

mourir : verbe *mourir*, intransitif, infinitif présent, complément circ. de temps de *regardait*.

quelque : adverbe d'intensité, complément de *faible*.

quelque… qu' : gallicisme, unit à *regardait* la proposition complément circonstanciel d'opposition.

encore : adverbe de temps, complément de *regardait*.

appareil : nom commun, masc. sing., sujet de *fonctionner*.

qui : pronom interrogatif, 3e pers., masc. sing., objet indirect de *s'adresser*.

trouver : verbe *trouver*, trans. direct, voix active, infinitif présent, complément circ. de but de *s'adresser*.

se : pronom réfléchi, 3e pers., masc. sing., sans fonction.

se décourageait : verbe *se décourager*, indicatif imparfait, 3e pers. sing., base de la phrase.

et : conjonction de coordination, unit les phrases *un rayon… perça* et *des poussières… dansèrent…*

en : pronom personnel, 3e pers., masc. sing., objet direct partitif de *ai promis*.

joie : nom commun, fém. sing., complément circ. de manière de *s'en alla*.

INDEX

Les chiffres renvoient aux **paragraphes**.

Les chiffres renvoient aux paragraphes.

Les chiffres renvoient aux paragraphes.

Les chiffres renvoient aux paragraphes.

Les chiffres renvoient aux paragraphes.

Les chiffres renvoient aux paragraphes.

TABLE DES MATIÈRES